FIET 2014

I FÒRUM INTERNACIONAL D'EDUCACIÓ I TECNOLOGIA
NOUS ESCENARIS D'APRENENTATGE DES D'UNA VISIÓ TRANSFORMADORA

I INTERNATIONAL FORUM ON EDUCATION AND TECHNOLOGY
NEW LEARNING ENVIRONMENTS FROM A TRANSFORMATIVE PERSPECTIVE

Mercè Gisbert Cervera
Juan González Martínez

Editores

La edición del presente texto ha sido posible gracias a la implicación de diferentes instituciones:

INSTITUCIONES ORGANIZADORAS:

INSTITUCIONES COLABORADORAS:

Índex

EIX 1. ESTUDI I ANÀLISI DEL PROCÉS EDUCATIU

EIX 2. PROCESSOS D'INTEGRACIÓ I TRANSFERÈNCIA

EIX 3. ÚS RESPONSABLE DE LA TECNOLOGIA

EIX 4. MITJANS DE COMUNICACIÓ

Pròleg

EDUCACIÓ I TECNOLOGIA. RECERCA I INTERNACIONALITZACIÓ

Durant les darreres dècades les universitats catalanes han fet una clara aposta per la internacionalització i per la recerca. La seva capacitat de crear coneixement d'excel·lència i les seves estratègies de projectar-se al món han aconseguit que moltes d'elles apareguin als millors rànquings del món.

Aquesta anàlisi feta de manera general, si la fem amb més detall, ens indica que no tots els àmbits del coneixement han seguit la mateixa orientació i és precisament en aquests on s'han de dissenyar projectes i s'han d'esmerçar recursos i eines per a poder posicionar-los en recerca i en internacionalització. On més àmbits queden per orientar en aquest sentit és en el camp de les Ciències Humanes i Socials. Camps aquests que també s'han marcat els dos mateixos eixos però com la seva situació de partida era una altra els falta encara una mica més de recorregut per ser visibles.

És en aquest context, i emmarcat per tot el projecte del Tricentenari de Catalunya (1714-2014), que es dissenya i s'implementa el I Fòrum Internacional d'Educació i Tecnologia (FIET), liderat pel grup de Recerca de ARGET i celebrat la darrera setmana de juny de 2014 a Tarragona a la Universitat Rovira i Virgili. Un fòrum científic que va aplegar 100 especialistes de 16 països i 64 institucions diferents. Aquest científics d'arreu del món van estar treballant en 11 línies temàtiques i van preparar uns documents amb una mirada catalana i una altra internacional que permetessin conéixer el punt en què ens trobem ara, però també, i més important, quines són les orientacions de futur que ens hem de marcar en l'àmbit de les Tecnologies aplicades a l'Educació.

És aquesta educació emmarcada en un món digital la que hem de fer avançar per poder garantir una millor formació de la ciutadania i un millor país en un futur proper. Aquesta només s'enriquirà si tenim la capacitat de construir pensament de manera col·laborativa i distribuïda i si iniciatives com el FIET constitueixen la primera pedra d'una estratègia internacional de recerca educativa per determinar com la tecnologia pot garantir la creació d'un futur més ric en coneixement i d'una educació (en tots els nivells i àmbits) de més qualitat i més orientada a les característiques del món actual.

Lluís Jofre i Roca
Director General d'Universitats de la Generalitat de Catalunya

Introducció

Mercè Gisbert Cervera, coordinadora del I FIET
Juan González Martínez

Departament de Pedagogia. Universitat Rovira i Virgili

La tecnologia ha esdevingut, en els darrers anys, un dels principals motors quant a la configuració de nous espais i maneres de fer a l'àmbit educatiu català, i també internacional (Castells 2004) i ens ha permès crear i impulsar xarxes globals orientades a la creació i a la conversió de nous corrents educatius. La tecnologia educativa, per tant, s'han convertit en una de les eines essencials per a l'impuls de l'educació al nostre país, educació que haurà de constituir el veritable motor de desenvolupament social i cultural de Catalunya.

En aquests moments, però, és essencial plantejar propostes i projectes educatius que a la vegada s'alineïn amb les agendes digitals europea (Unió Europea, 2010) i catalana (Generalitat de Catalunya, 2013), i siguin permeables a les circumstàncies concretes del nostre context educatiu, que cavalquin de manera harmònica entre la globalitat i la localitat. En aquest sentit, és evident la necessitat de definir una estratègia orientada a futur, fonamentada i estratègica, que respongui a tres requeriments: les polítiques de lideratge i de pràctica educativa (Informe Horizon del NMC, 2012, 2013 i 2014), l'anàlisi en termes d'impacte econòmic d'aquestes polítiques (OCDE, 2012) i les nombroses possibilitats de l'era digital.

Ningú dubta que, en tot aquest context, la innovació educativa va sempre de la mà de la inclusió de les Tecnologies de la Informació i la Comunicació, les TIC, a tots els processos de l'àmbit educatiu: ensenyament-aprenentatge, gestió, planificació, etc. En aquest sentit, de fet, Ferrari (2012) apunta als tres principals arguments per a la inclusió de la tecnologia al nostre àmbit: la contribució a l'aprenentatge, en termes positius; la necessitat de garantir una ciutadania competent digitalment des dels inicis de la vida i de manera generalitzada per a tota la població; i la lluita contra l'escletxa social amb la finalitat de permetre tots els ciutadans i ciutadanes la participació a l'actual context digital.

Amb l'objectiu de reflexionar sobre tot això, el I Fòrum Internacional d'Educació i Tecnologia (FIET 2014) ha pretès fomentar la creació d'espais de trobada internacionals, globals i multidisciplinaris que ens ajudin a configurar un nou panorama educatiu català, amb una concepció de l'educació no només formal, sinó també informal i no formal. Aquest debat i aquesta reflexió ens han de permetre definir quins són els reptes de Catalunya a curt i mig termini, per mitjà de l'anàlisi de la relació entre la tecnologia i l'educació a partir del treball conjunt entre experts catalans i de la resta del món.

Cal crear estratègies i fòrums de reflexió i de discussió que permetin formular preguntes en relació amb la incorporació i a l'ús de les TIC a l'àmbit educatiu, i trobar-los respostes fonamentades científicament que ens ajudin a definir el full de ruta de l'educació catalana: Calen nous espais formatius? Com s'ha de transmetre la informació? Com s'ha d'impulsar la creació de coneixement? Quina ha de ser l'avaluació dels entorns tecnològics? Cal un nou perfil del docent? Quina és l'essència de l'aprenentatge digital? Cap a on evolucionarà el propi procés d'aprenentatge? I totes aquestes preguntes, en un context on cada vegada sembla més evident que calen nos escenaris que integrin la tecnologia de manera natural, que facilitin la recollida d'evidències del procés educatiu, que permetin la creació i impulsin la innovació per part de tots els agents implicats (Informe Horizon NMC, 2014).

Les respostes a totes aquestes preguntes no poden formular-se a partir de l'especulació o de la intuïció de les persones implicades, per molta que sigui la bona voluntat i per indubtable que sigui la implicació dels professionals. En aquest sentit, és habitual considerar que els processos innovadors en educació tenen a veure amb la condició de visionaris de qui els impulsen, o tenen l'arrel en fenòmens de moda o de pressió de lobbies implicats més que en l'evidència científica que els avala. És obvi que no podem entendre la innovació sense un component inherent de millora dels processos educatius (Escudero i González, 1987; San Martín, Peirats i Sales, 2000). Però no menys evident és que només en la mesura que siguem capaços d'aturar-nos a reflexionar sobre allò que fem i que farem, i de plantejar processos de recerca encaminats a recollir evidències dels resultats de la nostra pràctica educativa, només aleshores serem capaços de parlar veritablement d'innovació educativa. És llavors quan podrem afirmar que la nostra pràctica amb afany innovador realment ho és, perquè aporta un valor afegit que millora l'educació. I és per això que el FIET 2014 ha donat tanta importància a la recerca com a aliada indispensable de la millora educativa.

I és que, en paraules de Cranton (1996), l'afany dels professionals de l'educació a Catalunya ha d'anar una passa més enllà de la mentalitat de l'artesà, que és expert en replicar fins a l'infinit els processos que ja sap que, en contextos controlats, donen resultats equivalents. Ben al contrari, l'aspiració dels educadors (en el sentit més ampli, docents, gestors, planificadors, etc.), ha de ser erirgir-se en vertaders artistes de la pràctica professional que ens pertoca, sempre a la recerca de processos més eficients i més eficaços, contrastats de la manera més científica possible (Whitelaw, Sears i Campbell, 2004).

Com a mostra de tot això, durant els nou mesos de treball conjunt dels experts catalans i internacionals del FIET 2014, presentem de manera molt sintètica les principals recomanacions per poder iniciar accions de millora educativa:

1) Quant a les institucions i els entorns d'aprenentatge:

   a) Integrar la tecnologia intel·ligent atès el seu potencial com a entorn d'aprenentatge
   b) Dissenyar i desenvolupar nous entorns d'aprenentatge amb la col·laboració de diferents agents educatius. Els centres formals, per ells mateixos, ja no poden aspirar a cobrir totes les necessitats educatives.

2) Quant a la ciutadania:

   a) Desenvolupar adequadament la responsabilitat social en l'ús de la tecnologia.
   b) Promoure oportunitats per a la construcció creativa del coneixement i del pensament crític.
   c) Adquirir la competència digital necessària per desenvolupar-se en una societat digital.

3) Quant al professorat:

   a) Millorar-ne la competència digital i formar-lo en qüestions ètiques.
   b) Afavorir l'ús de metodologies innovadores per a la incorporació de les TIC en els processos educatius.
   c) Dissenyar i desenvolupar plans de formació inicial i permanent per millorar la captació en competència digital.
   d) Crear un «mapa» de la innovació educativa des d'una perspectiva internacional que pugui resultar exemplificador.

4) Quant a les polítiques públiques:

    a) Definir polítiques educatives que vagin més enllà del sistema educatiu formal.

    b) Promoure la qualitat en l'ús de les TIC en l'àmbit educatiu.

    c) Afavorir l'autonomia educativa per al desenvolupament d'innovacions.

    d) Facilitar eines digitals per garantir l'accés universal a la formació i al coneixement.

    e) Modificar els patrons culturals, institucionals i curriculars, i garantir-ne la flexibilitat i l'adaptació a la realitat digital.

    f) Promoure codis ètics per a l'ús de la tecnologia.

Al llarg d'aquest llibre, finalment, es trobaran els diferents documents de treball que han produït les 11 línies del I Fòrum Internacional d'Educació i Tecnologia, i que desenvolupen els aspectes que acabem de sintetitzar. Constitueixen, sense cap dubte, una brúixola excepcional que ens ha de situar de manera precisa a les coordenades educatives del nostre context actual i, més important encara, ens ha de permetre definir el camí que volem recórrer.

Referències documentals

Castells, M. (2004). *The network society. A cross-cultural perspective.* Massachusetts: Edward Elgar.

Comisión Europea, EACEA y Eurydice. (2013). *Education and training in Europe 2020: responses from the EU member States* (Informe de Eurydice). Bruselas: Eurydice. Disponible en http://eacea.ec.europa.eu/education/eurydice/documents/thematic_reports/163EN.pdf

Comisión Europea. (2007). *Key competences for lifelong learning – an European framework.* Luxemburgo: Oficina de Publicaciones de la Unión Europea.

Comisión Europea. (2012). Un nuevo concepto de educación: invertir en las competencias para lograr mejores resultados socioeconómicos. *Dictamen del Comité Económico y Social Europeo sobre la Comunicación de la Comisión al Parlamento Europeo, al Consejo, al Comité Económico y Social Europeo y al Comité de las Regiones.* Estrasburgo: Comisión Europea.

Cranton, P. (1996), *Professional development as transformative learning: New perspectives for teachers of adults.* San Francisco: Jossey-Bass.

Escudero, J. M. i M. T. González (1987). *Innovación educativa: teoria y procesos de desarrollo.* Barcelona: Humanitas.

Generalitat de Cataluña. (2013). *Agenda digital per a Catalunya 2020* (idigital). Consultado en http://www.idigital.cat/documents/10501/405750/Agenda_Digital_CAT_maquetada.pdf

Johnson, L., Adams Becker, S., Cummins, M., Estrada, V., Freeman, A. y Ludgate, H. (2013). *Informe Horizon del NMC: edición sobre educación superior 2013* (traducción al español por la Universidad Internacional de La Rioja: www.unir.net). Austin: The New Media Consortium.

Johnson, L., Adams, S. y Cummins, M. (2012). *Informe Horizon del NMC: edición para la enseñanza universitaria 2012.* Austin: The New Media Consortium.

Johnson, L., Adams, S., Estrada, V. y Freeman, A. (2014). *NMC Horizon report: 2014 Higher Education Edition.* Austin: The New Media Consortium.

OCDE. (2012). *Better skills, better jobs, better lives: a strategic approach to skills policies.* OCDE Publishing. Consultado en http://dx.doi.org/10.1787/9789264177338-en

San Martín, Á., Peirats, J. i C. Sales (2000). ¿Son innovadores las tecnologies de la información en los centros escolares? Un mito a cuestionar. *Revista de Educación,* 2. 77-90.

Unión Europea. (2010). *Digital agenda for Europe.* Consultado en http://ec.europa.eu/digital-agenda

Whitelaw, C., Sears, M. and K. Campbell (2004), Transformative Learning in a faculty Professional development Context. *Journal of Transformative Education,* 2, 9-27.

Presentació del FIET 2014

La tecnologia pot ajudar a constituir nous espais, noves modalitats educatives i culturals i, a la vegada, generar xarxes globals tant per a la creació com per a la redefinició de noves perspectives educatives i culturals. *Hauríem de considerar l'educació com a un motor de desenvolupament d'un país.*

Podem considerar la Societat del Coneixement des de les tres accepcions que s'usen amb més freqüència per denominar els efectes de la tecnologia sobre la societat: societat de la informació, societat de la comunicació i societat xarxa. És necessari *observar un context educatiu orientat a la creació i difusió del coneixement en un entorn digital.*

És fonamental dissenyar propostes a partir de les grans línies definides a les Agendes Digitals 2020 (tant de la Unió Europea com de Catalunya) així com informes de prospectiva actualitzats (Horizon del New Media Consortiun, 2012 i 2013). *S'ha de definir una estratègia educativa orientada al futur amb base fonamentada.*

Es fa necessària una estratègia formativa per poder-nos fer algunes preguntes clau: necessitem nous espais formatius?, necessitem professors amb un perfil diferent a l'actual?, qui genera els continguts?, com s'han de transmetre?, quin és el valor real de l'avaluació?, què significa aprendre? *Necessitem nous escenaris educatius* més flexibles i adaptables *a la societat digital.*

Aquesta societat hauria de fonamentar el seu desenvolupament en el treball compartit i aprofitar el capital humà distribuït pel món i els diferents agents que participen en el procés educatiu. *Es fa convenient la generació de xarxes que afavoreixin un context de treball col·laboratiu per tal de donar resposta als escenaris d'aprenentatge més rics però més complexes.*

LA PROPOSTA

Per tal de tractar aquestes temàtiques de manera experta, compartida i amb un abast internacional però amb actuacions locals, es proposa la celebració del FIET 2014.

FIET 2014 pretén ser un espai de trobada en el qual figures de rellevància internacional relacionades amb el món de la educació i la tecnologia reflexionin i facin propostes de manera conjunta sobre el seu paper transformador en un context digital.

OBJECTIU, EIXOS TEMÀTICS I RESULTATS ESPERATS

L'objectiu principal d'aquest esdeveniment és, doncs, *realçar el coneixement i l'experiència de Catalunya en educació, cultura i tecnologia* i contrastar el model amb els millors del món amb la finalitat de generar escenaris de futur.

Aquest gran objectiu es pretén assolir a través de *l'anàlisi, el debat i l'elaboració de propostes educatives* per a nous escenaris d'aprenentatge des d'una òptica tecnològica i transformadora. Els processos bàsics que s'han de posar en marxa durant el fòrum són:

- Fer visible el coneixement que es genera a Catalunya relacionat amb l'educació i la tecnologia.
- Localitzar les millors experiències del món en els grans eixos temàtics.
- Localitzar els millors especialistes i treballar-hiconjuntament.
- Activar projectes estratègics per al desenvolupament de l'educació i la tecnologia a l'àmbit català.
- Documentar i difondre l' activitat generada en aquest esdeveniment.

EIXOS TEMÀTICS

L'activitat orientada a l'assoliment d'aquests objectius girarà entorn dels eixos temàtics següents, als quals s'hi desenvoluparan les seves corresponents línies temàtiques.

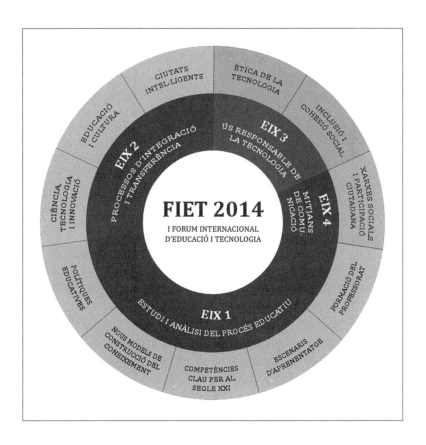

EIX 1. ESTUDI I ANÀLISI DEL PROCÉS EDUCATIU

El primer dels eixos, dedicat a l'estudi i l'anàlisi del procés eductiu, engloba cinc línies, que desenvolupen aspectes tan importants com les polítiques educatives, els nous models de construcció del coneixement, les competències clau per al segle XXI, els escenaris d'aprenentatge o la formació del professorat.

La *Línia 1: Polítiques Educatives* situa sota principis generals (com permeabilitat del sistema, comprensivitat, inclusivitat, equitat, participació i incorporació a la societat del coneixement, entre d'altres) un conjunt de reflexions i de propostes que han de permetre mantenir i potenciar els processos formatius com a instruments per al desenvolupament personal, institucional i social.

Les temàtiques centrals sorgeixen de la matriu que relaciona els diferents àmbits d'intervenció (social, sistema educatiu, centre de formació i aula) amb els aspectes que configuren una realitat organitzada (principis/fites, estructures, persones i dinàmiques relacionals). El resultat són onze temes que es defineixen, s'analitzen des de la situació actual i desitjable, permeten concretar propostes d'intervenció i proporcionen referents per aprofundir en l'anàlisi. El tractament persegueix l'equilibri entre el manteniment de les actuacions valuoses i pertinents i la generació de propostes que permetin situar el sistema formatiu en clau de futur.

Equitat i sistema social, formació al llarg de la vida, estructura i contingut del currículum bàsic, model d'administració educativa, autonomia dels centres i direcció escolar, serveis de suport als centres educatius, formació i desenvolupament professional del professorat, orientació i acompanyament al llarg de la vida, participació social en educació, avaluació i supervisió i investigació i innovació, són els aspectes considerats i desenvolupats a en aquesta línia temàtica.

A la *Línia 2: Nous models de construcció del coneixement*, partim de la idea que hi ha tres categories generals de coneixement del segle XXI: -La fonamental, allò que necessitem saber, la meta, com actuem amb aquest coneixement, i la humanista, els valors que portem al nostre coneixement i l'acció. El coneixement implica el disseny, la qual cosa significa que el coneixement ofereix respostes provisionals als problemes humans, enteses com la millor solució que una persona o un grup de persones són capaços de proporcionar en un temps i un espai determinats. L'adquisició i l'aplicació del coneixement, per tant, són un problema complex. Què necessitem saber, com actuem amb això i els valors que aporten són aspectes molt rellevants, però a la vegada difícils de copsar. Els nous models de construcció del coneixement es generen a través de noves formes de participació: la interacció, la col·laboració, el compromís i la co-construcció de representacions provisionals de la realitat. Plantegen nivells progressius de solidaritat: un primer nivell de treball individual egoista, basat en els interessos i necessitats personals o professionals, que genera un projecte d'aprenentatge; un segon nivell d'interacció del grup, l'obertura dels processos de construcció de coneixement a les necessitats dels altres i dels beneficis de la participació en els grups d'interès en la informació; i, un tercer nivell de solidaritat, que té en compte els interessos de la comunitat i que assumeix com a objectiu el progrés col·lectiu en un projecte conjunt de construcció del coneixement que uneix les persones i grups. Els resultats emergents d'aquests processos de producció de coneixement són impredictibles, atès que es produeixen a la intersecció de diferents disciplines, tenen la imaginació de les noves generacions en compte i es donen al si dels desafiadors marcs establerts a la ment humana. L'educació tradicional no ha estat molt oberta a les alternatives, però ara emergeixen models pedagògics nous que s'estenen entre les persones que utilitzen eines per crear alternatives als dilemes educatius. El desenvolupament de les dinàmiques la construcció del coneixement i l'anàlisi de les conseqüències que aquests canvis tenen en el paper dels professors i en els propòsits de l'educació en el context comunicatiu del segle XXI haurien de tenir en compte escenaris d'aprenentatge al llarg de la vida cada vegada més mediats i modelats per les TIC. Els educadors han d'aspirar a proporcionar contextos educatius per al progrés dels aprenents competents —no només dels estudiants competents. Un aprenent competent, en primer lloc, és autònom per fer front a les noves demandes de flexibilitat, capaç d'identificar-les com a noves situacions d'aprenentatge; en segon lloc, és capaç de prendre avantatge dels coneixements previs i experiències prèvies apreses en situacions i necessitats similars, de tal manera que es beneficia dels propis punts forts i febles per fer front a les noves demandes d'aprenentatge personal; i, finalment, ha de ser capaç d'identificar les possibles fonts d'ajuda, utilitzar-les i treure'n profit. L'educació dintre i fora de les escoles ha d'enfortir-se mitjançant la utilització de les tecnologies digitals necessàries per millorar i ampliar formes de construir els fons i els interessos culturals dels estudiants, i mitjançant una participació activa d'un major èmfasi i la pràctica extensa com la clau per al procés de la nova construcció del coneixement.

Per a la *Línia 3: Competències clau*, la societat de la informació i l'economia del coneixement han provocat la necessitat que les persones adquireixin noves habilitats i competències tant cognitives com tècniques per fer front als reptes d'un context digital cada vegada més complex i canviant. Aquest és un dels grans reptes de la formació, que s'ha d'assumir des de la perspectiva de la formació al llarg de la vida i s'ha d'estructurar com un contínuum.

Hi ha diferents informes i estudis, tant en l'àmbit nacional com internacional, que evidencien la importància de definir unes competències clau, enteses de manera transversal, que permetin fer front als reptes tant personals com professionals del context actual. Entre aquestes competències, en tots els casos, s'hi troba la competència digital.

Després d'analitzar diferents experiències acadèmiques i professionalitzadores, tant per a la formació com per a la certificació de les competències clau, en general, i de la competència digital, en particular, evidenciem, però, que en pocs casos estan assumides. Tanmateix, aquest hauria de ser un requeriment que hem d'exigir per a un bon desenvolupament professional. Per això, és necessari definir estratègies polítiques i formatives en competències clau que ens permetin garantir un bon nivell d'índex digital a la nostra societat mitjançant l'assegurament d'un bon accés a la tecnologia, un grau òptim d'accessibilitat a la informació i al coneixement i, finalment, la incorporació de les competències clau, especialment de la competència digital, als processos formatius amb la perspectiva de la formació al llarg de la vida.

Segons la *Línia 4: Escenaris d'aprenentatge*, la societat digital ha obert la porta a l'aprenentatge des de qualsevol lloc, en qualsevol moment i amb qualsevol dispositiu; tanmateix, continua sent necessària una mirada crítica que aporti sentit pedagògic per determinar al màxim les possibilitats d'aprenentatge.

A l'actualitat, els diferents dispositius o plataformes tecnològiques constitueixen autèntiques ecologies complexes per a l'aprenentatge. Es tracta d'entorns diversos, versàtils, accessibles, que permeten dissenyar seqüències o espais formatius on l'estudiant pot regular el seu aprenentatge en condicions de flexibilitat, eficàcia i pertinència.

Aquests entorns presenten formes diverses de manifestar-se que, lluny de ser excloents, ofereixen diferents utilitats. En primer lloc, trobem entorns l'aprofitament tecnològic els quals faciliten la gestió de qualsevol activitat formativa (EVEAs); en segon lloc, existeix un tipus d'entorns el disseny dels quals persegueix l'aprofitament personalitzat i distribuït de les opcions comunicatives i informacionals d'Internet, especialment de les xarxes socials (PLEs i MOOCs); i, per últim, trobem aquells espais el component innovador dels quals es fonamenta en l'explotació didàctica de tecnologies avançades com són la realitat virtual i la realitat augmentada (MUVLEs). A darrers es caracteritzen per ser immersius i afavoreixen la interacció amb objectes d'aprenentatge i la creació de contingut, en definitiva, permeten generar realitats complexes, contextualitzades i centrades en l'estudiant.

El conjunt d'aquests espais pot prendre el nom genèric d'Entorns d'Aprenentatge Millorats per la Tecnologia (*Technology Enhanced Learning Environments*, TELEs) i tenen com a principal punt fort la seva vinculació amb l'estudiant. L'entorn serà més efectiu com més adaptat sigui percebut per l'estudiant, és a dir, ha de propiciar una experiència que l'aprenent senti singular, diferent i personalitzada. Per tant, és fonamental tenir en compte el factor contextual i la singularitat no només de l'alumne, sinó també del docent.

Els TELEs es caracteritzen per la capacitat de representar diversos nivells de complexitat en totes les seves manifestacions, contextual, de mitjans, d'interacció, etc.; per tant, poden impregnar-se d'un context adaptable que es transformi en riquesa per a l'usuari. Aquesta riquesa es projecta no només en la possibilitat d'accedir a una gran diversitat de continguts, sinó en la capacitat de crear seqüències didàctiques versàtils, adaptades i pertinents. Tant riquesa com versatilitat permeten pensar en el disseny d'entorns que superin clàssiques divisions entre formal i informal, real i virtual, lúdic i seriós…, en definitiva, pensar en un concepte d'educació des d'un paradigma obert.

Des del punt de vista de la pedagogia com a disciplina científica, els entorns basats en tecnologia avançada requereixen també processos d'investigació que tinguin un caràcter global i que estiguin orientats a produir canvis en la manera de fer dels professionals del disseny i de la praxi educativa. Les característiques d'aquests nous entorns suggereixen l'ús de metodologies properes al disseny educatiu o, en termes més genèrics, que permetin gestionar la complexitat i proporcionin pautes o principis d'actuació a partir de la relació entre la teoria i la pràctica docent.

Finalment, aquest primer eix resta conclòs per la reflexió de la *Línia 5: Formació de formadors*. Segons aquest grup de treball, un no pot esperar que passi alguna cosa diferent a la seva vida si acostuma a tenir els mateixos pensaments, fa les mateixes coses i abraça les mateixes emocions cada dia. Aplicar això a l'àmbit educatiu supo repensar i qüestionar moltes de les nostres pràctiques docents a l'aula. Aquest és el primer esglaó cap a la innovació: esdevenir professionals reflexius.

En la societat del començament del segle XXI, caracteritzada com a societat del coneixement, la institució escolar no pot romandre aliena al ritme dels canvis actuals, per la qual cosa la innovació constitueix una de les seves principals i prioritàries tasques. I és obvi que un dels canvis i innovacions més profunds que hem experimentat en aquests darrers anys ha vingut de la mà de les tecnologies digitals. En aquest sentit, el coneixement, el domini de les eines i els processos digitals constitueixen una garantia d'equitat en el sistema educatiu de la mateixa manera que és un repte per a l'escola posar les eines i les aplicacions de la tecnologia digital a l'abast de tots els alumnes sense renunciar a la seva funció educativa en tots els aspectes. Tanmateix, el professorat no pot restar al marge d'unes competències digitals que són fites ineludibles de l'educació actual i futura. El coneixement, el domini i la constant actualització d'aquestes eines i aquests processos digitals ara són part de la professió docent, igual que els ha succeït a molts altres professionals d'altres sectors.

En resum, les principals aportacions d'aquesta línia són principalment:

- L'esforç de la formació del professorat tant inicial com permanent s'ha de centrar, en una gran part, en el desenvolupament de les competències que es necessiten per a la utilització docent de les eines TIC. En el cas de la formació permanent, s'ha d'articular al voltant de l'aprenentatge autònom del professor, però amb una estratègia de formació i implementació basada en el treball en equips docents.
- La indiscutible emergència de nous codis i llenguatges originats en les tecnologies digitals implica noves maneres de pensar i fer, noves maneres d'aprendre i d'accedir al coneixement; una exigència ètica i deontològica al professorat que, per afrontar-la, ha de fer alhora un treball individual i col·lectiu de conceptualització del paper educatiu de les tecnologies digitals.
- Els signes dels temps ens exigeixen pensar en models d'escoles que incorporin innovacions pedagògiques i projectes digitals oberts, flexibles, creatius, reals i participatius. Escoles on les tecnologies digitals poden ser el millor pretext per innovar i fomentar la creativitat dins l'aula, per provocar canvis transversals i organitzatius i obrir l'escola a la comunitat. Projectes digitals que interpel·lin a nivell personal i que fomentin el treball en equip i la complicitat amb l'altre, que generin sinèrgies amb altres departaments, àrees, claustres i centres, i projectes que, en el fons, permetin fer realitat el somni de trobar-nos «en xarxa i a la xarxa».

Per tant, a aquest eix trobem els següents documents:

- *L1. Polítiques educatives per al segle XXI*, per Joaquín Gairín, Miquel Martínez i Enric Roca
- *L2. Nous models del construcció del coneixement*, per Marta Marimon, Elena Barberà, César Coll i Carles Monereo
- *L2. New Models of Knowledge Construction*, per Jabari Mahiri, Janaina de Oliveira, Linda Castañeda, Danah Henriksen i Punya Mishra

- *L3. Key Competences*, per Mercè Gisbert, Mark Bullen, Yves Punie, Emanuele G. Rapetti, Fernando M. Galán, Jordi Adell, Virginia Larraz i Francesc Esteve
- *L4. Nuevos escenarios de aprendizaje*, per Antonio Bartolomé, Jesús Salinas, Mariona Grané, Pedro Pernías, Vanessa Esteve-González i Jose Cela-Ranilla
- *L4. Learning Environments*, per Karl Steffens, Brenda Bannan, Barney Dalgarno, Vanessa Esteve-González i Jose Cela-Ranilla
- *L5. Formación de educadores*, per Miquel Àngel Prats i Pedro Hepp

L1. Polítiques educatives per al segle XXI

Joaquín Gairín, Miquel Martínez i Enric Roca

La justificació de la proposta FIET 2014 remarca les idees de *l'educació com a motor de desenvolupament d'un país* i de la necessitat d'identificar els *nous escenaris educatius per a la societat digital*. Per una banda, s'insisteix en què l'educació, en general, i la cultura, en particular, poden esdevenir una eina que, ben utilitzada, ens pot ajudar a construir coneixement, base d'iniciatives innovadores i transformadores per aconseguir una evolució constant de la societat. Per altra banda, el desenvolupament de la societat de la informació i del coneixement comporta un replantejament de les formes d'organització i desenvolupament del procés educatiu

El FIET 2014 com a espai de trobada per analitzar, debatre i elaborar propostes educatives relacionades amb la societat del coneixement, des d'una òptica tecnològica i transformadora, s'organitza en 10 línies d'anàlisi mitjançant quatre eixos temàtics. El primer eix anomenat *Anàlisi del procés educatiu*, es dedica a temes de caràcter general i contempla les línies de *Polítiques educatives*, *Nous models de construcció del coneixement*, *XII Century skills*, *Escenaris d'aprenentatge i Formació del professorat*.

La línia de *Polítiques educatives* té com a propòsit identificar punts claus que permetin incidir en les debilitats del sistema educatiu mitjançant propostes a curt i mitjà termini. Al respecte: a) Cal reflexionar sobre la necessària interrelació de propostes en coherència vers un projecte col·lectiu que doni respostes a la realitat social i cultural del país, i b) Cal concretar diverses temàtiques en relació a la política educativa i analitzar-les des de la situació actual i la desitjable, amb propostes concretes d'intervenció que permetin situar el sistema educatiu en la societat del coneixement.

El sistema educatiu, entès de forma global i integral, està duent a terme una infinitat d'experiències i projectes per a la millora del procés d'ensenyament-aprenentatge i d'altres aspectes de l'educació. No obstant, cal reflexionar sobre la seva eficiència, la seva interrelació i, el que és més important, la seva coherència vers un projecte col-lectiu que doni respostes a la realitat social i cultural del país.

Aquesta línia temàtica situa sota principis generals (com permeabilitat del sistema, comprensivitat, inclusivitat, equitat, participació i incorporació a la societat del conei-xement, entre d'altres) un conjunt de reflexions i de propostes que han de permetre mantenir i potenciar els processos formatius com a instruments per al desenvolupament personal, institucional i social.

1. Contextualització

Les temàtiques centrals considerades sorgeixen de la matriu que relaciona els dife-rents àmbits d'intervenció (social, sistema educatiu, centre de formació i aula) amb els aspectes que configuren una realitat organitzada (principis/fites, estructures, persones i dinàmiques relacionals). El resultat són onze temes que es defineixen, s'analitzen des de la situació actual i desitjable, permeten concretar propostes d'intervenció i propor-cionen referents per aprofundir en l'anàlisi. El tractament persegueix l'equilibri entre el manteniment de les actuacions valuoses i pertinents i la generació de propostes que permetin situar el sistema formatiu en clau de futur.

Buscant un cert equilibri, els aspectes considerats han estat:

1. **Principis/fites:**
   a. Equitat i sistema social
   b. Formació al llarg de la vida
   c. Estructura i contingut del currículum bàsic

2. **Estructures:**
   a. Model d'Administració
   b. Autonomia del centres i direcció
   c. Serveis educatius

3. **Persones:**
   a. Formació i desenvolupament del professional de l'educació
   b. Orientació i acompanyament educatiu
   c. Participació social en l'educació

4. **Dinàmiques:**
   a. Avaluació i Supervisió
   b. Recerca i innovació

Les temàtiques abordades són significatives, però no són les úniques si considerem que s'aborden d'altres en les línies de treball restants. De fet, els nous models de construcció del coneixement, les competències clau, els escenaris d'aprenentatge, la formació del professorat, l'ús de la tecnologia o les temàtiques d'inclusió són clares concrecions d'una determinada política educativa. En tot cas, són abordatges des de diferents punts de vista i que s'han de considerar complementaris. També hem de considerar que la classificació és instrumental i algunes de les actuacions que es proposen podrien servir a diverses línies.

El tractament de les temàtiques considerades ha tingut en compte les tendències internacionals que, vulguem o no, influeixen a l'hora de delimitar polítiques, però també la necessitat de contextualitzar-les en el nostre entorn considerant les seves condicions socioculturals i econòmiques i d'atendre les nostres particularitats.

Els processos de privatització de l'educació, les noves lògiques de governança educativa i *management* educatiu dels centres, la introducció de sistemes d'incentius, la preocupació per la igualtat d'oportunitats, la vinculació dels sistema educatiu amb els sistemes social i productiu o la proliferació de sistemes d'avaluació del rendiment educatiu, són tendències globals considerades.

En qualsevol cas, creiem que tota política educativa ha de tenir uns eixos centrals articuladors i els considerats en el nostre cas són l'equitat i l'excel·lència. Entenem que una societat moderna ha de garantir l'educació a tots els ciutadans en les millors condicions, si volem que sigui un factor d'integració social i l'enfortiment de la democràcia. Per altra banda, hem de treballar per aconseguir el màxim rendiment de les persones i els sistemes, si volem rendibilitzar esforços i aconseguir que l'educació sigui un factor clau del desenvolupament personal i social.

2. Realitat i perspectives

El desenvolupament de les temàtiques considerades és el sentit d'aquest apartat. El seu abordatge presenta, per a cadascuna, un breu anàlisi de la situació actual i un conjunt de propostes que bé podrien guiar una intervenció per al canvi. Es completa la revisió amb alguns referents bibliogràfics que ens semblen pertinents per desenvolupar aspectes del tema tractat.

La presentació adoptada en el format de fitxa ens sembla pertinent, ja que aporta una visió general i sintètica sobre una determinada temàtica i perquè permet introduir, sense alterar l'esquema general, més elements d'informació que el text narratiu.

2.1. Equitat i sistema social

De què parlem?
Es tracta de reflexionar sobre quines polítiques educatives poden contribuir millor a l'assoliment de més equitat.

On som?
Som en un moment de fort increment de la vulnerabilitat social. Conseqüentment, el sistema educatiu treballa amb famílies amb més pobresa i precarietat socials, amb més desigualtats socials i retrocedeix l'índex d'equitat relatiu a l'equilibri en la composició social dels centres. Tanmateix l'esforç inversor dels poders públics en educació a Catalunya calculat a partir del percentatge de despesa pública en educació sobre el PIB (4,1% l'any 2010) és inferior a la mitjana europea (5,4%).
Veure: http://www.fbofill.cat/intra/fbofill/documents/publicacions/584.pdf. Pp: 42-54, gràfic 13, p: 59.

Què hi podem fer?
- Una política educativa més enllà de l'àmbit de l'ensenyament que incideixi no només en allò què passa a l'aula, el centre i el sistema educatiu reglat, sinó també en altres aspectes socials i educatius i permeti abordar la situació en clau d'èxit educativa i no solament escolar.
- Enfortir el diàleg i el compromís entre el govern, les diferents administracions i els agents socials i educatius amb l'objectiu de crear consens sobre el que significa avui el dret a l'educació i pactar un compromís amb l'educació a Catalunya que obligui els diferents partits i governs, en l'assoliment d'una educació de qualitat entesa com a promoció de l'excel·lència i equitat.
- Potenciar com a prioritat estratègica polítiques d'equitat orientades a consolidar oportunitats educatives -des dels zero anys fins a les etapes postobligatòries- per a la població més desfavorida com a via per garantir la millora dels resultats del sistema educatiu.
- Promoure polítiques de proximitat que abordin els problemes de l'educació del país en clau de territori i amb una mirada que vagi més enllà de l'escola.
- Garantir els recursos suficients per tal que els condicionants d'origen familiars, econòmics i educatius no limitin les condicions necessàries de salut i alimentació per a un bon aprofitament escolar.
- Desenvolupar programes que promoguin la implicació de les famílies en el seguiment de l'escolaritat dels seus fills i que incideixin en una major qualitat en els usos dels temps familiars.

- Ser proactius per tal d'evitar segregacions i nivells d'inequitat en el sistema educatiu a causa de factors externs com ara la distribució geogràfica i socioeconòmica de la població i la concentració d'alumnes amb necessitats educatives especials en determinats centres.

Alguns referents
Albaigés i Martínez (2013); Martínez i Albaigés.

2.2. Formació al llarg de la vida

De què parlem?
Es tracta de reflexionar sobre quines polítiques convé potenciar per garantir escenaris d'aprenentatge atractius al llarg de la vida.

On som?
Som en un moment de retrocés de la participació en la formació al llarg de la vida. La població adulta que s'estava formant l'any 2010 (10%) ha disminuït al 2012 (8,8%) i més allunyats de l'objectiu Europa 2020 (15%). Som en un moment de remuntada notable, però encara insuficient, en el nombre d'estudiants de formació professional.
Veure: **http://www.fbofill.cat/intra/fbofill/documents/publicacions/584.pdf.** Pp: 20-24, gràfics: 2, p.37; 15 i 16, p.67; 22,p 79.

Què hi podem fer?
- Oferir un sistema integrat de programes de segones oportunitats mitjançant polítiques actives d'ocupació i ofertes específiques en el si del sistema educatiu.
- Consolidar la tendència creixent en el nombre d'estudiants de formació professional en relació al conjunt d'estudiants d'ensenyaments obligatoris.
- Generar un model de desenvolupament econòmic basat en la creació d'ocupació qualificada posant, efectivament, en valor la formació i l'aprenentatge al llarg de la vida.
- Incentivar la inversió en R+D per millorar els nivells de competitivitat, per enfortir el cercle virtuós entre innovació i èxit educatiu, i els sistemes de formació.
- Promoure sistemes rigorosos i gens burocràtics de reconeixement de l'experiència laboral que acompanyin els moments de transició entre el món del treball i la formació.
- Desenvolupar reformes en el sistema d'educació superior que situïn els cicles formatius de grau superior i els graus universitaris en el mateix marc de decisions polítiques, i facilitin el trànsit i reconeixement entre la formació rebuda en els cicles per accedir als graus i a l'inrevés.

Conformar un sistema integral de formació contínua que reuneixi ofertes formatives de les universitats, institucions d'educació superior, centres tecnològics, de les arts i de recerca, dissenyada i adreçada a la població. En general, que afavoreixi el seu interès pel coneixement, la cultura i la ciència i promogui l'aprenentatge al llarg de la vida.

Alguns referents
European Commission/EACEA/Eurydice (2010, 2011, 2013); Martinez i Albaigés (2013).

2.3. Estructura i contingut del curriculum bàsic

De què parlem?

Tot sistema educatiu es concreta en un currículum que estableix les competències, objectius i continguts dels ensenyaments a impartir. Cal consensuar socialment aquelles competències i, per tant, coneixements, habilitats i valors, que es consideren bàsics encarregar al sistema educatiu perquè els garanteixin a la totalitat de la població escolar.

On som?

Venim d'una tradició inflacionària del currículum escolar. A cada reforma educativa li hem afegit una reforma curricular que quasi sempre s'ha traduït en un increment de continguts curriculars. No tot és igual d'important ni tot es pot ensenyar –ni potser convé– en l'educació obligatòria.

Encara no hem estat capaços de seleccionar un currículum de cultura comuna i bàsica amb ampli consens social, i així oxigenar la tasca escolar obrint les opcions curriculars a cada centre en virtut de la seva autonomia, també, curricular.

Què hi podem fer?

- Un currículum bàsic prescriptiu de cultura comuna però de mínims, reduït en percentatge prescriptiu, per tal que els centres i els equips docents el desenvolupin i completin en virtut de la seva autonomia curricular i que estigui vinculat al seu projecte educatiu.
- Les competències bàsiques s'han d'incloure en el currículum bàsic, però només a nivell general, i han d'incorporar aquells valors personals i socials que cal fomentar per als futurs ciutadans.
- El currículum bàsic ha de garantir l'equitat del sistema i esperonar la màxima qualitat dels aprenentatges per a tothom. S'ha d'adaptar a totes les diversitats d'alumnat amb el suport de la tecnologia educativa que pot garantir una major personalització de l'aprenentatge.
- El Consell Superior d'Avaluació i Prospectiva previst a la LEC –o altre organisme semblant i, preferentment, amb total independència del govern– vetllarà perquè les propostes curriculars dels centres garanteixin el compliment del currículum bàsic, la coherència i pertinència de tots els projectes curriculars dels centres i l'equitat del sistema.
- La comunitat educativa participarà de forma activa en les diferents modalitats del desplegament dels projectes curriculars dels centres. Així mateix, els organismes territorials que es designin vetllaran perquè aquests projectes recullin l'especificitat del territori. Aquests mateixos organismes impulsaran la innovació i recerca educativa des del treball en xarxa de centres i entitats, un treball en xarxa que la tecnologia pot impulsar i optimitzar.

Alguns referents

Aymerich, Lluró i Roca (2011); Roca (2011); Sarramona (2013).

2.4. Model d'Administració

De què parlem?
Per organitzar i gestionar un sistema educatiu es requereix d'una estructura administrativa que garanteixi l'eficàcia del servei, reguli el seu desenvolupament i avaluï i reorienti les actuacions pertinents. Aquesta Administració educativa ha de posar-se al servei dels objectius del sistema i optimitzar la totalitat de recursos (humans, funcionals i materials) per assolir-los.

On som?
Som hereus d'una tradició administrativa de tall francès, o sigui, reguladora, centralitzadora i uniformitzadora i, també, altament burocratitzada.

En aquest escenari, encara que es declari com a principi del sistema l'autonomia dels centres, en realitat, sovint, l'Administració actua amb mentalitat homogeneïtzadora. La diversitat i la pluralitat de projectes i escenaris pedagògics i organitzatius complica la gestió si es té aquesta visió administrativa. Catalunya no ha estat capaç, fins ara, de formular el seu propi model trencant amb aquest tradició, i apostar clarament per un model basat en la confiança amb retiment de comptes.

Què hi podem fer?
- La legislació bàsica del sistema educatiu s'ha de basar en amplis consensos polítics i socials que comportin l'estabilitat del sistema i una Administració que la garanteixi.
- Ens cal una Administració menys burocratizada i menys normatitzadora. La regulació del sistema educatiu, si es basa en els principis de l'autonomia i, per tant, de la confiança, ha de legislar i normativitzar poc i, en canvi, ha d'ajudar a avaluar les fites i guanys aconseguits en cada centre a partir dels compromisos adquirits (retiment de comptes).
- Els nivells de l'Administració educativa s'han de reduir. Entre el docent i el conseller/ministre d'Educació hauria d'haver com a màxim tres nivells (centre, territori, conselleria). En l'àmbit territorial un equip o consell integrat per diferents persones de l'Administració central, local i de reconegut prestigi, vetllarien per l'aprovació dels projectes educatius dels centres, de direcció i n'avaluarien els resultats, les direccions i els equips docents.
- Les direccions generals serien bàsicament tècniques i es dedicarien a esperonar i incentivar la recerca i la innovació educativa i garantir el funcionament del sistema basat en la confiança.
- L'Administració posaria a disposició dels investigadors totes les dades del sistema educatiu i rendiria comptes a la societat de tots i cadascun dels nivells administratius i programes endegats. Les reformes o programes nous requeririen l'anàlisi dels resultats precedents i establirien experiències pilot abans de generalitzar-les.

Alguns referents
Calderó i Queraltó (2013); Prats (2013).

2.5. Autonomia dels centres i direcció

De què parlem?

L'autonomia escolar es relaciona amb la facultat per prendre decisions sobre l'organització i desenvolupament de l'activitat educativa. Concretada en l'aspecte pedagògic, la gestió de recursos o altres modalitats, acostuma a acompanyar-se de referències als models de direcció. Les anàlisis més actuals (OCDE, Eurydice) vinculen positivament l'autonomia pedagògica amb el rendiment escolar i remarquen la importància del lideratge pedagògic, el lideratge distribuït i la cooperació inter i intracentres. Seguim pendents de més evidències sobre la incidència que l'autonomia de gestió de recursos o els models competitius puguin tenir en la millora de la qualitat educativa.

On som?

La Conferència Nacional d'Educació (2001-2002) referenciava situacions d'autonomia institucional de caràcter acadèmic, financer i administratiu. En la mateixa línia, el Pacte Nacional d'Educació de Catalunya (2006) i la Llei d'Educació de Catalunya (LEC) (2009) reconeixen la importància de l'autonomia pedagògica, organitzativa i de gestió i la reforcen. La LEC aposta per un servei d'educació on els centres públics i concertats participin dels criteris d'equitat, excel·lència i coresponsabilitat. Assumeix l'autonomia dels centres per poder tirar endavant el seu Projecte educatiu adaptat a l'entorn, també, potencia la figura del contracte-programa per a aquells centres que participin decididament en la coresponsabilització.

Aquesta Llei regula la formació, la selecció i les competències de la direcció dels centres públics i dels seus òrgans col·legiats de govern, i reconeix els directors com a autoritat pública. Elegits, han de presentar un Projecte de direcció, la formació es considera un mèrit preferent i l'avaluació positiva de l'exercici de la funció constitueix un mèrit.

El desenvolupament de la LEC, mitjançant els Decrets d'autonomia i de Direcció, reforça els compromisos com l'autonomia mitjançant documents com el Projecte educatiu de centre obert a l'entorn, la Carta de compromís educatiu amb les famílies, els acords de coresponsabilitat o el Projectes d'innovació pedagògica. També especifica un major desenvolupament de l'autonomia organitzativa, concreta elements de la funció directiva i fa esment a l'equip directiu.

Què hi podem fer?

- L'autonomia com a principi reconegut s'ha de concretar en el desenvolupament de centres autònoms que accedeixen a aquesta possibilitat després de certa experiència i mitjançant un contracte de compromisos.
- L'autonomia es justifica i ha de servir per acostar l'educació al territori i usuaris, afavorint la cohesió social i la igualtat d'oportunitats.
- L'autonomia s'acompanya de la rendició periòdica de comptes a la societat.
- La promoció i desenvolupament de l'autonomia escolar es recolza en projectes pedagògics específics assumits per la comunitat, grups de professors que hi treballen col·laborativament i un fort lideratge pedagògic.

- El model de direcció necessari és el d'una direcció formada, comunitària i centrada en la millora. Concebuda com a part del projecte col·lectiu, ha de ser capaç de desenvolupar un lideratge distribuït i dinamitzar el treball col·laboratiu del professorat i la comunitat educativa.
- Els directius han de tenir una formació inicial prèvia i una formació permanent relacionada amb l'exercici de la seva funció, autonomia per a la configuració dels equips de professionals del centre i avaluació sistemàtica de la seva activitat.
- Sembla imprescindible la conformació i desenvolupament d'equips directius que, de manera complementària, puguin donar resposta a les complexes tasques que actualment exigeix l'organització i gestió institucionals.
- El desenvolupament professional dels directius complementa la formació inicial prèvia a nivell de màster amb programes de desenvolupament permanent que incloen seminaris, grups de treball i xarxes col laboratives que facilitin l'intercanvi i desenvolupament d'experiències significatives.

Alguns referents
Decret 102/2010; Decret 155/2010; Departament d'Educació (2005); Gairín (2005); Llei 12/2009.

2.6. Serveis educatius

De què parlem?
Els actuals serveis educatius són equips multiprofessionals que depenen del Departament d'Ensenyament. Hi són inclosos els serveis educatius de zona: centres de recursos pedagògics (CRP), equips d'assessorament psicopedagògic (EAP), equips d'assessorament en llengua i cohesió social (ELIC); els específics: centres de recursos educatius per a discapacitats auditius i alumnes amb trastorns greus del llenguatge (CREDA), centre de recursos educatius per a discapacitats visuals (CREDV) i la xarxa de serveis en territoris singulars que la composen, els camps d'aprenentatge (CdA).

On som?
Els actuals serveis educatius dependents de l'Administració responen a un model que necessita evolucionar per donar una resposta més eficient, flexible i en xarxa amb altres agents, entitats i organismes.
En un horitzó d'aprenentatge al llarg de la vida els serveis educatius no poden reduir-se només a donar suport al sistema educatiu formal no universitari. Cal una perspectiva de servei integral a les persones més enllà del període escolar, al llarg de tota la vida.

Què hi podem fer?
- Els serveis educatius s'han de planificar en xarxes multidisciplinars per coordinar una resposta efectiva a les necessitats dels centres, els alumnes, les famílies i el professorat.

- Els serveis educatius han de prioritzar les etapes d'educació infantil (0-3 i 0-6) i d'educació primària que és on cal una intervenció més preventiva, i oferir suport als professionals interns en la resta d'etapes del sistema educatiu.
- A l'educació secundària els serveis educatius oferiran un suport més específic i es coordinaran amb els orientadors dels centres que també han de tenir capacitat per avaluar i dictaminar les necessitats educatives de l'alumnat
- Els serveis educatius han d'esdevenir un suport efectiu al servei dels principis de la inclusió educativa i garantir els recursos i suports que els centres necessiten per ser plenament inclusius. En això, caldria que tinguessin la formació suficient per poder assessorar la introducció de canvis metodològics i organitzatius necessaris –amb l'ajut de recursos tecnològics– perquè puguin esdevenir més inclusius i guanyar qualitat.
- Per propiciar una resposta efectiva, allà on més necessitats educatives hi hagi, caldrà una adequada combinació i coordinació dels sectors públics i privats per tal de garantir que la resposta global arribi al conjunt de la població més desafavorida, ja que ha de suposar la primera prioritat de les polítiques públiques.
- Els serveis educatius han de poder oferir orientació i suport educatiu i innovar en centres, entitats i col·lectius més enllà del sistema escolar formal i al llarg de tota la vida.

Alguns referents
Departament d'Ensenyament (2011-2012); Gordó (2010).

2.7. Formació i desenvolupament del professional de l'educació

De què parlem?
Es tracta de reflexionar sobre quins models de formació i de carrera docent i quines professions educatives calen avui.

On som?
Som en un període d'avaluació i revisió dels plans de formació del professorat compartit entre les universitats, el govern i l'Agència per a la Qualitat del Sistema Universitari. Som a l'inici d'un nou procés d'accés a l'exercici docent en centres de titularitat pública.

Què hi podem fer?
Fer del centre educatiu l'eix vertebrador de la formació del docent i l'atenció a la diversitat un dels seus components principals.
- Garantir que tots els docents tinguin una formació inicial de grau en algun àmbit de coneixement i màsters especialitzats per a les diferents etapes i àmbits professionals de l'educació.
- Potenciar la participació de mestres i professorat en actiu en els centres educatius, en la formació inicial i continua del professorat i en projectes d'innovació i recerca educativa a les universitats, i crear la figura de l'associat mestre.

- Incorporar especialistes de diferents sectors laborals com a docents en el sistema educatiu i els àmbits relacionats amb la seva professió.
- L'Administració vetllarà per tal de reconèixer significativament, amb efectes salarials i carrera laboral del docent, l'acompliment de les seves tasques amb qualitat, la dedicació en centres d'especial complexitat, formarà part d'equips directius de centre i participarà en grups reconeguts d'innovació i millora educativa.
- Vetllar per tal que els docents que decideixin deixar l'activitat lectiva frontal a l'aula puguin accedir mitjançant la formació adient a l'exercici d'altres professions educatives o culturals, tasques de creació de continguts per a l'educació o el treball amb famílies i la comunitat.
- Garantir la formació de professionals especialitzats en àmbits relacionats amb l'assoliment d'èxit educatiu com l'atenció a la diversitat, el suport i l'acompanyament educatius, l'atenció a les famílies, el treball en la comunitat i l'educació social.

Alguns referents
European Commission/EACEA/Eurydice (2008, 2013).

2.8. Orientació i acompanyament educatiu

De què parlem?
L'orientació educativa en tots els seus aspectes (personal, acadèmica, professional i social) assegura l'acompanyament integral dels educands, alhora que es relaciona estretament amb la tasca de tutoria que han d'exercir els equips docents dels centres educatius. Tot i que la funció orientadora i tutorial ha de ser compartida pel conjunt dels mestres o professors que tenen responsabilitat docent sobre un grup d'alumnes, el sistema compta amb professionals específics de l'orientació que, a nivell intern i extern, exerceixen tasques d'assessorament, desenvolupament i avaluació psicopedagògiques. A més, l'orientació educativa transcendeix l'àmbit escolar per inscriure's en l'acompanyament integral del ciutadà al llarg de la vida i el marc d'una societat digital i del coneixement.

On som?
Pel que fa a la necessitat d'incloure l'acompanyament i l'orientació educativa al conjunt del sistema educatiu (formal i no formal) i al llarg de la vida de les persones, queda molt camí a recórrer per poder oferir l'acompanyament en el projecte vital de tot ciutadà. En aquest sentit, encara estem en la fase de construcció d'un model d'orientació global que permeti el treball coordinat en xarxa de tots els professionals de l'orientació.
Des del punt de vista dels professionals de l'orientació educativa som en un escenari de transició des d'un model que es va desenvolupar a partir de la LOGSE envers un de nou que ha de reconfigurar les funcions d'aquests professionals en els centres educatius perquè optimitzin les seves competències psicopedagògiques i d'orientació prioritzant les accions preventives, formatives i competencials.

Què hi podem fer?

- La tasca d'acompanyament educatiu que inclou l'orientació personal, acadèmica, professional i social ha de ser un compromís polític i social que es contempli al llarg de tota la vida i que, per tant, incorpora, més enllà del sistema escolar, la resta d'agents i institucions educatives no formals.
- L'acompanyament, l'orientació i la tasca de tutoria en els centres educatius és responsabilitat del conjunt dels equips docents i la institució en general (s'ha de vincular al propi projecte educatiu i curricular). Tot mestre o professor orienta i tutoritza, perquè aquestes són funcions col·lectives. Per això, cal una formació especialitzada en orientació educativa per al conjunt del professorat.
- Els centres d'educació infantil, primària i secundària han de comptar amb el suport de serveis –interns i externs– i professionals de l'orientació i atenció psicopedagògica amb formació especialitzada. Aquests serveis i professionals han d'avaluar les necessitats educatives de l'alumnat, tant de forma individual com grupal, i orientar i assessorar les famílies, l'alumnat, els equips docents i els equips directius.
- L'orientació educativa ha de posar una especial atenció en les etapes de les transicions educatives, així com en l'orientació acadèmica i professional, però sempre al servei d'un projecte de vida que inclou les dimensions personals, socials i ètiques de les persones, i que pot començar a perfilar-se des de les primeres edats del sistema (funció preventiva) i que evoluciona i acompanya l'alumne al llarg del seu periple vital (funció promocionadora).
- L'orientació i l'acompanyament educatius hauria de ser un servei ofert al conjunt de la població al llarg de la vida amb el suport dels poders públics per tal de garantir-lo. En aquest àmbit els avenços tecnològics, i en tecnologia educativa en particular, poden ser un instrument molt valuós per optimitzar aquesta funció.

Alguns referents
Departament d'Ensenyament (2014); Ferrer (2013); Longàs i Mollá (2007); OCDE (2011).

2.9. Participació social en l'educació

De què parlem?
Es tracta de reflexionar sobre com fer de l'educació una qüestió d'interès compartit i un bé comú.

On som?
Som en un context legal marcat per l'estat que és restrictiu en termes de participació i qualitat democràtica i una amenaça en la construcció d'un sistema polític que ens permeti assolir l'èxit educatiu, més inclusió, més participació i equitat a Catalunya.

Què hi podem fer?

- Potenciar el centre educatiu com a espai de participació de les famílies i membres de la comunitat, per tal d'enfortir el valor de l'educació i elaborar projectes compartits relacionats amb les necessitats de la comunitat i la millora de l'equitat.

- Promoure iniciatives que integrin, a nivell de territori, totes les organitzacions que fan tasques educatives, no només escolars, i les diferents administracions amb competència per racionalitzar, dinamitzar i potenciar els recursos públics i privats del territori al servei de l'educació. Crear, com a conseqüència, consells d'educació del territori -de grandària semblant a un barri de ciutat mitjana- capaços de generar dinàmiques i confiança per dotar-los d'eines necessàries per dur a terme una política educativa integral de qualitat i equitat.

- Posar a disposició d'aquelles iniciatives que comportin nivells de coresponsabilitat en l'educació d'un territori, a nivell local o supralocal, els recursos suficients per part del Govern per tal d'endegar polítiques pròpies que afavoreixin la inclusió social, la qualitat dels aprenentatges als centres i l'educació del territori.

- Conrear xarxes a les ciutats i els pobles que reuneixin els diferents agents educatius, formals i no formals, en projectes compartits centrats en la conformació d'espais ciutadans inclusius d'acord amb el model de les ciutats educadores.

- Implicar els sectors laborals i empleadors en la definició dels objectius d'aprenentatge que cal assolir mitjançant el sistema educatiu i accions conduents a la formació de les generacions més joves en la cultura del treball.

- Enfortir la formació per una ciutadania activa, propiciant que el centre educatiu sigui un espai on viure, practicar, aprofundir els valors i els estils de vida propis d'una societat plural, democràtica i inclusiva, i on es participi en projectes de servei a la comunitat.

Alguns referents
Martinez i Albaigés (2013).

2.10. Avaluació i supervisió

De què parlem?
Tan important és delimitar el que volem i com ho aconseguirem, com saber si ho estem aconseguint. L'avaluació, com a procés reflexiu, sistemàtic i rigorós d'indagació per a la presa de decisions, ha d'atendre el seu context i desenvolupar-se des d'una perspectiva holística i integrada. Inclou una actitud i pràctiques que han d'estar presents en totes les estructures (sistema educatiu, centres i aules) i afectar tots els implicats; també, inclou un interès real per integrar-la a la millora dels programes, les persones, les organitzacions i les realitats socials.

La supervisió, entesa com una activitat que controla accions amb la finalitat de col·laborar en la millora educativa, es vincula directament amb l'avaluació i resulta imprescindible per als processos de millora quan els dóna suport mitjançant activitats d'assessorament, coordinació, motivació i reconeixement dels èxits.

On som?

La preocupació per l'avaluació sempre ha estat present en l'educació; però, gairebé sempre s'ha aplicat només als estudiants i nivells inferiors del sistema educatiu.

El Preàmbul de la LEC posa èmfasi en la necessitat de reforçar les polítiques d'avaluació educativa a Catalunya, avançant en la cultura de l'avaluació. Respecte d'això, s'esmenta la creació d'una agència especialitzada que està pendent de les possibilitats pressupostàries.

De tota manera, amb el suport del Consell Superior d'Avaluació i la Inspecció, es porta a terme: l'avaluació global diagnòstica i les proves de competències de final d'etapa, a més a més de participar a la majoria dels programes d'avaluació internacional existents (PISA, SITES, ISSUS...) i tenir-ne de propis (Educat 1x1; estudi sociodemogràfic i lingüístic...).

També s'ha avançat en definir el sistema d'indicadors per avaluar els centres i es realitzen avaluacions docents; així mateix hi ha els seminaris d'avaluació educativa, indicadors d'avaluació i es publiquen els resultats de les avaluacions.

En qualsevol cas, i atesos els avenços, no podem encara parlar d'un sistema d'avaluació integral i integrat en la millora sistemàtica de l'educació.

Què hi podem fer?

- Estendre i coordinar les actuacions d'avaluació del sistema amb l'avaluació externa i interna dels centres i la relativa a l'activitat a l'aula.
- Vincular més estretament l'avaluació amb la presa de decisions per a la millora i fonamentar les decisions en dades.
- L'avaluació externa hauria de ser responsabilitat d'una agència pública autònoma del govern, que garanteixi la independència política de l'avaluació, l'estabilitat econòmica i la seva continuïtat en el temps. De fet, cal posar en funcionament l'Agència especialitzada que especifica el Capítol II, Títol XI, de la LEC i que el Decret 294/2011 va suspendre fins que no permetin les disponibilitats econòmiques.
- L'avaluació de processos i resultats propis tindria una orientació més formativa i es podria vehicular a través de la Inspecció educativa (nivell sistema) i de la direcció dels centres educatius.
- Impulsar els models i pràctiques d'autoavaluació institucional vinculats als projectes institucionals i centrats en els processos i resultats educatius.
- Promoure, juntament amb les avaluacions centrades en resultats, propostes d'avaluació formativa que tinguin en compte la centralitat de l'estudiant, el seu context i el seu progrés i on els resultats s'utilitzin per a millorar la seva formació.
- Implantar i desenvolupar sistemes que permetin l'avaluació dels professionals de l'educació, tant en la seva consideració individual com en la seva activitat grupal i col·laborativa.
- Promoure i impulsar programes de formació sobre avaluació de sistemes, programes i professors.

> *Alguns referents*
> Albaigés i Martínez (2013); Consell Superior d'Avaluació del Sistema Educatiu;
> Instituto Nacional de Evaluación Educativa.

2.11. Recerca i innovació

> *De què parlem?*
> Realitats dinàmiques, com la societat i educació actuals, necessiten mecanismes que permetin descobrir disfuncions i identificar els nous reptes. No només es tracta de conèixer el que passa (avaluació) sinó i, també, d'analitzar perquè passa (recerca) i com es pot millorar (innovació). De fet, difícilment podrem introduir canvis efectius si no coneixem els problemes, les seves causes i els efectes que poden tenir les diferents alternatives.

> *On som?*
> Des de l'any 2009, i per efectes fonamentalment de la crisi, hi ha hagut una reducció de les despeses públiques i privades en R + D. Paral·lelament, es continua reconeixent l'educació com un motor del desenvolupament econòmic i social. Millorar la situació inclou augmentar la formació de la població, millorar la seva preparació professional i vincular més el sistema educatiu amb el sistema social i productiu.
> La innovació i millora en els centres educatius es fonamenta actualment a través de programes específics (eduCAT, CESIRE...), de les xarxa d'institucions de suport del Departament d'Ensenyament i d'altres vinculades (ICE). S'ha concretat en llicències d'estudi retribuïdes, innovació a la Formació professional, xarxes de centres innovadors, pràctiques compartides entre centres, centres de pràctiques, etc.
> També és important ressaltar l'obertura dels centres a les pràctiques curriculars en la formació del professorat i els nous desenvolupaments de formació en alternança. Igualment, les iniciatives de vinculació dels centres educatius no universitaris amb l'entorn social i laboral.

> *Què hi podem fer?*
> * Impulsar accions que promoguin un major nivell d'estudis en la població i disminueixi l'abandonament en els nivells d'ensenyament postobligatori i de formació universitària. És important, incentivar el retorn de la població jove al sistema educatiu.
> * Establir una agenda de recerca en educació, que proporcioni el sistema dades i alternatives per a la formulació fonamentada de polítiques educatives.
> * Impulsar projectes d'innovació i la seva difusió pel sistema educatiu.
> * Promoure la col laboració del sistema universitari i no universitari en el desenvolupament de la investigació i la implantació de projectes d'innovació.
> * Donar suport a les iniciatives adreçades a renovar significativament els models de formació inicial i permanent del professorat.

- Desenvolupar i avaluar els efectes de programes dirigits a millorar les competències bàsiques o altres dels estudiants.
- Promoure la innovació metodològica i didàctica a les aules.
- Impulsar una major presència en el currículum d'un idioma estranger i de les Tecnologies de l'Aprenentatge i la Comunicació.

Alguns referents
Bonal i Verger (2013); Gairín, Armengol i Muñoz (2010); Xarxa Telemàtica Educativa de Catalunya (XTEC): Innovació.

3. Conclusió

Les qüestions plantejades per la línia de treball sobre polítiques educatives van ser debatudes en el plenari de FIET, celebrat els dies 27 i 28 de juny a Tarragona, i que se sintetitzen a continuació les aportacions i els debats com a recomanacions i propostes:

- Pactar *un compromís* amb l'educació a Catalunya que obligui partits, governs, agents socials... a l'assoliment d'una educació de qualitat i amb equitat.
- Conformar *un sistema integral* d'educació contínua i al llarg de la vida que reuneixi totes les ofertes formatives.
- Definir *un currículum bàsic* prescriptiu de cultura comuna de mínims, per deixar ampli marge a l'autonomia curricular de centres i equips docents.
- Reduir els nivells administratius, l'obsessió reguladora, l'excés de burocràcia i definir la relació amb l'autonomia de centres a partir de la *confiança*.
- L'autonomia escolar s'ha de basar en *projectes educatius específics* i una *direcció de centres formada*, comunitària i centrada en la millora avaluada sistemàticament.
- Els serveis educatius s'han d'organitzar en *xarxes multidisciplinars* que prioritzin les etapes primeres del sistema i els principis de la inclusió educativa.
- Garantir la formació de *professionals especialitzats* en tots els àmbits relacionats amb l'assoliment de l'èxit educatiu, no només escolar.
- *L'acompanyament educatiu*, que inclou l'orientació personal, acadèmica, professional i social, ha de ser un compromís polític i social que es contempli al llarg de la vida.
- Promoure iniciatives que integrin, a nivell de territori, totes les organitzacions que fan tasques educatives, i crear *consells d'educació* que impulsin polítiques de qualitat i equitat educatives.

- L'avaluació externa del sistema educatiu hauria de ser responsabilitat d'una *agència pública autònoma del govern* que garanteixi la independència de l'avaluació.
- Establir una *agenda de recerca en educació* que proporcioni al sistema dades i alternatives per a la formulació fonamentada de polítiques educatives i de promoció de la innovació.

El desenvolupament de les propostes realitzades exigeix la concreció d'un pla estratègic que, ateses les prioritats polítiques, la realitat educativa i les possibilitats pressupostàries, concreti en el temps les actuacions a realitzat. També d'una estratègia per a la incorporació dels plantejaments i les idees de grups polítics, socials i sindicals i mecanismes per a la difusió de les propostes finals i la seva assumpció com a compromís de país.

La construcció de noves realitats, evolució de situacions anteriors o creació de noves, no és senzilla i l'afecten tant la naturalesa dels canvis pretesos com els processos implicats. Sobre això, és important recordar la importància que actualment es dóna i amb relació al canvi als processos de detecció de necessitats reals, a la sensibilització dels actors, a la planificació detallada i contingent de les actuacions, al seu seguiment i a la capacitat de aprendre dels errors.

Aconseguir els propòsits plantejats no serà fàcil, però sí planificats com a un repte que progressivament pot ser superat per tots els interessats. Compromet el sistema i les institucions, però també el professorat (que ha de ser receptiu i proactiu abans dels canvis), els estudiants i altres membres de la comunitat educativa i la societat, si considerem que l'educació i els centres educatius són construccions de la societat i per a ella.

Referències documentals

Albaigés, B i Martínez, M. (2013) Educació avui. Indicadors propostes de l'Anuari 2013.Barcelona: Fundació Jaume Bofill, Informes breus 47. http://www.fbofill.cat/intra/fbofill/documents/publicacions/584.pdf

Aymerich, R.; Lluró, J. M.; Roca, E. (2011) *Junts a l'aula? Present i futur del model d'educació comprensiva a Catalunya* Barcelona, Fundació Jaume Bofill.

Bonal, X. T Verger, A. (2013). L'agenda de la política educativa a Catalunya: una anàlisi de les opcions de govern (2011-2013). Barcelona:Fundació Jaume Bofill.

Calderó, A.; Queraltó, J. (2013) *La nova Administració educativa* Ponència al 2n Congrés d'Edu21: L'educació: eix del nou estat. Barcelona: http://www.jordipujol.cat/files/La_nova_Administracio_educativa.pdf

Consell Superior d'Avaluació del Sistema Educatiu: http://goo.gl/Hye9nd

Decret 102/2010, de 3 d'agost, d'autonomia dels centres educatius (DOGC 5686, de 5.8.2010): http://portaldogc.gencat.cat/utilsEADOP/PDF/5686/1108859.pdf

Decret 155/2010, de 2 de novembre de direcció dels centres educatius públics i del personal directiu professional docent (DOGC 5753, de 11.11.2010): http://portaldogc.gencat.cat/utilsEADOP/PDF/5753/1147537.pdf

Departament d'Educació (2005). *Pacte Nacional per a l'Educació.* Generalitat de Catalunya.

Departament d'Ensenyament (2011-2012) *Directrius per a l'organització i la gestió dels serveis educatius* http://www.xtec.cat/creda-catcentral/directrius13%20%20 14Serveis educatius.pdf

Departament d'Ensenyament (2014) *Document d'orientacions i criteris per a l'organització de l'orientació educativa, la tutoria i l'orientació acadèmica i professional a l'ESO.* http://www.xtec.cat/alfresco/d/d/workspace/SpacesStore/c04af914-481e-490c-9ec5-3df67a94d771/document%20orietacions%20i%20criteris.pdf

European Commission/EACEA/Eurydice, 2010. New Skills for New Jobs Policy initiatives in the field of education: Short overview of the current situation in Europe.Edition. Eurydice Report. Luxembourg: Publications Office of the European Union: http://eacea.ec.europa.eu/education/eurydice/documents/thematic_reports/125EN.pdf

European Commission/EACEA/Eurydice, 2011. Adults in Formal Education: Policies and Practice in Europe.Edition. Eurydice Report. Luxembourg: Publications Office of the European Union: http://eacea.ec.europa.eu/education/eurydice/documents/thematic_reports/128EN.pdf

European Commission/EACEA/Eurydice, 2013. Education and Training in Europe 2020: Responses from the EU Member States. Eurydice Report. Brussels: Eurydice. http://eacea.ec.europa.eu/education/eurydice/documents/thematic_reports/163EN.pdf

Ferrer, J. (2013) *Orientació i acompanyament en el nou sistema educatiu* Ponència al 2n Congrés d'Edu21: L'educació: eix del nou Estat. Barcelona: http://www.jordipujol.cat/files/Orientacio_i_acompanyament_en_el_nou_sistema_educatiu.pdf

Gairín, J. (2005) (Coord.). *La descentralización educativa: ¿una solución o un problema?,* Barcelona: Praxis.

Gairín, J., Armengol, C. i Muñoz, J.L. (2010). La innovación educativa en las comunidades autònomes de Catalunya y Aragón. Profesorado. Revista de currículum y formación del profesorado, 14, 215-236.

Gordó, G. (2010) *Centros educativos: ¿islas o nodos? Los centros como organizaciones-red* Barcelona, Graó.

Instituto Nacional de Evaluación Educativa: http://www.mecd.gob.es/inee/portada.html

Llei 12/2009, de 10 de juliol, d'educació (DOGC 5422, de 16.7.2009): http://portaldogc.gencat.cat/utilsEADOP/PDF/5422/950599.pdf

Longàs, J; Mollá, N. (coord.) (2007) *La escuela orientadora. La acción tutorial desde una perspectiva institucional* Madrid, Narcea.

Martinez, M i Albaigés, B.(Directors) (2013). *L'estat de l'educació a Catalunya. Anuari 2013.* Barcelona: Fundació Jaume Bofill, Politiques 80. http://www.fbofill.cat/intra/fbofill/documents/publicacions/582.pdf

OCDE (2011) *Equity and Quality in Education - Supporting Disadvantaged Students and Schools.* http://www.oecd.org/edu/school/equityandqualityineducation-supportingdisadvantagedstudentsandschools.htm

Prats, E. (2013) *L'educació, una qüestió d'estat. Una mirada a Europa* Barcelona, Universitat de Barcelona.

Roca, E. (2011) "Una cultura comuna bàsica" *La Vanguardia* 18/08/2011: http://www.edu21.cat/files/continguts/LVG_Enric_Roca%5B1%5D.pdf

Sarramona, J. Les competències i els aprenentatges en un món globalitzat *Les 3 coses que he après. Debats d'Educació.* UOC/Fundació Jaume Bofill: http://les3coses.debats.cat/ca/expert/jaume-sarramona

Xarxa Telemàtica Educativa de Catalunya (XTEC): Innovació: http://www.xtec.cat/web/innovacio/innovacio

L2. Nous models de construcció del coneixement

*Marta Marimon, Elena Barberà,
César Coll i Carles Monereo*

La línia temàtica sobre nous models del construcció de coneixement s'emmarca en l'eix 1 del FIET 2014 d'estudi i anàlisi del procés educatiu. La construcció del coneixement, en particular, actualment està intrínsecament lligada a la utilització de suports tecnològics. Diferents eines sincròniques i asincròniques com els blogs, els xats, els wikis, els potcast, els fòrums, les videoconferències, les xarxes socials (Facebook, Twitter...), etc., faciliten la generació de continguts o microcontinguts que es poden utilitzar a nivell educatiu per afavorir el procés d'instrucció i formació, i ajudar els usuaris a adquirir habilitats i tècniques intel·lectuals, així com actituds i hàbits en relació a l'ús de la tecnologia.

En aquest context, apareix un mitjà diferent per a la construcció del coneixement que condiciona el missatge que es vol difondre i, al mateix temps, fa que canviï el rol de l'emissor i del receptor, i incideix, sobretot, en la participació, la col·laboració, la cooperació, la interacció, el compromís, la connexió amb la realitat i l'aprenentatge significatiu.

Teories com la constructivista focalitzen la construcció del coneixement a través de la utilització de les tecnologies com a suport al procés d'ensenyament-aprenentatge i la realització d'activitats en les quals els estudiants poden accedir, al moment, a il·limitada informació i, al mateix temps, poden controlar el seu propi aprenentatge.

Les claus al procés de creació del coneixement fan referència directa a la necessitat de compartir-lo, a l'existència de sistemes que li donin suport i li permetin portar-lo a la pràctica en diferents entorns on s'hi pugui interactuar i experimentar, afavorir la seva democratització, l'accés a la informació, el seu coneixement, emmagatzemament i la gestió de la informació. La utilització de recursos d'educació oberta, de lliure accés, complex aquestes característiques i són documents útils per a l'ensenyament, l'aprenentatge i la investigació educativa.

De forma preliminar, caldria fer dues consideracions. En primer lloc, i atès que aquestes reflexions se centren en els models basats en la construcció de coneixement, no hem inclòs aquells paradigmes que no entenen l'aprenent com a un subjecte actiu que converteix la informació en coneixement a partir de diferents mecanismes d'elaboració, i que tenen un origen cognitiu i/o social. Per tant, visions vinculades a l'associacionisme, el conductisme, l'innatisme, algunes neurociències, el connexionisme o el connectivisme no han estat contemplades. En segon lloc, cal admetre que els recursos tecnològics i les seves possibles pràctiques educatives no necessàriament estan connectats a un determinat model de construcció de coneixement, i poden contribuir, en mans de professionals de l'educació amb determinades concepcions sobre l'ensenyament i l'aprenentatge, a formes d'adquisició de coneixement mecanicistes on l'aprenent, més que elaborar de forma personal els continguts, els copiï o imiti sense entendre'ls ni poder fer-ne un ús significatiu, creatiu o crític. Per exemple, un dels plantejaments de moda, el denominat *Quantified Self* que parteix del registre de paràmetres personals sobre els estils de vida i d'aprenentatge, es pot utilitzar per aportar una imatge prefixada de l'individu, sense possibilitat d'autoreflexió on, a canvi o contràriament, pot suposar la base per a l'autoanàlisi, el diàleg, la negociació, etc.

1. Contextualització de l'eix estudi i anàlisi del procés educatiu des de la línia dels nous models de construcció del coneixement

1.1. *Aproximacions teòriques al concepte de construcció del coneixement*

La manera d'entendre l'ensenyament i l'aprenentatge no només no ha estat igual a través del temps sinó que en l'actual moment històric és palesa la convivència de diferents concepcions. El mode de concebre el procés d'ensenyament i aprenentatge té repercussions directes en la pràctica educativa, d'aquí la seva importància. Nogensmenys la manera d'entendre i aproximar-se al fet educatiu no sempre és conscient o explícit. Per això sembla d'interès presentar, de manera resumida, els models predominants en relació a l'adquisició i construcció del coneixement que s'observen en l'actualitat a les aules.

Models relatius a la construcció de coneixement a través de les TIC

Denominació	QUI	ON	QUAN	COM	PER QUÈ	PER A QUÈ	QUÈ	RECURSOS*
Model Informatiu (Transmissor)	Alumne com a receptor	-Centre educatiu -Web 1.0 Coneixement individual receptiu	Moment instruccional de contacte amb el material o professor	-Procés lineal iniciat i gestionat pel professor -Centrat en el professor -Igual per a tots els alumnes -Formal	Saber basat en el què conèixer (continguts)	Adquirir coneixement organitzat externament	Competències de descodificació, exposició, anàlisi, síntesi...	*Expositius: classes magistrals amb ús ppt, blogs informatius, mp3, OER, LMS, e-repositoris, e-book, xMoocs, VC, servei allotjament arxius, mushups...*
Model Comunicatiu (Dialògic)	Alumne-s/ Professor	-Centre educatiu -Web 2.0 Coneixement propi i compatit	Procés interactivitat entre professor i alumnes	-Procés bidireccional iniciat i gestionat pel professor -Centrat en l'alumne i situat -Possibilitat de personalització -Formal/Informal	Saber basat en la comprensió, en el com i el perquè, èmfasi en el que se sap/no se sap i com se sap	Augmentar el coneixement amb la comprensió de la realitat	Competències comunicatives, de negociació...	*Interactius:* PDI, blogs interactius, repositori interactiu imatges i vídeos, wikis proposta professor, OE Pràctiques, VLE, m-learning, simuladors, VCI, *entorns immersius...*
Model Col·laboratiu (Xarxa)	Grup aprenents (auto-organitzats) o (+ professor)	-Centre educatiu -Tecnologia social Coneixement distribuït creat pels aprenents	Procés interactivitat entre professor i aprenents.	-Procés multidireccional iniciat pels aprenents o el professor -Centrat en el mateix grup que l'impulsa - A demanda -Informal/Formal	Saber basat en la resolució de problemes i presa de decisions arribant a resultats complexos des de diferents perspectives	Solucionar problemes significatius en col·laboració	Competències relacionades amb processos d'indagació (qüestionament, cerca, contrast...) i interpersonals.	*Col·laboratius:* CoPV, *PLE, CSCL,* Xarxes socials educatives, wikis auto-gestionades, cMoocs, tutors intel·ligents, servei allotjament i treball col·laboratiu d'arxius...

*Exemples des de les potencialitats de la tecnologia i els seus usos esperats

1.2. Tendències actuals i emergents en la construcció del coneixement a través de les TIC

Com hem pogut revisar en l'apartat anterior, els tres models predominants pel que fa a la construcció de coneixement a través de les TIC responen a concepcions diferents de què significa i quin sentit té ensenyar i aprendre quan les activitats educatives estan gestionades per les TIC. Mentre que en el model informatiu, les TIC han d'afavorir la correcta transmissió dels continguts a aprendre i, conseqüentment, beneficiar els mecanismes de processament individual de la informació; en el model comunicatiu, el que es facilita especialment és el diàleg entre els agents educatius i, per tant, els seus processos i mecanismes d'interacció social, i, el darrer, en el model col·laboratiu es promou les diferents modalitats de col·laboració entre grups d'ensenyants i aprenents, emfatitzant processos i mecanismes que suposen diferents graus d'interdependència i de mutualitat o convergència en el coneixement que comparteixen.

L'opció per situar els mecanismes i dispositius que provoquen canvis en el coneixement, en l'interior de l'individu que aprèn (habilitats mentals o cognitives per processar la informació), o en la pròpia interlocució i negociació de significats i sentits entre dos o més persones que parlen (habilitats i formats comunicatius) o en les diferents formes d'organitzar i estructurar les activitats conjuntes (habilitats d'organització conjunta de resolució de problemes), han permès distingir amb certa claredat diferents postures epistemològiques. Però aquestes tres postures, més que diferenciades i excloents o difícils d'integrar, semblen acumulatives amb un nivell d'aprofundiment progressivament més ric i complex. És a dir, el model comunicatiu necessita de les habilitats i competències del model informatiu, i el model col·laboratiu necessita de les habilitats i competències dels models informatiu i comunicatiu. Tot això ens fa pensar en un model 3D amb capes progressives.

L'entrada en escena de les TIC, i molt especialment d'Internet, introdueix canvis força dramàtics en molts d'aquests mecanismes, accelerant, amplificant, perfilant el seu potencial fins a límits encara desconeguts.

Només a tall d'exemple, des de l'enfocament informatiu el processament varia perquè podem alliberar multitud de dades de la nostra memòria que ara estan en el núvol, disponibles les 24 hores del dia. Saber ja no és tenir la informació sinó ser capaç d'accedir-hi. Des de la perspectiva comunicativa existeixen multitud de programes que suporten la interlocució sincrònica o asincrònica amb una gran varietat d'interfícies que estructuren, categoritzen i jerarquitzen el diàleg de formes diverses, i condicionen, per exemple, un nou gènere textual: llenguatge xat. Pel que fa a l'orientació col·laborativa, les denominades xarxes socials han trasbalsat clarament, per exemple, l'estudi individual o els deures a realitzar a casa i s'han constituït en comunitats d'estudi i aprenentatge on s'hi comparteixen consells, apunts, treballs i un llarg etcètera.

La intromissió de les TIC ha començat a produir esquerdes entre les fronteres epistemològiques del models de construcció de coneixement que presentàvem en el primer apartat i diferents estudiosos i investigadors han començat a defensar nous models en els quals els mecanismes de canvi tracten d'integrar-se. Si revisem la literatura actual, podem identificar tres models emergents:

1) Models informatiu/cognitiu-col·laboratius. Aquesta perspectiva té els seus orígens en els postulats i treballs de Bereiter i Scardamalia (1994) que denominen el seu model *Knowledge Building*. Precisament el programa *Knowledge Forum*, creat pels autors, està pensat com un espai de suport a la construcció de coneixement individual, generat a partir de les contribucions individuals dels participants. No és, doncs, un sistema dissenyat per utilitzar-se en línia i des d'un sentit estrictament col·laboratiu. Amb la incursió dels Sistemes de gestió de l'aprenentatge (LMS) i plataformes com *Moodle* i, en els darrers temps, dels cursos en línia massius i oberts –MOOC– (p. e. Kikkas, Laanpere & Põldoja, 2011), al Knowledge Forum inicial s'hi han afegit totes les utilitats, sincròniques i asincròniques, que afavoreixen la construcció individual del coneixement, gràcies a les sinergies que possibilita el treball en grup. En tot cas persisteix la idea que l'organització, estructuració i seqüenciació dels contingut és la clau per a l'aprenentatge i és el que permetrà que l'aprenent connecti els seus coneixements previs, i no pas la negociació dels significats a través de la interacció o el diàleg.

2) Models dialògic-col·laboratius: A partir principalment dels treballs de Bajtin (1979), la importància concedida al diàleg en la construcció del coneixement ha anat creixent fins a situar-se com el principal mecanisme d'aprenentatge per diferents corrents psicoeducatives. En una primera etapa s'ha emfatitzat sobretot el diàleg públic, social, com a font preferent en la mediació que fa al professor amb els seus alumnes i ofereix ajudes, bastides, per tal que puguin avançar en la seva zona de desenvolupament, segons l'afortunat terme defensat per L.S. Vigostsky. Més recentment s'ha insistit en la importància que té, també, el diàleg intern, mental, on dialoguem amb altres veus, pròpies i alienes (invocades), que tenen també efectes evidents sobre allò que finalment aprenem. Hermans (2004) és un dels autors que té més influència en aquesta segona òptica i considera el diàleg intern com a un important mecanisme de canvi. Per altra banda, les aportacions de Lave i Wengler (1991) sobre les comunitats de pràctica, també en la seva modalitat virtual, expliquen l'aprenentatge com a un procés de socialització dins d'una comunitat, on el nou participant es mou de la perifèria cap el centre i assoleix una

nova identitat, la qual cosa fa que sigui un membre més actiu i compromès amb les seves finalitats. Paral·lelament a aquest plantejament, Engeström (Batane, Engeström, Hakkarainen, Newnham i Virkkunen, 2012) s'ha centrat en caracteritzar una situació d'ensenyament-aprenentatge com a un sistema d'activitat conformat per un conjunt de dimensions en interacció i interdependents (veure figura 1). Els canvis en aquestes dimensions, i en conseqüència en el sistema d'activitat, reflectirien la construcció de coneixement que es produeixen (*Expansive Educational Transformation through ICTs*).

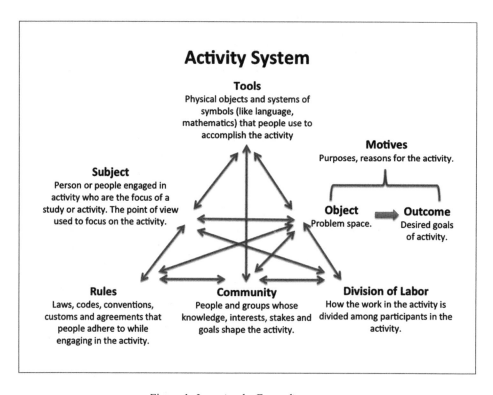

Figura 1. *Learning by Expanding.*

La integració d'ambdues perspectives en l'àmbit de les TIC se centra en l'interès per observar com evoluciona un sistema d'activitat mediat per un recurs tecnològic, per exemple, una comunitat d'aprenentatge i, alhora, com l'aprenent se situa dins la comunitat i adopta diferents nivells de participació i posicions personals. És a dir, el model intentaria explicar la coconstrucció i coevolució conjunta entre el subjecte i les seves veus i posicions personals i els sistemes d'activitat que desenvolupa la comunitat virtual de la qual en forma part. En aquest cas els mecanismes de canvi no tenen a veure tant amb l'adquisició individual de coneixements com en el progressiu reconeixement de la comunitat i la consecució d'una veu i unes posicions més influents. Les nocions d'intersubjectivitat (grau en què els interlocutors d'una situació comunicativa comparteixen la mateixa perspectiva sobre el contingut tractat) i d'alteritat (grau que es pot invocar i discutir amb altres veus que representen altres possibles punts de vista sobre allò que es discuteix) resulten claus per explicar els canvis (Wertsch, 1999).

3) Model trialògic: més agosarada és la proposta de Paavola, S. i Hakkarainen, K. (2005) on tracten de justificar un model en què s'integrin l'enfocament informatiu, dialògic i col·laboratiu o, altrament dit, mecanismes individuals amb mecanismes discursius, sociocomunitaris i organitzacionals. La base de la proposta parteix del model de creació de coneixement en espiral (*Model of spiral knowledge creation) de* Nonaka i Takeuchi (1995), segons el qual la construcció del coneixement hauria d'implicar un procés de conversió des del coneixement tàcit individual, fins a un coneixement explícit comunitari o organitzacional, per tornar novament a l'individu. Concretament, aquest procés de conversió seguiria les fases següents (veure figura 2):

a) Tàcit a tàcit (socialització): Es tracta d'un coneixement que s'adquireix gràcies a compartir experiències pràctiques amb altres. És un coneixement implícit, necessari per afrontar situacions d'interacció habituals dins d'una activitat social poc formalitzada. Estaria relacionat amb la idea de sistema d'activitat d'Engeström o de participació legítima de Wengler, dins el model col·laboratiu.

b) Tàcit a explícit (externalització): Aquí la interacció estaria mediada per documents i textos que obligarien els participants a explicitar o externalitzar els seus coneixements tàcits. A més del model col·laboratiu, les aportacions del model dialògic podrien resultar apropiades.

c) Explícit a explícit (combinació): En aquesta fase els interlocutors combinarien les seves produccions explícites per construir conjuntament nou coneixement explícit, més elaborat i compartit (taules, gràfics, diagrames, etc.), que es difondria dins la comunitat o l'organització. Els mecanismes dialògics es tornarien a combinar amb els col·laboratius.

d) Explícit a tàcit (internalització): Per últim, es produiria un procés d'internalització individual que permetria a cada subjecte apropiar-se d'aquest coneixement organitzatiu i personalitzar-lo (potser a través del diàleg mental, encara que els autors no ho especifiquen), i transformar-lo de nou, almenys parcialment, en implícit o tàcit. Els mecanismes implicats podrien relacionar-se amb la perspectiva dialògica de Bajtin i Hermans i el processament cognitiu de caràcter individual.

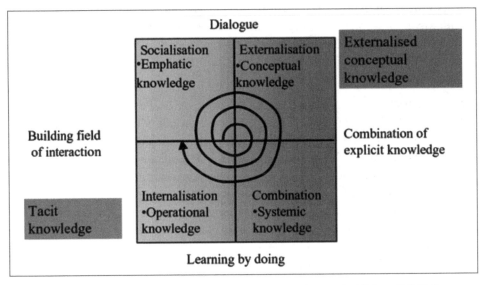

Figura 2. Model de creació de coneixement en espiral de Nonaka i Takeuchi (1995)

Aquest escenari ens permet entendre les capacitats que l'individu ha de desenvolupar per participar de forma exitosa en la construcció del coneixement des d'una perspectiva que podem qualificar com d'acumulativa. Sense les habilitats de síntesi del model informatiu, l'aprenent no seria capaç de fer aportacions rellevants en interaccions del segon model i, sense les competències de treball en equip i de construcció conjunta del coneixement, l'individu no pot arribar a participar o gestionar el seu propi procés d'aprenentatge de forma autònoma i, al mateix temps, col·laborar amb altres aprenents perquè puguin aprofitar les oportunitats que es generen a partir de la interacció.

D'aquesta manera, aquests tres models representen nivells progressius de solidaritat: l'individu, per a l'autoconeixement de les pròpies necessitats del seu projecte personal d'aprenentatge; el grup, per a l'obertura a les necessitats de l'altre i els beneficis que aporta l'intercanvi d'informació i el feedback per a la construcció de coneixement; i, la comunitat, per a l'interès en el progrés col·lectiu en el marc d'un projecte comú per construir conjuntament el coneixement. Això no vol dir que la persona no pugui decidir el nivell de compromís amb els projectes de construcció de coneixement en els quals participa. Un exemple podria ser la Viquipèdia: podem utilitzar-la per cercar informació des d'un punt de vista més receptiu, podem decidir aportar informació que altres podran utilitzar o comentar des d'un vista interactiu, o bé, podem valorar les potencialitats del projecte com a eina per a la construcció conjunta del coneixement. Aquest darrer nivell implica un compromís compartit entre l'individu i la col·lectivitat. En aquest context, les TIC faciliten aquestes dinàmiques i trenquen barreres geogràfiques, temporals i, fins i tot, culturals.

1.3. Pràctiques i recursos associats a aquestes tendències que faciliten la construcció del coneixement

Tradicionalment l'aplicació de les TIC a educació ha sofert d'un activisme poc meditat, on es posen en joc els darrers avenços tecnològics amb pocs criteris educatius (Quins continguts vull ensenyar? A quin nivell de complexitat? Perquè els alumnes puguin respondre o resoldre què?) i amb menys criteris epistemològics (Aquesta tecnologia i la manera en què l'aplico és coherent amb el que penso que significa ensenyar i aprendre la meva matèria?).

A banda d'aquestes consideracions, també cal destacar les tendències, reptes i tecnologies emergents que s'identifiquen en les diferents edicions dels Informes Horizon del NMC a curt, mig i llarg termini, que tenen les seves implicacions per a la política, el lideratge i la pràctica educativa. Més concretament, l'Informe Horizon NMC 2014 Higher Education Edition identifica els següents desafiaments: el creixement dels mitjans socials, la integració entre aprenentatge en línia, híbrid i col·laboratiu, la presa de decisions basada en l'evidència, el pas dels estudiants de consumidors passius de l'ensenyament a creadors, els enfocaments àgils per al canvi i l'evolució de l'aprenentatge en línia. En la taula següent es mostra un quadre resum de les tecnologies emergents identificades en les dues darreres edicions d'aquests Informes Horizon, a la data d'elaboració d'aquest document, tant per a l'educació obligatòria com per a l'educació superior:

Any Informe	Nivell educatiu	Curt termini	Mig termini	Llarg termini
2014	Universitat	2015 • Classe invertida (*Flipped Classroom*) • Analítiques d'aprenentatge	2016-2017 • Impressió 3D • Jocs i gamificació	2018-2019 • Quantificació del jo (*Quantified Self*) • Assistent virtual
2013	Universitat	2014 • MOOC • Tauletes	2015-2016 • Jocs i gamificació • Analítiques d'aprenentatge	2017-2018 • Impressió 3D • Tecnologia portàtil (*Wearable Technology*)

Any Informe	Nivell educatiu	Curt termini	Mig termini	Llarg termini
2013	Primària i Secundària	2014 • Informàtica en el núvol • Aprenentatge mòbil	2015-2016 • Analítiques d'aprenentatge • Contingut obert	2017-2018 • Impressió 3D • Laboratoris virtuals i remots
2012	Primària i Secundària	2013 • Dispositius mòbils i aplicacions • Tauletes	2014-2015 • Aprenentatge basat en jocs • Entorns personals d'aprenentatge	2016-2017 • Realitat augmentada • Interfícies naturals d'usuari (NUI)

Tenint en compte aquestes consideracions i les de l'inici d'aquest document, i si s'entén l'aprenent com un subjecte actiu que converteix la informació en coneixement i les pràctiques educatives han d'estar connectades a un determinat model de construcció de coneixement, seguidament exposarem algunes tendències en l'aplicació actual de les TIC que estarien en línia amb els models emergents presentats a l'apartat anterior.

• Les TIC poden ajudar a minimitzar els problemes de continuïtat i discontinuïtat entre escenaris educatius com, per exemple, el familiar, l'escolar, el recreatiu o el laboral (associat a tecnologies com MOOC, tauletes, tecnologia portàtil, la denominada Educació Nòmada o la incorporació d'assistents virtuals, entre d'altres).
• Les TIC també poden afavorir un treball més coordinat entre les diferents institucions i nivells educatius i les transicions entre etapes educatives. La utilització, per exemple, de dispositius de vídeo i àudio gravació, controlats remotament per ordinadors, obre tot un ventall de possibilitats per realitzar de forma simultània, i connectada en temps real, una mateixa classe sobre un mateix tòpic en diferents localitzacions, o per visualitzar i analitzar a la universitat una situació educativa mentre es produeix, o realitzar formació a professors novells que imparteixen una classe, mentre la realitzen, mitjançant un sistema de *coaching*, etc. La idea, per exemple, que alguns centres de secundària es converteixin en centres de recerca i d'innovació, connectats amb les universitats, comença a prendre cos (Lemus y Monereo, 2013), associat a les tecnologies portàtils, tauletes, analítiques d'aprenentatge, entre d'altres.
• Les TIC permeten un gran ventall de possibilitats metodològiques ajustables a les diferents necessitats educatives dels alumnes: pot actuar com a repositori de continguts, reforçador o entrenador d'explicacions i procediments, complement d'allò que s'ha explicat a classe o indagació i recerca per crear nou coneixement

(associat a tecnologies com la classe invertida, jocs i gamificació, o l'anomenada quantificació del jo, de l'anglès *Quantified Self*).

- Les TIC permeten compartir representacions entre els diferents agents educatius d'allò que passa a classe o altres contextos educatius, aprenentatge, clima, incidents, carències i dubtes, etc., ja que poden enregistrar i proporcionar retroalimentació continua als implicats (p. e. Monereo, Panadero i Scartezini, 2013) (associat amb tecnologies com les analítiques d'aprenentatge o la quantificació del jo).
- Les TIC possibiliten la generació d'activitats més autèntiques realistes, funcionals, socialitzadores –com per exemple permeten accedir directament a esdeveniments a temps real o simuladors molt versemblants- i potencien l'ensenyament i avaluació de competències (associat amb tecnologies amb impressió 3D i a laboratoris i simuladors virtuals).
- Les TIC afavoreixen l'explicitació dels processos de decisió a l'hora de planificar i regular la resolució de problemes, la qual cosa suposa poder visualitzar i analitzar conjuntament aquests processos implícits, i potenciar les habilitats metacognitives, l'aprenentatge i l'ensenyament estratègics o la convergència de coneixement entre diferents interlocutors (associat amb tecnologies analítiques d'aprenentatge o de quantificació del jo o a simuladors virtuals).
- Les TIC també faciliten l'apropiació de multitud de veus i de perspectives i posicions més diversificades, ja que poden connectar amb gent de tot el món. Té, doncs, una gran potencialitat com a laboratori social per tal de lluitar contra els diferents "ismes" (sexisme, racisme...) i promoure actituds i comportaments de tolerància, democràcia real, participació en moviments cívics, etc. (associat amb la pràctica totalitat de les tecnologies emergents).

2. Anàlisi de la situació actual en termes de potencialitats

Les diferents aproximacions teòriques al concepte de construcció del coneixement revisades en l'apartat anterior ens han permès plantejar les tendències actuals i emergents vinculades als nous models de construcció del coneixement, en les quals les tecnologies ocupen un paper fonamental. Vegem tot seguit les seves potencialitats, en el marc de la societat de la informació i en relació a l'aprenentatge i el procés de construcció del coneixement:

L'aprenentatge "al llarg" i "l'ample" de la vida

El primer tret del nou paradigma que volem destacar és l'escenari de la SI, l'aprenentatge es produeix i es produirà cada vegada més "al llarg" i "l'ample" de la vida. A la posada en relleu de la importància creixent d'unes necessitats d'aprenentatge que es plantegen a les persones molt més enllà de l'educació bàsica i dels períodes de formació inicial, s'hi afegeix l'aparició, de la mà sobretot de les TIC, de nous i inèdits contextos d'activitat que ofereixen a les persones oportunitats, recursos i eines per aprendre. Aquests contextos constitueixen veritables nínxols potencials d'aprenentatge i tenen la particularitat de ser aliens en gran manera, almenys en principi, a les institucions d'educació formal. Ens referim a contextos d'activitat com els que proporcionen les xarxes socials, els móns o entorns virtuals, les comunitats virtuals d'interès, pràctica i d'aprenentatge, els jocs en línia i, en general, els que permeten crear les TIC digitals. Convé subratllar referent a això que les TIC no solament estan a la base de l'aparició de nous nínxols d'aprenentatge, sinó que exerceixen igualment un paper important en el reforç de contextos tradicionals d'activitat i de desenvolupament, com la família, la comunitat, les institucions culturals i d'oci o el treball, com a nínxols potencials d'aprenentatge. Si bé l'aprenentatge ha estat sempre present en aquests contextos d'activitat, la incorporació de les TIC ha incrementat de forma considerable les oportunitats, recursos i instruments que ens ofereixen per aprendre.

Un aprenentatge cada cop més mediat i modelat per les TIC

La segona característica de la nova ecologia de l'aprenentatge que volem destacar és que els processos de construcció del coneixement estan i estaran, cada vegada més, mediats i modelats per les TIC digitals i, més concretament, per les TIC amb connexió sense fil, mòbils i ubiqües –les conegudes com WMUTE, per les seves sigles en anglès: Wireless, Mobile and Ubiquous Technologies–. La connexió sense fil i la mobilitat d'última generació dels dispositius electrònics comporta, entre altres possibilitats, deslligar l'aprenentatge de l'entorn físic i institucional on té lloc. Les oportunitats per aprendre que ofereixen les WMUTE poden aprofitar-se al marge del context físic i institucional –llar, institució educativa, lloc de treball, espai d'oci, institució cultural...– en el qual ens trobem, de manera que ja no solament és possible aprendre en qualsevol moment, a condició que tinguem connexió a Internet, sinó també en pràcticament qualsevol lloc, a condició que puguem connectar-nos sense fil.

El protagonisme de les TIC digitals en el nou paradigma d'aprenentatge té una altra implicació que, encara que ha estat ja assenyalada en múltiples ocasions, convé recordar-la. Es tracta de la possibilitat de fer convergir múltiples llenguatges i formats en un mateix espai simbòlic gràcies a la digitalització de la informació. Les TIC digitals es caracteritzen per la utilització simultània i convergent de diversos llenguatges i formats i la possibilitat de combinar llenguatge oral, llenguatge escrit, so, imatges estàtiques i en moviment, llenguatge musical, llenguatge matemàtic, llenguatge lògic, sistemes de símbols, sistemes de representació gràfica, etc. Conseqüentment, les experiències d'aprenentatge i els aprenentatges relacionats amb aquestes tecnologies estan, també, i ho estaran probablement cada vegada més en el futur, modelats per la utilització d'una multiplicitat de llenguatges i formats com a vehicle i suport de la informació i el coneixement.

L'aprenentatge sense barreres –seamless learning–

Un altre tret distintiu del nou paradigma de l'aprenentatge, estretament vinculat també a la penetració de les TIC en pràcticament tots els contextos d'activitat de persones, és el que té a veure amb la ubiqüitat de l'aprenentatge i la porositat o falta de demarcació nítida entre els diferents espais físics i institucionals en els quals té lloc l'aprenentatge. Més enllà de la distinció i del debat clàssic sobre les relacions entre els espais i episodis d'aprenentatge formal i informal, el concepte d'aprenentatge sense costures –seamless learning– mitjançant el qual es designa en ocasions aquest fet, fa referència a la continuïtat que experimentem les persones en el nostre aprenentatge al marge dels llocs, situacions, temps i contextos institucionals en què aprenem (Sharples i altres, 2012). Les tecnologies mòbils –portàtils, telèfons intel·ligents i tabletes amb connexió sense fil– fan possible que les costures i discontinuïtats entre els aprenentatges que es donen en diferents llocs, moments i contextos socioinstitucionals puguin desdibuixar-se fins a arribar pràcticament a desaparèixer.

La personalització de l'aprenentatge: les trajectòries personals d'aprenentatge com a via d'accés al coneixement

Però tal vegada la tendència més destacada del nou paradigma d'aprenentatge sigui l'aspiració a una personalització creixent de l'aprenentatge. La tendència a ajustar la informació, els productes i els serveis als interessos i les necessitats individuals és una expressió més d'un sistema de valors, propi de les societats actuals, que situa l'individu en l'epicentre de l'organització social i de l'activitat individual i col·lectiva. L'evolució de les TIC digitals des de la web 1.0 a la web 2.0 o web social reflecteix amb claredat aquesta tendència. Els llocs web que tenen més èxit, és a dir, els que atreuen un major nombre de visitants, són els que ofereixen la possibilitat que, qualsevol que sigui l'àmbit de les activitats que promouen o dels serveis que ofereixen –jocs en línia, xarxes socials, intercanvi d'arxius, vídeos, fotografies, folksonomies, viatges, compres, informació...–, estan dissenyats de manera que cada visitant trobi una resposta el més ajustada possible als seus interessos, expectatives i necessitats individuals o, millor encara, que cada visitant pugui ajustar-los, adaptar-los, és a dir, personalitzar-los en funció dels seus interessos, expectatives i necessitats individuals. La tendència a la personalització es manifesta també amb força en l'àmbit de l'aprenentatge. D'una banda, és ja una realitat en la mesura en què cada persona construeix la seva pròpia trajectòria individual i idiosincràtica d'aprenentatge i que aquestes trajectòries responen sovint, almenys en part, als seus interessos i necessitats. D'altra banda, per la seva ubiqüitat i característiques, les TIC digitals ofereixen múltiples recursos i instruments per personalitzar l'aprenentatge en una àmplia varietat de contextos d'activitat.

Com a realitat i tendència, la personalització de l'aprenentatge remet a la diversitat o, millor encara, la singularitat de les trajectòries personals d'aprenentatge. Els contextos o nínxols d'aprenentatge per on transitem les persones, les activitats que hi desenvolupem i participem, l'ús que fem dels recursos i les oportunitats per aprendre que ens ofereixen, les persones amb qui ens relacionem, interactuem i amb qui i de qui aprenem, els interessos que generem i els aprenentatges que assolim... Tots aquest factors fan que no hi hagi dues trajectòries personals d'aprenentatge idèntiques i, el que és encara més important, que resulti problemàtic plantejar i abordar l'aprenentatge de les persones en un d'aquest contextos -per exemple, en l'escola– sense prendre en consideració la trajectòria personal de conjunt en la qual s'insereix. En la societat de la informació la personalització de l'aprenentatge no és només un fet, és també una aspiració de les persones que valoren les experiències d'aprenentatge en funció de fins a quin punt responen als seus interessos i satisfan les seves necessitats.

3. Anàlisi de la situació actual en termes de necessitats

Davant d'aquesta anàlisi en termes de potencialitats que suposa els nous models de construcció del coneixement en el context de la Societat de la Informació i amb el suport de les tecnologies digitals per a l'aprenentatge i el coneixement, es plantegen una sèrie de desafiaments i tendències educatives en el marc del nou paradigma d'aprenentatge:

Cap a una visió àmplia de l'educació i l'articulació de l'educació escolar amb altres escenaris i agents educatius

Enfront de la visió restringida de l'educació que ha marcat l'evolució dels sistemes educatius nacionals, especialment en el transcurs de la segona meitat del segle XX, i que ha portat a identificar pràcticament educació i escolarització, el nou paradigma d'aprenentatge fa cada vegada més evident la necessitat de recuperar el sentit ampli i original d'aquest concepte. Això suposa tornar a una visió de l'educació entesa com a un conjunt d'activitats i pràctiques socials mitjançant les quals i, gràcies a les quals, els grups humans promouen el desenvolupament personal i la socialització dels seus membres (Coll, 2000, p. 12) i facilitar-los l'accés al conjunt de sabers, pràctiques i valors que conformen la seva cultura i oferir-los la possibilitat de convertir-se en agents de canvi i creació cultural. Des d'aquesta perspectiva, l'escolarització ha de ser entesa com a una pràctica educativa més que adquireix una importància i un protagonisme cada vegada major en pràcticament totes les societats i països en el transcurs dels dos últims segles, però no és ni pot ser considerada l'única pràctica educativa amb una incidència efectiva sobre els processos de desenvolupament i socialització de les persones.

En el marc del nou paradigma d'aprenentatge, l'educació escolar té dues responsabilitats específiques que difícilment es poden assumir des d'altres contextos o nínxols d'aprenentatge. La primera és garantir que tots els alumnes assoleixin els aprenentatges necessaris per continuar aprenent al llarg de la vida. Cal subratllar que no es tracta de garantir que assoleixin els aprenentatges que necessitaran al llarg de la vida –d'alguna manera, aquesta pretensió és la que està a la base de la sobrecàrrega que pateixen actualment els currículums de l'educació bàsica–, sinó els que els han de permetre seguir aprenent al llarg de la vida. La segona, i més complexa que l'anterior, encara si cap, però igualment crucial, és potenciar trajectòries personals d'aprenentatge potents i enriquidores per a tot l'alumnat –i no sols per als qui ja les tenen com a resultat del seu origen social i cultural–, i assumir un paper de lideratge en l'establiment dels plans conjunts d'actuació als quals s'ha fet esment en el punt anterior.

Les habilitats dels segle XXI i l'èmfasi en l'adquisició de les competències clau i els sabers fonamentals

El fet que les persones ens vegem obligades a satisfer contínuament noves necessitats d'aprenentatge, al llarg i a l'ample de la vida, atorga una especial rellevància a l'adquisició de competències genèriques i transversals relacionades amb la capacitat per aprendre. En el nou paradigma de l'aprenentatge, la capacitat per adquirir nous coneixements, per cercar i crear-se les condicions per aprendre en situacions i contextos diversos, és tant o més important com disposar d'un ampli bagatge de coneixements. Probablement, aquesta sigui una de les raons que expliquen la rapidesa amb què el discurs competencial, i en particular l'èmfasi en l'adquisició de les competències bàsiques o competències clau, s'ha introduït en el món de l'educació formal i escolar i dóna com a resultat el currículum basat en competències o referents competencials.

El paper de les TIC en l'educació: De l'alfabetització digital a l'alfabetització en la cultura digital

Més enllà de la incorporació al currículum dels coneixements, habilitats i competències necessaris per al domini de les TIC, i més enllà també del seu impacte educatiu directe –possibiliten noves formes d'ensenyar i aprendre– o indirecte –afavoreixen l'aparició de nous escenaris educatius–, les TIC estan en l'origen d'un profund procés de canvi social i cultural. La capacitat d'aquestes tecnologies per penetrar i incidir en pràcticament tots els àmbits de l'activitat de les persones es transforma i dóna lloc a noves formes de pensar, d'actuar, d'aprendre, de conèixer, de sentir, de treballar, de relacionar-se, de divertir-se, etc. Com assenyala Castells (2000), les TIC constitueixen el nucli central entorn del com s'organitza el nou paradigma tecnològic associat a les transformacions socials, econòmiques i culturals que caracteritzen la societat de la informació. Amb les tecnologies digitals de la informació i la comunicació i el seu paper en la societat de la informació, allò que canvia són les pràctiques socials i culturals que constitueixen el referent fonamental de l'educació formal i escolar. Per això, un dels reptes més importants de l'educació escolar en l'actualitat és fer front a aquest canvi cultural propiciat per les tecnologies digitals, és a dir, el repte de com educar en el marc d'una cultura digital.

Educar en el marc d'una cultura digital inclou promoure l'alfabetització digital, però va més enllà, suposa, també i sobretot, ensenyar i aprendre a participar eficaçment en les pràctiques socials i culturals intervingudes per les tecnologies digitals de la informació i la comunicació. Això significa que, amb ser important, no n'hi ha prou d'introduir les competències, coneixements i habilitats relacionats amb l'alfabetització digital per fer front als desafiaments que les tecnologies digitals plategen a l'educació escolar. És el conjunt de l'aprenentatge escolar, tant en la seva orientació com en els seus elements, el que ha de ser revisat a partir del referent que proporcionen les pràctiques socials i culturals intervingudes per les tecnologies digitals, la lectura ètica i ideològica que se'n faci i les necessitats formatives de les persones en aquest nou escenari.

Cap a una resignificació de les tasques d'ensenyar i aprendre en les institucions d'educació formal

L'existència de contextos aliens a l'escola que ofereixen oportunitats, recursos i eines per aprendre i que tenen una influència creixent sobre els processos de formació i de desenvolupament de les persones comporta uns desafiaments inèdits per a l'educació formal i escolars en tots els nivells educatius.

El primer és la reubicació de les institucions d'educació formal a la xarxa de contextos d'aprenentatge pels quals transiten els alumnes i les alumnes i a partir dels quals construeixen les seves trajectòries individuals d'aprenentatge. Afrontar aquest desafiament suposa desplaçar el focus d'atenció dels aprenentatges escolars a les trajectòries individuals d'aprenentatge, en la configuració de la qual els contextos d'educació formal tenen, i han de seguir tenint al nostre judici, un paper central i determinant, però sempre en interconnexió amb els altres contextos d'activitat. La capacitat de les institucions d'educació formal per incidir en la configuració de les trajectòries d'aprenentatge de l'alumnat és certament limitada, ja que en aquesta configuració intervenen molts factors que escapen per complet el seu àmbit d'actuació. No es tracta, doncs, de carregar l'educació formal amb una nova responsabilitat, sinó de situar la seva acció en el marc més ampli de les trajectòries individuals d'aprenentatge dels alumnes, és a dir, de prendre-les com a punt de partida i com a objecte de l'acció educativa. Els aprenentatges i les experiències d'aprenentatge que els alumnes realitzen en altres contextos d'activitat han de ser presos en consideració en les institucions d'educació formal i escolar i tenir una incidència sobre l'acció educativa que s'hi exerceix. Els aprenentatges i experiències d'aprenentatge aliens en principi a les institucions d'educació formal i escolar poden i han de convertir-se, a més, en objecte d'anàlisi, reflexió i valoració crítica per part dels alumnes i estudiants en el marc d'aquestes institucions, en la mesura en què, com assenyalarem més endavant, constitueixen el material de base a partir del com es construeixen com a aprenents. En síntesi, en el nou paradigma de l'aprenentatge les institucions d'educació formal apareixen com a un context d'activitat interconnectat amb uns altres que, a més d'oferir oportunitats, recursos i instruments per aprendre, puguin tenir un paper de primera importància en el seguiment, l'acompanyament i la revisió de les trajectòries d'aprenentatge dels seus alumnes a partir de la presa en consideració dels seus aprenentatges i experiències d'aprenentatge amb independència del seu origen.

El segon desafiament és la personalització de l'aprenentatge també en els contextos i institucions d'educació formal i escolar. Com ja hem comentat abans, la personalització de l'aprenentatge és ja una realitat, una aspiració i, fins i tot, en algunes formulacions teòriques, un principi pedagògic. Com a realitat, actualment es deté a les portes de les institucions d'educació formal i escolar que operen sobre el principi d'un currículum únic i comú per a tot l'alumnat. Com a aspiració, tant l'experiència com els estudis existents (veure, per exemple, Speak Up, 2012) indiquen que una bona part dels nens i joves perceben amb claredat una separació entre el món on viuen fora de l'escola, en el qual la personalització és un fet, i l'escola, en la qual no hi ha lloc per als interessos individuals. Finalment, com a principi pedagògic, els models descrits en el primer apartat d'aquest informe advoquen igualment per avançar cap a una major personalització de l'aprenentatge.

Finalment, el tercer desafiament és el que planteja el trànsit d'unes institucions orientades a formar bons alumnes i bons estudiants, la finalitat dels quals és formar aprenents competents. En un escenari on l'aprenentatge ja no està associat a una fase determinada de la vida –el període de formació inicial– ni uns contextos específics –les institucions d'educació formal i escolar–, sinó que estén al llarg de la vida i s'expandeix a múltiples contextos d'activitat, l'adquisició i el desenvolupament de les competències associades a la capacitat d'aprendre esdevenen crucials. Els sistemes educatius actuals, no obstant això, no responen a la finalitat de formar aprenents competents. La seva organització i funcionament respon més aviat, en tots els nivells educatius, a la finalitat de formar bons estudiants i bons alumnes, és a dir, persones que aprenguin els continguts, desenvolupin les capacitats i adquireixin les competències que estableixen els currículums i plans d'estudi.

4. Conclusió

Més enllà de les seves diferències, els models de construcció del coneixement descrits a les pàgines precedents posen de manifest algunes tendències emergents que tenen el seu origen en els canvis que s'han produït en el transcurs de les darreres dècades en pràcticament tots els paràmetres que intervenen en l'aprenentatge humà: on aprenem, quan, com, amb qui i de qui i, per supost, què i, sobre tot, per a què aprenem. Aquest canvis, associats en bona mesura al nou escenari econòmic, social, polític i cultural de la Societat de la Informació, han donat lloc un nou paradigma (Redecker i al., 2011) o una nova ecologia (Barron, 2006, 2010; Coll, 2013a, 2013b) de l'aprenentatge que exigeix l'elaboració de nous models explicatius i aconsella la revisió en profunditat dels sistemes actuals d'educació formal i escolar.

En aquest document hem revisat les diferents aproximacions teòriques al concepte de construcció del coneixement i els models formatius que se'n deriven quan les pràctiques educatives es troben mediades per les tecnologies. En aquest sentit, hem revisat, en primer lloc, alguns trets del nou paradigma que estan presents, en bona mesura, en la majoria de les teories i models actuals de l'aprenentatge, per passar seguidament a assenyalar i comentar breument les seves implicacions educatives. Com es pot comprovar, tant els trets del nou paradigma de l'aprenentatge com les seves implicacions educatives estan estretament relacionats amb el lloc central que ocupen les tecnologies digitals de la informació i la comunicació (TIC) en la Societat de la Informació.

Seria certament un error pensar que no hi ha cap relació entre ser un bon estudiant i ser un aprenent competent. Però encara ho seria més pensar i actuar com si fossin el mateix. Un aprenent competent no s'identifica pel que ja ha après i pot demostrar que sap en una prova de rendiment, sinó pel que encara no sap però és capaç d'aprendre. Sens dubte, molts bons estudiants, identificats com a tals a partir d'una valoració dels aprenentatges aconseguits, són també aprenents competents. Però es pot ser un bon estudiant en aquest sentit i, en canvi, tenir una capacitat limitada per afrontar noves exigències i noves situacions d'aprenentatge. Un aprenent competent és capaç, en primer lloc, de situar-se davant les noves exigències i situacions d'aprenentatge i identificar-les com a noves; en segon lloc, d'aprofitar els seus coneixements i experiències prèvies davant situacions i exigències similars i treure profit del coneixement de les seves pròpies fortaleses i febleses per abordar-les i, finalment, d'identificar possibles fonts d'ajuda, recórrer-hi i aprofitar-les.

Referències documentals

Bajtin, M. (1979). Estética de la creación verbal. México: Siglo XXI.

Barron, B. (2006). Interest and self-sustained learning as catalysts of development: A learning ecologies perspective. Human Development, 49, 193-224.

Barron, B. (2010). Conceptualizing and Tracing Learning Pathways over Time and Setting. National Society for the Study of Education, 109(1), 113–127.

Batane, T., Engeström, Y., Hakkarainen, K., Newnham, D., Virkkunen, J. (2012) Dilemmas of promoting expansive educational transformation through ICTs in Botswana. International Society of the Learning Sciences. Proceedings of the 10th international conference of the learning science.

Bereiter, C., & Scardamalia, M. (1993). Surpassing ourselves: An inquiry into the nature and implications of expertise. Chicago: Open Court.

Castells, M. (2000). La era de la información. Vol. 1. La sociedad red (segunda edición). Madrid: Alianza.

Coll, C. (2000). Educación, territorio y responsabilidad ciudadana. En J.A. Garcde (Ed), Políticas sociales y estado del bienestar en España. Informe 2000 (pp. 165-187). Madrid: FUHEM/Trotta.

Coll, C. (2013). El currículo escolar en el marco de la nueva ecología del aprendizaje. Aula de innovación educativa, 219 31-36. Consultado el 22/08/2013 en:

http://www.psyed.edu.es/prodGrintie/articulos/Coll_CurriculumEscolarNuevaEcologia.pdf

Coll, C. (2013b). La educación formal en la nueva ecología del aprendizaje: tendencias, retos y agenda de investigación. En: Rodríguez Illera, J.L. (Comp.) (2013). Aprendizaje y educación en la sociedad digital. Barcelona: Universitat de Barcelona. DOI: 10.1344/106.000002060

Hermans, H. J. M. (2004). Introduction: The Dialogical Self in a Global and Digital Age. Identity: An International Journal of Theory and Research, 4 (4), 297-320.

Kikkas, K., Laanpere, M., & Põldoja, H. (2011). Open courses: The next big thing in eLearning? Proceedings Of The European Conference On E-Learning, 371-377.

Lave, J & Wenger E. (1991). Situated Learning: Legitimate Peripheral Participation, Cambridge: Cambridge University Press.

Lemus, R. y Monereo, C. (2013) De centro facilitador y colaborador a formador e investigador. Cuadernos de Pedagogía, 437; 48-51.

Moen A., Morch, A., & Paavola S. (Eds.) (2012) Collaborative Knowledge Creation: Practices, Tools, Concepts. Rotterdam: Sense Publishers.

Monereo, C., Panadero, E. y Scartezini, R. SharEVents (2013). La utilización de informes compartidos sobre incidentes críticos como medio para la formación docente. Cadernos de Educação, 42. http://periodicos.ufpel.edu.br/ojs2/index.php/caduc/article/view/2148

Nonaka, I I Takeuchi H. (1995). The knowledge creating company; How Japanese Companies create the dynamics of innovation. New York: Oxford University Press.

Paavola, S. i Hakkarainen, K. (2005) The knowledge creation metaphor – an emergent epistemological approach to learning, Science and Education, 14, 535-557.

Redecker, Ch., Leis, M., Leenderse, M., Punie, Y., Gijsbers, G., Kirschner, P., Stoyanov, S. & Hoogveld, B. (2011). The future of Learning: Preparing for Change. JRC-Joint Research Centre. Institute for Prospective Technological Studies. European Comission. Consultado el 23/08/2013 en: http://ftp.jrc.es/EURdoc/JRC66836.pdf

Sanderson, J. (2008) The Blog is Serving Its Purpose: Self-Presentation Strategies on. Journal of Computer-Mediated Communication, 13 (4), 912-936.

Scardamalia, M., & Bereiter, C. (1994). Computer support for knowledge-building communities. The Journal of the Learning Sciences, 3(3), 265-283.

Sharples, M., Mcandrew, P., Weller, M., Ferguson, R., Fitzgerald, E., Hirst, T., Mor, Y., Gaved, M. & Whitelock, D. (2012). Innovating Pedagogy. Exploring new forms of teaching, learning and assessment, to guide educators and policy makers. Open University. Innovation Report 1. Consultado el 23/08/2013 en: http://www.open.ac.uk/personalpages/mike.sharples/Reports/Innovating_Pedagogy_report_July_2012.pdf

Speak Up (2012). Mapping a Personalized Learning Journey - Students and Parents Connect the Dots with Digital Learning. Speak Up 2011. National Findings. K´12 Students & Parents. Project Tomorrow. Speak Up. Consultado el 23/08/2013 en: http://www.tomorrow.org/speakup/pdfs/SU11_PersonalizedLearning_Students.pdf

Wertsch, J. (1999) La mente en acción. Buenos Aires: Aique.

L2. New Models of Knowledge Construction

Jabari Mahiri, Janaina de Oliveira, Linda Castañeda,
Danah Henriksen and Punya Mishra

Digital Technologies enable new models of knowledge construction that are enacted through new modes of participation, interaction, collaboration, commitment, and co-construction of provisional representations of the real. As a country's driving force for development, the education system must adapt if it wishes to take greater advantage of the productive possibilities technology provides for creating more engaging and effective learning environments that enable children and adults to thrive and to prepare themselves for the complex challenges of the 21st century. These challenges are not just personal but also socio-cultural and professional. Today's dominant economic models have intensified these challenges and we now find new models of knowledge construction that can provide more viable alternatives to these established models rather than merely, and faithfully, reproducing them.

In this paper we outline a global view of digitally mediated knowledge construction and provide relevant examples of viable applications of technology for education and culture. We also provide insights into the key challenges and emerging paths of digitally driven models for creating and spreading knowledge.

In the next section, on the global view, we take a critical perspective of issues such as access, democratization and the appropriate use of new knowledge creation. What are the most viable educational uses of synchronous and asynchronous digital networks, resources, processes, and contents? What are the roles for education in generating, managing, distributing, and storing new knowledge? Will there be knowledge for all or will certain entities, countries and individuals attempt to control all knowledge? Important new knowledge is being constructed in lifelong learning environments, which includes our classrooms. We begin this paper by recognizing that these questions are being shaped by different forces, some of which are seeking to benefit by controlling both the production and the spread of knowledge.

Technology is clearly bringing significant complexity to our world. A sense that everything has changed pervades. In this context, technology-mediated knowledge is being distributed in people, tools, cultural artefacts, practices and systems in markedly new ways that enable learning to take place in a variety of contexts, not just in schools. Pedagogical processes that facilitate and promote active and self-regulated learning and design-thinking approaches that incorporate the creation of physical prototypes for solving real-world problems are also rich arenas for this kind of knowledge construction. In all these approaches, digital technologies have the potential to change both the kinds of knowledge needed and the manner in which they are developed and internalized.

However, it can also be argued from a long-term view of knowledge that some fundamental aspects of knowledge construction have not really changed. This view holds that new knowledge is and always will be generated and accessed within situated, socio-cultural frameworks and will always reflect principles of design, or what has been described as a "wicked problem." This term aims to capture the complexity and messiness of learning experiences that may involve multiple stakeholders working together through negotiation, compromise and dialogue, often without clear rules to arrive at solutions.

These meta-level views of knowledge are useful for thinking, working and learning in complex environments in which knowledge is always contextual and messy, even when it is being generated within more recent pedagogical approaches such as design-thinking or project-based learning. All these views, however, attach value to and are transformed by rapidly changing digital technologies. Our examples in the third section of this paper illustrate ways in which our global views play out in the way technology is used in specific learning contexts. In the fourth section, we link these views and provide examples to future paths and challenges.

1. Global View of the Thematic Line

The widespread use of Information and Communication Technologies (ICTs) in conjunction with the rapid movement toward a fully networked society is having dramatic effects on the construction of knowledge and how life and learning in the twenty-first century are experienced and perceived. This has profound consequences for education and communication and is obliging researchers and educators to rethink social relations and the processes of knowledge production, flow, and distribution in the new conditions of the digital age. We are now challenged with understanding communicative processes and techniques in a context of high complexity. This does not mean that communication and learning processes that took place in previous historical moments were "simple" but it is important to acknowledge and understand the added complexity of technologically mediated processes in contemporary life.

Individual and social identity construction, interpersonal and business relationships, and ways of learning and constructing new knowledge are being dramatically transformed through pervasive interactions with constantly changing digital texts and tools. Meaning is produced, distributed, interpreted and (re)used through many forms of representation and communication, of which verbal language is only one. This is the essential change. Digital media allow for the greatly increased mobility, interchangeability and accessibility of all kinds of texts and signs, while magnifying and simplifying processes for new authorial assemblages (Manovich, 2001). These media have expanded our notions of textuality and virtuality as well as our sense of space and place (Mahiri, 2011). The ubiquitous cell phone, with its diverse capabilities for accessing written texts, voice recordings, music, pictures, video, TV, the Internet, GPS, clocks, calendars, calculators, and games, is a case in point. Miller (2004) claimed that a person's home is basically where her cell phone is. Thousands of applications are available for increasing the personalization and performance of smart phones, and many more are constantly being developed. These new texts and tools for communication, pleasure, work, and social networking reflect new forms of learning and offer young people and adults vast possibilities for meaning-making and identity construction (Gee, 2003).

Constructing and integrating new knowledge is always situated in cultural activity and participation structures (Lave and Wenger, 1991). This is not only a cognitive process but also a physical and social/emotional one. This view of knowledge construction as being contextualized may be connected to Street's (1993) notion of literacy practices that include both conceptualizations and behaviours in conjunction with engaging texts. These earlier considerations that knowledge construction is situated in participation structures and behavioural practices associated with physical tasks and texts provide a framework for understanding opportunities for new knowledge construction when the tasks and texts are digitally mediated.

Gee (2003), for example, outlined 36 new principles of knowledge construction and ways of learning that are intricately embedded in the use of digital texts and tools. Although they are all important, we have selected five key examples to illustrate new considerations of knowledge construction when mediated by digital technology. Gee's first principle is that "all aspects of the learning environment...encourage active and critical...learning" (p.207). Principle 12 states that "Learners get lots and lots of practice in a [digital] context...that is compelling...and where learners experience on-going success" (p. 208). Principle 16 notes that there are "Multiple routes...to make progress and move ahead. This allows learners to make choices, rely on their own strengths and styles of learning and problem solving, while also exploring alternative styles" (p. 209). Principle 21, the "Material Intelligence Principle", indicates that thinking, problem-solving, and knowledge are "stored" in material objects, thereby freeing learners to combine material intelligence with the results of their own thinking in order to achieve more powerful effects. Principle 33, the "Distributed Principle", addresses the notion that meaning/knowledge is distributed across learners, objects, tools, symbols, technologies, and the environment (p. 211).

Teachers will increasingly have to engage the digital imaginations of the young through a new remix of techniques and tools for learning in and beyond schools. Importantly, teachers will need to challenge and join in new imaginaries in order to transform or create alternatives to limited and limiting socio-cultural and economic models. In other words, systems of learning and representation do not merely reflect what we think and know through words and images; they also represent actual and possible worlds for those who share values to inhabit.

At the moment, however, schools do not apprehend these possibilities for creating and sharing new knowledge and new sociocultural worlds. For example, at a most basic level, schools do not effectively use the multiplicity of text formats with which students interact in real life: Internet videos, instant messaging tools, songs on their iPods, online journals such as Photo Books and video games, to name but a few (Jewitt, 2006). In many cases, schools continue to focus on genres of writing while real life offers a multiplicity of communication modes such as visual images, animations and videos, as well as sounds and gestures. In everyday life, therefore, there has been a decisive movement from page to screen (Kress, 2003; 2006; 2011) and from static books to dynamic touchscreen devices that has for the most part put schools out of sync and out of touch with their students' daily practices of life and learning.

In this century, practices are not fixed or stable. Our achievements are judged in terms of our ability to respond to changing demands, which are tailored to specific needs. Education in times of instability involves understanding learning as a complex process of re-semiotization. Representation resources are never simply used; they are transformed and become transformative as they are used. The Internet in particular offers a very different framework for interaction, participation, and social communication from the previous model, in which few communication companies offered content to many users and the users were only the readers or receivers of that information. Everyday people are now content creators not just passive information receivers. In this context, users are the protagonists who can now decide, tag, create, share, organize, distribute, collect and select, etc. However, these new possibilities for digitally mediated knowledge construction render the role of educators even more important with regard to the design of learning experiences that are meaningful, culturally responsive, safe and democratic forms of knowledge construction and socialization.

The rapid changes brought about by the saturation of digital technology and the forces of globalization that are enabling a networked society can make it difficult to gauge exactly what knowledge, skills, and perspectives students need to be learning and how teachers should be trained to prepare them effectively. As well as accepting the far-reaching considerations for new knowledge construction that we have noted, as a team we sought to identify points of continuity with earlier frameworks for constructing knowledge.

Kereluik, Mishra, Fahnoe and Terry (2013) offer a review of the literature on twenty-first-century knowledge frameworks by identifying common themes and knowledge domains outlined in 15 reports, books, and articles that describe the kinds of knowledge that are integral and important for success in the twenty-first century. They suggest that these seemingly disparate frameworks converge on three types of knowledge as being necessary for the twenty-first century: foundational (what we need to know), meta (how we act on that knowledge), and humanistic (what values we bring to our knowledge and actions). They also argue that their analysis indicates a somewhat paradoxical state of affairs when we think about twenty-first-century knowledge. First, their synthesis of these frameworks suggests that this tripartite division has always been important, i.e. although the twenty-first century is different from previous ones, this does not mean that our core roles (knowing, acting and valuing) have changed. Therefore, we should see not only disjuncture but also a certain continuity between what we have been doing as educators in the past and what we are doing today (and what we will do in the future). That being said, it also indicates, even as we hold onto these core ideas, that we have to continually shift and come up with newer ways of instantiating them. It is with this in mind that we consider the idea of knowledge as design.

The idea of knowledge construction begs the questions: What is knowledge for? To what purpose is it to be used? One approach that seeks to address this question involves the idea of considering *knowledge as design*. This concept is not new to educational thinking. It has deep roots in design philosophy, and the phrase itself "knowledge as design" was introduced by Perkins in 1986. However, we suggest that this notion has much to offer about the way people think and how people use ideas in the world – particularly with regard to technology and learning.

Perkins (1986) noted that design is actually a wide-ranging concept that encompasses all man-made objects, tools and ideas – in other words, "design refers to the human endeavour of shaping objects to purposes" (p. 1). The idea of knowledge as design suggests that, if constructing and sharing knowledge is an aspect of being human, then another aspect is the way in which we embody knowledge within tools (giving tools material intelligence) in order to achieve our purposes. Framing the issue in terms of design allows us to focus not only on knowledge in tools but also on knowledge in ideas and processes as well as in action.

In the broadest sense, design is a structure tailored to a purpose. For example, Perkins (1986) notes that one may think of the theory of relativity much as one thinks of a screwdriver. Both are purpose-driven, human constructs – the screwdriver builds and disassembles physical objects, while the theory of relativity allows physicists to conceptually disassemble and reconstruct phenomena and ideas. In this sense, it has been suggested that knowledge is not only similar to design but that knowledge *is* design itself.

If we see knowledge as design (a structure adapted to a purpose), it begs the question of how such knowledge is acquired and applied. To grasp this notion we build on the ideas of Rittel and Webber (1973) and their conceptualization of what they call "wicked problems" in design. They distinguish between structured problems (those that can be solved via algorithms), ill-structured problems (those that require heuristics), and wicked problems (described in greater detail below). We believe that seeing the construction and use of knowledge as a wicked problem provides a provocative and productive viewpoint that can engender new ways of thinking about knowledge. Here there is also a certain crossover with social constructivism in that knowledge is contained in shared artefacts, which have shared social meanings (Vygotsky, 1978) and are developed in trialogical learning environments (Paavola & Hakkarainen, 2005).

Rittel and Webber (1973) listed ten characteristics of wicked problems:

1. Wicked problems have no definitive formulation.
2. It is difficult, if not impossible, to measure or claim success with wicked problems because they bleed into one another, unlike the boundaries of traditional design problems, which can be articulated or defined.
3. Solutions to wicked problems can only be good or bad, not true or false. As there is no idealized end state to arrive at, approaches to wicked problems should be tractable ways to *improve* a situation rather than to solve it.
4. There is no template to follow when tackling a wicked problem, though history may provide a guide. Teams that approach wicked problems must literally make things up as they go along.
5. There is always more than one explanation for a wicked problem and the appropriateness of the explanation depends greatly on the designer's individual perspective.
6. Every wicked problem is a symptom of another problem. The interconnected quality of socio-economic political systems illustrates how, for example, a change in education will cause new behaviour in nutrition.

7. No mitigation strategy for a wicked problem has a definitive scientific test because humans invented wicked problems and science exists to understand natural phenomena.
8. Offering a "solution" to a wicked problem frequently is a "one shot" design effort because significant intervention changes the design space enough to minimize the ability for trial and error.
9. Every wicked problem is unique.
10. Designers attempting to address a wicked problem must be fully responsible for their actions.

If we read these 10 statements and replace the phrase "wicked problems" with the phrase "problems of knowledge acquisition/application" and the word "designer" with "learner", we generate a new and provocative perspective. This perspective respects the messiness of learning and applying knowledge to new and continually changing contexts. This viewpoint respects the role of different stakeholders in knowledge acquisition and the fact that knowledge often depends on our point of view.

If we look through this frame of reference, it becomes clear that knowledge, as it exists in the real world, is similar in nature to a wicked problem in design. Perkins (1986) suggests that education has traditionally viewed knowledge as information, which ultimately pursues a rather passive view of knowledge. However, in this view, it becomes a device of action, with practical applicability for the ways in which humans solve problems and construct and use knowledge in the real world, and thereby how teachers teach in classrooms.

2. Internationally Relevant Documents, Studies, and Experiences

In seeing knowledge as an act or as a design tool or product, we suggest that the learning implications are that knowledge can be constructed through the process of design. This can mean several things, the most important of which involves having students do work that involves: learning by design (i.e. learning through the process of designing or making something), working on authentic tasks that require them to see multiple sides of a situation, and engaging several solution possibilities that require them to attempt to solve inextricable problems. Along these lines, Seymour Papert (1993) stated that in this conception of education, "the role of the teacher is to create the conditions for invention, rather than provide ready-made knowledge."

We provide several examples of learning experiences that reflect how new knowledge is constructed through the process of design. First is the Oakland (California) Science and Math Outreach project (OSMO), which uses design-thinking principles in conjunction with a social justice framework to engage marginalized urban youth in new knowledge construction in an afterschool programme. This project drew inspiration from the work of Blikstein (2008), who argued (and partially demonstrated in Brazil) that knowledge construction in technology and the design of devices in conjunction with requisite skills in math and science opens up new opportunities for students and educators to pursue positive human development and equitable societal change. This exemplary experience was reflected in the work of a 12-week class entitled Mobile Apps for Social Justice. Students in the project came up with an idea for developing an app to support local teenagers' academic and extracurricular needs by allowing them to search for positive youth organizations in their immediate areas.

Through the OSMO app-creation process, a number of considerations with regard to new knowledge construction were documented, including how new knowledge was created as material intelligence within digital devices. The students gained a thorough, contextualized understanding of the problem they were trying to solve that included identifying users and their needs and constraints, developing and advocating design ideas, and building a relevant database. Since they had to conduct a social analysis, the project helped the youngsters involved to develop their knowledge of larger social issues surrounding and motivating the need for the app. It also provided multiple ways in which they could use a wide range of digital tools and demonstrate increasing levels of competence within the project [practice principle, distributed principle]. It also enabled them to make choices about what and how they learned in order to complete the project [multiple routes]. Finally, it also changed how the youngsters sensed their relationships with their instructors as they became more expert, especially since they were able to draw on their own experiences to provide information about specific features that would make the app accessible to prospective users [distributed principle].

In our opinion, the following is another exemplar of new knowledge creation:

El Bazar de los Locos #bazarlocos http://www.elbazardeloslocos.org/

Creating knowledge together for understanding Twitter:

In the summer of 2010, two Twitterers (Twitter users), Francesc Llorens (@francescllorens) and Juanjo Calderón (@eraser), began an initiative to create a collaborative open book of stories about Twitter written by all the users of Twitter connected in the Spanish-speaking timeline: El Bazar de los Locos (Llorens & Calderon, 2012). The main idea for the project was to collect personal stories of using Twitter for teaching, learning, education, enterprise, communication, lifelong learning and digital identity.

The project used a crowdsourcing technique to collect information about the use of Twitter as a tool in order to compare and showcase various approaches that could help others who read them to understand "why people are so excited by Twitter". However, the stories collected by the project revealed much more information than was expected for a report on the use of a tool. Various facets and meanings of the current use of micro-blogging and contemporary online communication emerged, including the meaning of one's Personal Learning Network with regard to communication in a connected environment (Castañeda, Costa & Torres-Kompen, 2012).

The project was conducted exclusively online via the website dedicated to the project and Twitter itself. The former was used to aggregate the stories of the educators, who volunteered as authors of their own stories, while the latter was used as a platform both for crowdsourcing and disseminating content. The project's target audience were practitioners and researchers from several levels of education and disciplinary areas in various institutions and countries that are highly networked online and use Twitter as part of their approach to learning and professional development.

By the end of the summer (October, 2010) they had collected over 100 stories, 1,000 comments and an incredible number of tweets about the initiative. The handbook was published in early 2012 (Creative Commons Licensed) and is available for purchase on the Internet.

Figure 1. El Bazar de los Locos (http://www.elbazardeloslocos.org/).

The material generated on this project has been used in numerous ways in both formal and informal learning initiatives. Twitter is an easy tool from the technical perspective but it is not easy to understand as a useful service initially. The stories collected on the Bazar project are therefore a principal and efficient resource for helping to introduce new users to Twitter.

Another example is the "24 hours of Charles Beauvoir", the Literature Creation. In 2009, Carles Bellver (http://www.carlesbellver.com), a Catalan writer and philosopher and an indispensable member of the Centre of Education and New Technologies at the Universitat Jaume I in Castellon, Spain (http://cent.uji.es), began an adventure in which he successfully mixed technology, art and knowledge creation. On this project, he created a story using Twitter's communicative model (140 characters + real time + monitoring) and any short story idea previously developed by Mat Honan (22 Very Short Stories; http://www.honan.net/22shortstories/s1.html). The story was called: "Renovar-se o dormir. Charles Beauvoir en Twitter" (*Revitalize or sleep. Charles Beauvoir on Twitter*). The story was narrated by the protagonist (Charles Beauvoir) over a period of 24 hours (from 6 pm on 6 February, 2009, to 6 pm on 7 February, 2009). One tweet of a "real-time story" was published every hour via Twitter. The complete story is available here:

http://issuu.com/carlesbellver/docs/24horeschb?e=1128535/3284489.

3.   Future Outlook for the Thematic Line: Challenges and New Paths

The future outlook for this line involves the need for effective strategies for significantly transforming the structure and culture of schooling and lifelong learning beyond schools in order to accommodate vital new ways in which knowledge is being constructed through various forms of digital mediation.

The "information attitude" that pervades many traditional teaching and learning settings tends to lead to treating knowledge as mere data stripped of context or purpose. Given our view of knowledge as a wicked problem that benefits through design processes, the construction of knowledge in schools requires dramatically different approaches to teaching and learning. The simple true/false dichotomies or multiple-choice tests that characterize much of the world of high-stakes testing do not hold up under this view.

When architects or engineers grapple with complex problems in the real world, the answers do not come in the form of passive or clear-cut information. Disciplines become much more interconnected and there are often multiple, competing stakeholders with a claim to the problem. The ten complexities of wicked problems we mentioned previously start to appear when we consider how knowledge operates in reality (as opposed to the decontextualized and more simplified view often presented in textbooks). "Knowledge" in many real world situations therefore becomes much more intricate and branching. There is not always one "Truth" with a capital "T" (the "universal" truths espoused by modernist or structuralist notions of philosophy) but rather many "truths" with a small "t" at work in any situation (i.e. the many and varied perspectives on and contexts for knowledge, which are more typical of postmodernist philosophy) (Barthes, 1977; Derrida, 1967; and Lyotard, 1984). Seeing knowledge as a wicked problem does not necessarily mean that objective facts and information do not exist but rather that the construction and application of knowledge is not straightforward or one-dimensional. Multiple entangled perspectives, unique sensitivity to context, many possibilities for employing knowledge, and varied stakeholders with competing interests are involved. There are also implications for the way we think about knowledge in schools.

One promising direction for schools lies in the work of Linn and Eylon (2011). These authors presented an experience-based knowledge integration approach that leverages digital technology and builds directly on the interests, intuitions and ideas that all learners have about the natural world. This approach also works in any knowledge domain. Essentially, learners generate, elaborate, distinguish, reflect upon and evaluate ideas in a process of knowledge construction that moves toward higher levels of knowledge integration that are reflected in new or more complex ideas. This process has similar attributes to design-thinking approaches and, since it can be used across all disciplines, provides one way to begin the transformation of teaching and learning to enable higher levels of student participation and collaboration in the creation of knowledge.

Clearly, educators must be prepared to be flexible with regard to the emerging results of these knowledge-production processes. These processes are unpredictable, constructed at the intersection of several disciplines, take the imaginations of new generations into account, and challenge established frames of mind. Traditional education has not been very open to alternatives but, as the exemplary knowledge construction experiences we have presented above seem to show, bottom-to-top pedagogies are now spreading among people who use tools to create alternative solutions to everyday educational dilemmas.

Finally, viewing knowledge as a wicked problem not only means that knowledge is more tangled, complex and non-linear but also that we must consider how it might be used for different purposes. In the above example of knowledge as a screwdriver, or knowledge as the theory of relativity, the context of a wicked problem adds layers of questions. Not only does the screwdriver disassemble and build physical objects while the theory of relativity allows physicists to conceptually disassemble ideas; as a wicked problem, we must also consider aspects of context, such as who is building and disassembling, for what purpose, and from what perspectives. Each use of these physical and conceptual tools is unique and the person constructing solutions from them has ethical agency over their own actions.

4. Conclusion

In considering the construction of knowledge in the 21st century, this paper draws on several ideas and approaches, for which summaries and syntheses may prove helpful. Firstly, we acknowledge the constantly increasing complexity of our classrooms and our world with regard to new technologies. These technological and societal changes have led to a sense that "everything has changed", and in some ways it certainly has. Our digital society has produced changes in education and in learning beyond schools that have consequences for how we work and how we think as well as for participation, interaction, engagement and knowledge construction. In this paper we have touched on some of these issues.

However, moving forward from this place of dramatic change and cultural shifts, we also consider some longer-standing views of knowledge: while contexts may change dramatically over time (and it is important to consider this), some aspects of knowledge, culture and thinking tend to persist. Some of these enduring issues of complexity are noted in this paper in the ways in which learning is often situated or socio-cultural and the ways in which knowledge can be integrated within and across tools, contexts, people, places and cultures.

We have also suggested that the nature of knowledge construction can be viewed through the lens of design or seen as a wicked problem. Such meta-level views of knowledge are not necessarily new to twenty-first-century contexts but we suggest that they may be useful for thinking, working, and learning in complex environments. In places where knowledge is contextual and messy – or where knowledge bases grow and change quickly and new technologies come and go in the blink of an eye – it is helpful to consider some of these more open-ended approaches to knowledge construction (such as design-thinking or project-based learning).

Some key themes we have indicated are: 1) The idea that "nothing has changed" vs. the idea that "everything has changed." Despite this apparent contradiction, we suggest that in many ways both of these views of learning and new knowledge construction are true in our global society. More importantly, both place value on the possibilities of new technology and diverse contexts, and how these challenge our assumptions. 2) The idea of "knowledge as design" – and the idea that knowledge acquisition and application are wicked in nature (as we noted in Rittel & Weber's 10 principles of wicked problems). In such learning situations, the complexity, or "wickedness", involves multiple stake-holders working together through negotiation, compromise and dialogue, even while acknowledging that the process has no clear stopping rule and that solutions are, at best, attempts to satisfy (not necessarily to optimize). 3) The idea that knowledge is distributed in people, tools, cultural practices and systems and that learning occurs across a wide range of situations (not necessarily in school alone). Again, new technologies are important to this idea because they can change the kinds of knowledge that are required as well as how this knowledge develops and becomes internalized. Significantly, we recognized that a key aspect of new knowledge construction is how it is designed and instantiated as material intelligence in digital devices. We also recognized that the demands for the new learning needed for humans to advance the use of tools and artefacts is a fundamental challenge for the new knowledge construction that is revealed in creative, critical, complex, and collaborative thinking processes. All three of these themes highlight the importance of processes such as active learning, design-based thinking, and the creation of physical and mental prototypes for solving real-world problems.

Moving beyond these ideas, we would suggest that it is essential to promote the development of new insights into the dynamics of knowledge construction and the consequences these changes have on the role of teachers and education purposes in the communicative context of the twenty-first century. We believe that the three previously mentioned overarching categories of twenty-first-century knowledge also have great relevance in this context. These types of knowledge are: foundational (what we need to know), meta (how we act on that knowledge), and humanistic (what values we bring to our knowledge and action). In a framework in which knowledge is design and the acquisition and application of knowledge is a wicked problem, these three categories become more interwoven and highly interconnected. What we need to know, how we act on that knowledge, and the values we bring to it are quite relevant, fluid and branching in their relationship – particularly when we consider the real-world complexities of design and wicked problems.

If we do not see knowledge as design, we may be attempting to foresee solutions for future problems (for example, what kind of knowledge will be necessary for our students in the future) while limited by the knowledge we happen to have currently. Knowledge as design highlights the provisional status of human productions because they are relevant for the problems we face at a given historical time, are developed from the knowledge we have at that time, and serve the goals of specific cultural groups. As cultural values change, and as time goes by, knowledge evolves and so do the challenges and opportunities humanity faces. Seeing knowledge as design means acknowledging that every solution is as close to the best solution a person or a group of people are able to provide for a given problem in a given space and time.

As a corollary to this point, education both within and beyond schools must benefit from using suitable digital technologies to enhance and extend ways of building on students' cultural backgrounds and interests and by placing greater emphasis on active participation and extensive practice as the keys to the process of new knowledge construction. We must gain further insight into how the young are already "hanging out, messing around, and geeking out" with technology (Ito, 2009) as a component of discovering their authentic desires and needs for learning. This will help us to better understand the varied sources of new knowledge and how they are realized through new semiotic domains and emerging affinity groups. Both knowledge integration and knowledge as design are viable processes for achieving this and for framing specific ways of working with digital technology. Importantly, they also make processes of learning and meaning-making less hierarchical and more rhizomatic in order to enable multiple access points and generative connections for original ideas and solutions to emerge. We must look to programmes beyond our schools for some of the promising designs of learning experiences that other youth and adult service organizations and institutions are using and find ways to leverage them through learning networks to form ever more viable ecologies for new knowledge construction.

Referències

Adell, J. & Castañeda, L. (2012). Tecnologías emergentes, ¿pedagogías emergentes? In J. Hernández, M. Pennesi, D. Sobrino y A. Vázquez (Coord.), *Tendencias emergentes en educación con TIC*. (pp. 13-32). Barcelona: Asociación Espiral, Educación y Tecnología. Retrieved from http://digitum.um.es/xmlui/bitstream/10201/29916/1/Adell_Castaneda_emergentes2012.pdf

Barthes, R. (1977). *Image - Music - Text*. New York: Hill and Wang.

Blikstein, P. (2008). Travels in Troy with Freire: Technology as an agent of emancipation. In P. Noguera & C. A. Torres (Eds.), *Social justice education for teachers: Paulo Freire and the possible dream* (pp. 205–244). Rotterdam, Netherlands: Sense.

Castañeda, L.; Costa, C. & Torres-Kompen, R. (2011). The madhouse of ideas: stories about networking and learning with Twitter. In *Proceedings of the PLE Conference 2011, 10th–12th July, 2011 (*pp. 1-13). Southampton: UK.

Derrida, J. (1967). *Writing and Difference.* Paris: Éditions du Seuil.

Gee, J. P. (2004). *What Video Games Have to Teach Us About Learning and Literacy.* New York: Palgrave Macmillan.

Ito, M., et al. (2009). *Hanging out, messing around, and geeking out: Kids living and learning with new media.* Cambridge, MA: MIT Press.

Jewitt, C. (2006). *Technology, Literacy, Learning: A Multimodality Approach.* London: Routledge.

Kereluik, K., Mishra, P., Fahnoe, C., & Terry, L. (2012). What knowledge is of most worth: Teacher knowledge for 21st century learning. *Journal of Digital Learning in Teacher Education, 29*(4), 127-140.

Kress, G. (2003). *Literacy in the new media age.* London: Routledge.

Kress, G. (2006). Meaning, Learning and Representation in a Social Semiotic Approach to Multimodal Communication. In A. McCabe, M. O'Donnell & R. Whittaker. (Eds.) *Advances in Language and Education.* London: Continuum.

Kress, G. (2011). English for an era of instability: aesthetics, ethics, creativity and design. In J. Selton-Green et al. (Coords). *The Routledge International Handbook of Creative Learning.* (pp. 211-216). London/New York: Routledge.

Lave, J., & Wenger, E. (1991). *Situated learning: Legitimate peripheral participation.* Cambridge, England: Cambridge University Press.

Linn, M.C. and Eylon, B.S. (2011). *Science Learning and Instruction: Taking Advantage of Technology to Promote Knowledge Integration.* New York, NY: Routledge.

Llorens, F. & Calderón, J. J. (2012) (Coords.). *El Bazar de Los Locos.* Alcoi: Novadors Edicions.

Lyotard, J.F. (1984). *The Postmodern Condition.* (Translation by Geoffrey Bennington and Brian Massumi.) Minneapolis: MN. University of Minnesota Press.

Mahiri, J. (2011). *Digital tools in urban schools. Mediating a remix of learning.* Ann Arbor, MI: University of Michigan Press.

Manovich, L. (2001). *The language of new media.* Cambridge, MA: MIT Press.

Miller, P (2004). *Rhythm science.* Cambridge, Massachusetts: MIT Press.

Paavola, S. & Hakkarainen, K. (2005). The Knowledge Creation Metaphor – An Emergent Epistemological Approach to Learning. *Science & Education,* 14(6), 535-55.

Papert, S. (1993). *The children's machine: Rethinking schools in the age of the computer.* New York: Basic Books.

Perkins, D.N. (1986). *Knowledge as Design.* Hillsdale, NJ: Lawrence Erlbaum Associates.

Rittel, H., & Webber, M. (1973). Dilemmas in a General Theory of Planning. *Policy Sciences*, 4, 155-169.

Vygotsky, L.S. (1978). *Mind in society: the development of higher psychological processes.* Cambridge: Harvard University Press.

L3. Key Competences

Mercè Gisbert, Mark Bullen, Yves Punie,
Emanuele G. Rapetti, Fernando M. Galán,
Jordi Vivancos, Jordi Adell,
Virginia Larraz and Francesc Esteve

The growth of the Internet and computing over the past 30 years has had a significant impact on the global economic order. We are now firmly in the information age in which the production and consumption of information and knowledge are the source of economic competitiveness and power. This shift to a "knowledge economy" has clear implications for education as there is a growing need for an information-skilled workforce (OECD, 2012). As Selwyn (2013) notes, "there is widespread acceptance that digital technologies must play an integral role in the provision of all aspects of lifelong learning – from the integration of computers in school, college and university classrooms, to the virtual delivery of online courses and training" (p.5.). The emergence of this new digital context and the associated demands and challenges of the information and knowledge society have therefore intensified international concern for the reform of educational systems and the development of new strategies focused on the lifelong learning of all citizens.

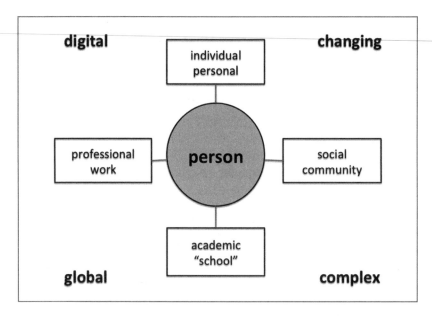

Figure 1: General approach **atenció, cal canviar el comunity de la imatge per community**

The knowledge economy and the information society bring with them the need for new technical and cognitive skills that will enable us to solve problems and situations in new environments. It has been argued that it is not just a matter of keeping up-to-date with specific techniques, it is also important to re-think key basic competences so that we can adapt to this constantly changing society (Griffin, et al., 2012).

A related discourse around the notion of the "digital learner" gained considerable traction in the early part of the 21st century and contributed to the pressure to re-think how educational systems were responding to the demands of the knowledge society. Commentators such as Prensky (2001) and Tapscott (1998, 2009) argued that children born after the early 1980s constituted a fundamentally different generation ("digital natives" or "net generation") who, because of their exposure to digital technology, were technologically savvy, and had different expectations about education and different ways of learning. While there is no empirical basis for these claims (Bullen, Morgan & Qayyum, 2011), they had an intuitive appeal for many educators who could see the growing use of digital technology by young people. Ironically, the underlying thesis of this discourse, that young people are technologically proficient, would seem to negate the need for a focus on new competencies. Nonetheless, despite this apparently contradictory message, it helped to focus attention on the growing relevance and impact of digital technology on society and, more particularly, in education.

For these reasons, numerous institutions, organizations and governments have developed new educational models focused on lifelong learning and based on a series of key competences for the twenty-first century, involving new types of knowledge, skills and attitudes that are necessary for self-fulfilment and self-development, social inclusion, active citizenship, and employability.

The models of key competences for the 21st century that have been developed in the last ten years are diverse and often complementary (Mishra & Kereluik, 2011). One of the competences most often repeated in the various models is digital competence, which includes the ability to activate the full range of skills involved in accessing, creating, using and communicating multimedia messages using all types of ICT tools effectively, creatively, critically, reflectively and ethically.

Other skills, such as those related to learning and innovation (creativity, critical thinking, etc.), those related to self-development (self-management, initiative, entrepreneurship, productivity, flexibility, etc.), and those related to collaboration and teamwork are included in most models of key competences for the twenty-first century.

It is important to note that the narrative of digital literacy and digital competence and its link to the knowledge economy is the subject of considerable critical debate. Many researchers and commentators have taken issue with what they see as the neo-liberal ideology that connects and underpins digital literacy, educational technology, the knowledge economy and globalization more generally. Brown et al. (2011) and Newfield (2011), for example, take issue with the idea that employment in the knowledge economy requires higher levels of creativity, cooperation and innovation and the romantic notion put forward for nearly four decades by American commentators that "knowledge work meant a kind of independence, creativity and even liberation" (Newfield, 2011). Their research has found that most of the new knowledge economy jobs do not require independent judgement or creative contribution. Hall et al. (2014) have pointed to what they call the "co-option of digital, pedagogical practices to support narratives of economic growth…which subsume educational attainment and social justice inside agendas for commodification, marketization, employability and enclosure". It is important to keep these critical perspectives in mind as we pursue the issues of digital competence.

What should be the next educational challenges for the future? What key competences should be prioritized in this digital society? What should be the strategy to achieve these key competences for the 21st century and to promote lifelong learning?

1. The key competences in the knowledge society

1.1. Defining the key competences

In recent years the term "competence" has come to be used frequently in many countries and at all educational levels. It is a complex and polysemic concept with meanings (Rychen and Salganik, 2004) that vary according to the context but that are sometimes considered as more or less equivalent (Halász & Michel, 2011; Carreras & Perrenoud, 2005). This term is not without criticism (Gimeno, 2008). Some authors are critical of the economic origins of the concept and its connection to human capital theory and the idea that "individuals participate in learning according to their calculation of the net economic benefits to be derived from education and training" (Selwyn, 2013, p. 4). For other authors, the term "can be linked to other non-economic traditions, in particular the tradition of practical and critical education, highlighting the need to consider the education process as a route to empowerment: a process of transforming knowledge into power, in other words, into civic action" (Tiana et al., 2011, p. 307).

Linguistically or terminologically, the term is used in different contexts and by various stakeholders: "Notions such as competence, competency, skill, ability, know-how, capacity, capability and aptitude are used or associated with different meanings according to the context and are sometimes considered as more or less equivalent" but it is considered that "competence is a broader concept or notion than skill or even competency and that it encompasses knowledge, competencies, skills, abilities, capacities, attitudes, values, attributes and qualities" (Halász & Michel, 2011, p. 291). According to Rychen & Salganik (2000), "the term skill is used to designate the ability to use one's knowledge with relative ease to perform relatively simple tasks". These authors declare that "the line between competence and skill is somewhat blurry, but the conceptual difference between these terms is real" (Rychen & Salganik, 2000, p.8).

From a social point of view, Tiana et al. (2011) define competence as the manner in which people mobilise their personal resources (cognitive, affective, social, etc.) to carry out a task in a given context, and competences constitute a kind of learning located between behaviour and abilities. For Le Boterf (1994), competence is: (1) "Knowing how to mobilize". It is not sufficient to have knowledge or skills in order to be competent. It is necessary to be able to put them to work when needed and in appropriate circumstances; (2) "Knowing how to combine". A person must know how to select the necessary elements in the repertoire of resources, how to organize them and to use them in order to carry out a professional activity; (3) "Knowing how to transfer". All competence is transferable or adaptable; and (4) "Knowing to act that is tested and recognized". Competence presupposes real-situation testing. (Le Boterf, 1994, p. 154).

The European Commission (2007) defines competence as a combination of knowledge, skills and attitudes appropriate to the context. Key competences are those which all individuals need for personal fulfilment and development, active citizenship, social inclusion and employment.

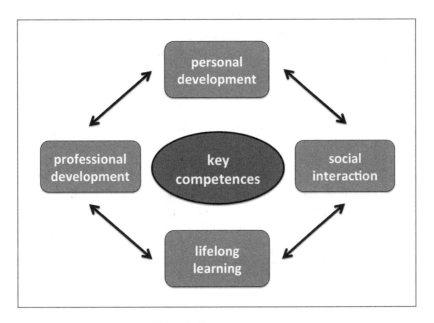

Figure 2: Key competences

"Any conceptual or theoretical foundation for defining and selecting key competences is inevitably influenced by conceptions about individuals and society and by what is valued in society and in life under particular socio-economic and political conditions. Today, we are confronted with important and complex challenges such as rapid social and technological changes, economic and cultural globalization, increasing uniformity, and at the same time, increasing social diversity, instability of norms, large-scale value changes, substantial global inequality of opportunities, increasing marginality of certain segments of the population, and ecological pressures. Given that there are many different social and individual responses to these changes, it is important to ask: to what kind of world do we aspire? Defining key competencies raises questions such as what for? In support of which objectives? According to which criteria?" (Rychen & Salganik, 2000).

According to Rychen & Salganik (2000): (1) Key competences are consistent with the principles of human rights and democratic values; (2) Key competences give individuals the capacity for a good, successful life; (3) Key competences are not incompatible with social and individual diversity.

1.2. International frameworks of key competences

In the last ten years many administrations and public and private institutions have developed their own frameworks of key competences or 21st-century skills (Dede, 2010; Mishra & Kereluik, 2011). Some of these are discussed below:

a) SCANS (1991)

One of the first frameworks is The SCANS Report driven by the US Department of Labor (SCANS, 1991). This report investigates how schools prepare young people for work. The know-how identified by SCANS is made up of five competencies and a three-part foundation of skills and personal qualities that are needed for solid job performance. These include: (1) Competencies: Resources, Interpersonal Skills, Information, Systems and Technology; and (2) The foundation: competence requires basic skills (reading, writing, arithmetic and mathematics, speaking and listening); thinking skills (creativity, decision-making, problem-solving, seeing things in the mind's eye, knowing how to learn, and reasoning); and personal qualities (individual responsibility, self-esteem, sociability, self-management, and integrity).

b) enGauge (Metiri Group, 2003)

According to the enGauge Project (Burkhardt et al., 2003), the world in which our children live is significantly different from that of yesterday, and yesterday's education is not sufficient for today's learner. This report includes a skills cluster on what students, citizens, and workers need in the Digital Age.

Figure 3: EnGauge (Burkhardt et al., 2003)

c) DeSeCo Project (OECD, 2005)

The DeSeCo Project's conceptual framework for key competencies (OECD, 2005) classifies such competencies in three broad categories. First, individuals need to be able to use a wide range of tools for interacting effectively with the environment: these comprise both physical ones (such as information technology) and socio-cultural ones (such as the use of language). They need to understand these tools well enough to adapt them for their own purposes – to use tools interactively. Second, in an increasingly interdependent world, individuals need to be able to engage with others, and since they will encounter people from a range of backgrounds, it is important that they are able to interact in heterogeneous groups. Third, individuals need to be able to take responsibility for managing their own lives, situate their lives in the broader social context, and act autonomously.

d) European Commission (2006)

This framework was proposed in the Recommendation on Key Competences for Lifelong Learning adopted by the European Parliament and the Council of Europe in December 2006 after five years of work by experts and civil servants collaborating within the Open Method of Cooperation. The Reference Framework sets out eight key competences: (1) Communication in the mother tongue; (2) Communication in foreign languages; (3) Mathematical competence and basic competences in science and technology; (4) Digital competence; (5) Learning to learn; (6) Social and civic competences; (7) Sense of initiative and entrepreneurship; and (8) Cultural awareness and expression (European Commission, 2007).

e) Partnership for 21st Century Skills (P21, 2007)

The Framework for 21st Century Learning developed by the Partnership for 21st Century Skills (P21) is constructed from a foundation of content knowledge and supported by specific skills, expertise and literacies necessary for success in personal and professional domains. According to P21, to be successful in the new digital and globalized world of the 21st century, individuals must possess and utilize a wide range of learning and innovation skills related to information, media and technology. This framework includes (1) Core subjects and 21st century themes (e.g. English, world languages, mathematics and science); (2) Learning and Innovation Skills (creativity and innovation, critical thinking and problem solving, and communication and collaboration); (3) Information, Media and Technology Skills; and (4) Life and Career Skills (e.g. flexibility, initiative, productivity and leadership).

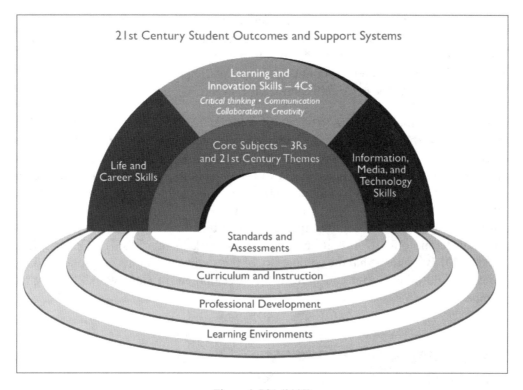

Figure 4: P21 (2007)

2. Digital competence

It is difficult to find a definition that includes and synthesizes all the elements and dimensions that make up digital competence since there are multiple and varied definitions (Gisbert & Esteve, 2011).

According to Lankshear & Knobel (2008), what we now mean by digital literacy or digital competence has evolved over recent decades from being more focused on access to technology and informational, visual or multimedia aspects. Martin (2008) says "digital literacy is the awareness, attitude and ability of individuals to appropriately use digital tools and facilities to identify, access, manage, integrate, evaluate, analyse and synthesize digital resources, construct new knowledge, create media expressions, and communicate with others, in the context of specific life situations, in order to enable constructive social action; and to reflect upon this process".

Digital competence involves the confident and critical use of Information Society Technology (IST) for work, leisure and communication. It is underpinned by basic skills in ICT: the use of computers to retrieve, assess, store, produce, present and exchange information, and to communicate and participate in collaborative networks via the Internet (European Commission, 2007).

While digital literacy seems to be the most commonly used concept internationally, digital competence is the most commonly used concept in Scandinavian countries in educational contexts (Krumsvik, 2008). Digital competence is thus the total of all these skills, knowledge and attitudes in the technological, informational, media and communication areas, leading to a complex multiple literacy (Gisbert & Esteve, 2011). This not only supposes possession of these skills, knowledge and attitudes, but the ability to share them, mobilize them, combine them and transfer them to act consciously and effectively with a view to an end (Le Boterf, 2001). On that line, Ferrari (2012) suggests that the complexity of this definition and its multiple building blocks should be taken into account in the development of frameworks for Digital Competence:

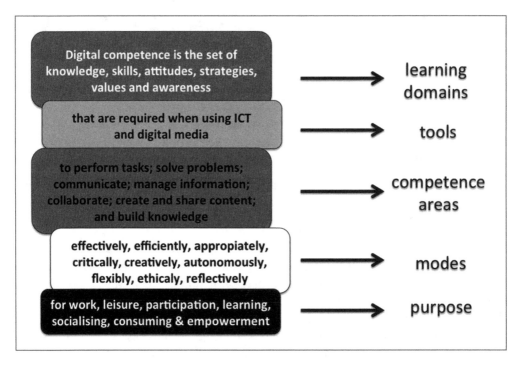

Figure 5: An encompassing definition of Digital Competence (Ferrari, 2012)

The above figure, illustrating an encompassing definition of Digital Competence, was developed by the European Commission research institute IPTS[1] as part of the DIGCOMP project undertaken on behalf of DG Education and Culture. Based on literature review, interviews, expert and stakeholder consultations and case studies, a European digital competence framework was developed that consists of five competence areas (information, communication, content creation, safety and problem-solving) and a detailed description of 21 competences that are necessary to be proficient in digital environments in terms of knowledge, skills, and attitudes. Three proficiency levels are suggested for each competence (Ferrari, 2013).

This framework has recently been adopted by representatives of the EU Member States in the Education and Training Programme (ET 2020) Thematic Working group on ICT and Education. Several Member States are already trying out the framework as a comprehensive approach for identifying, describing and assessing digital competence.

From a policy point of view, DG Education and Culture is planning to use this framework as the basis for the development of an EU Reference Framework like the one that already exists for languages. It will therefore contribute to the future European Area of Skills and Qualifications, which will propose several reference frameworks for different competences under one single access point[2].

a) Implications for Teachers

As we have seen, the emergence of the knowledge economy means that modern societies are increasingly based on information and knowledge and therefore need to build workforces that have the necessary ICT skills – in other words, which are digitally competent. This has direct implications for the educational establishment but more particularly for how teachers teach and how teachers are trained.

b) Teacher ICT Competency

A number of organizations have turned their attention to this issue by developing competency frameworks for teachers that are aligned to the broader digital competency frameworks. One of the best-known is the UNESCO ICT Competency Framework for Teachers (UNESCO, 2011). This framework is divided into three phases that are intended to correspond to the successive stages of a teacher's ICT skills development.

---

1. https://ec.europa.eu/jrc/en/institutes/ipts
2. http://ec.europa.eu/dgs/education_culture/more_info/consultations/documents/skills-back_en.pdf

- Stage 1: Technology Literacy: Enabling students to use ICT in order to learn more efficiently.

- Stage 2: Knowledge Deepening: Enabling students to acquire in-depth knowledge of their school subjects and apply it to complex, real-world problems.

- Stage 3: Knowledge Creation: Enabling students, citizens and the workforce they become to create the new knowledge required for more harmonious, fulfilling and prosperous societies.

Cutting across these three stages are six themes or modules that are addressed at different levels in each stage: Module 1: Understanding ICT in Education; Module 2: Curriculum and Assessment; Module 3: Pedagogy; Module 4: ICT; Module 5: Organization and Administration; and Module 6: Teacher Professional Learning.

Table 1 shows how the six modules and three stages are related in a matrix framework.

	TECHNOLOGY LITERACY	KNOWLEDGE DEEPENING	KNOWLEDGE CREATION
UNDERSTANDING ICT IN EDUCATION	Policy awareness	Policy understanding	Policy innovation
CURRICULUM AND ASSESSMENT	Basic knowledge	Knowledge application	Knowledge society skills
PEDAGOGY	Integrate technology	Complex problem solving	Self management
ICT	Basic tools	Complex tools	Pervasive tools
ORGANIZATION AND ADMINISTRATION	Standard classroom	Collaborative groups	Learning organizations
TEACHER PROFESSIONAL LEARNING	Digital literacy	Manage and guide	Teacher as model learner

Table 1: UNESCO ICT Competency Framework for Teachers

The UNESCO ICT CFT has been translated into over 12 languages and is being used by many governments to guide teacher training.

In Spain, the IPTS digital competence framework is being used as the basis for the development of a teacher competence framework. It has been translated into Spanish and the Spanish National Institute of Educational Technologies and Teacher Training (INTEF) is consulting all the Spanish autonomous communities[3].

---

3. http://www.slideshare.net/educacionlab/borrador-marcocdd-v1

In the Professional Development Matrix, Martin (2002) identified four developmental levels for teachers: Entry level; Aspirant; Practitioner; and Consultant. He argued that this framework 'captures the movement from one who hopes to develop the attributes of an ICT pioneer teacher, through one who is able to demonstrate some of the qualities, to one who becomes a resource to others" (p. 4 as cited in Hall et al. 2014).

The DECK framework developed by Fisher et al. (2012) focuses on teacher practices enabled through technology in four areas: (a) Distributed thinking and knowing; (b) Engagement and motivation; (c) Community and communication; and (d) Knowledge building.

3. The Catalan context

3.1. The concept of competence and key competences in Catalonia

As has occurred internationally, the term *competence* has come to occupy a common place in educational debate and discourse in Catalonia over the last two decades.

As reported by Prades (2005), the concept of competences has generally been characterised by confusion, the lack of a theoretical reference framework and the synonymous use of terms that, though similar, have certain differences, e.g. *capabilities*, *competencies* and *learning outcomes*, or are different variants of the term *skills*, e.g. *generic skills*, *common skills*, and *transferable skills*. According to Prades, competence is what enables a person in a given situation to complete a competent action, i.e. one that is considered relevant, suitable, effective and efficient (Prades, 2015).

Coll (2007) suggests that while competence-based approaches are improvements on previous ones, they also present theoretical limitations and risks, have certain negative implications, and generate dubious practices. They are of special interest because they focus on core aspects of education – the identification, selection, characterisation and organisation of study areas – and therefore on decisions regarding what students should learn and what teachers should be trying to teach. Following the international approaches set out in the DeSeCo Project (OECD, 2005; Perrenoud, 2005), Coll provides several nuances for understanding the fields of study that school education intends to address: (1) with this approach, the mobilisation of knowledge and being competent in an area of activity means being able to activate and use relevant knowledge to tackle certain situations and confront problems related to that area; (2) several types of knowledge need to be combined (practical and cognitive abilities, factual and conceptual knowledge, motivation, values, attitudes and emotions, etc.); (3) the context in which the competences are acquired and where they will later be applied are important, while highlighting the need to teach students how to transfer what they have learned to other life situations; and (4) the basic competences that convert a learner into a competent learner need to be acquired.

The identification and definition of these basic or key competences have evolved over the last two decades. In 1996 the Catalan Department of Education and in 1997 the Catalan Institute of New Professions (*Institut Català de Noves Professions*) investigated the subject of key abilities. These were defined as being: "associated with observable, mainly attitudinal, behaviours in the individual; they are therefore cross-disciplinary in the sense that they affect many work places and are transferable to new work situations". Among other skills identified were initiative and the ability to solve problems, organise work, and work in teams.

Several years later, a study by the Women's Association for Labour Insertion (*Associació de Dones per la Reinserció Laboral*) (Rubio, 1999) mentioned three types of competences: (1) techno-professional competences, (2) basic competences, and (3) transversal, or cross-disciplinary competences. Navío (2005) considered two types of competence: (1) generic competences, which are included in the professional profiles that may be considered to belong to a given family of professions, and (2) specific competences, which belong to a given professional profile.

In 2007, Peris Morancho published a report containing these and other definitions in which he highlighted three elements common to every definition: (1) they refer to a person who has acquired a certain knowledge; (2) they highlight the action; and (3) they reveal a context in which the knowledge is used in accordance with the specific situation, time and place (Peris Morancho, 2007, p. 21).

In Catalonia this debate on competences has also taken place at both the pre-university and higher education levels in the fields of legislation and educational organisation.

At the **pre-university level**, as Domingo Villarreal (2010) has pointed out, although the General Organisation of the Education System Act of 1990 (*Ley Orgánica de Ordenación General del Sistema Educativo*, or LOGSE) did not yet discuss competences, it did contain terms such as significant learning, the integration of contents, procedures and attitudes, applicability and generalisation, all of which are very close to the competence approach. In 2006 the Organic Law of Education (*Ley Orgánica de Educación*, or LOE) did consider the concept of competence. The LOE included the following eight basic competences, which are based on a practical and interdisciplinary education and are intended to enable students to become successfully integrated into adult life: (1) competence in linguistic communication; (2) logical and mathematical competence; (3) competence in knowledge of and interaction with the physical world; (4) cultural and artistic competence; (5) competence in social skills and citizenship; (6) autonomy and personal initiative; (7) digital competence; and (8) competence in learning to learn.

In Catalonia this regulation of the primary and secondary stages of compulsory education became materialised in a series of curricula that put forward these eight basic competences as the reference for educational activity and set out the objectives for each stage and each field or subject that make up these stages (Domingo Villarreal, 2010). In addition, the 2009 Catalan Education Act (*Llei d'Educació de Catalunya*, or LEC), with a greater degree of autonomy, incorporated new possibilities for establishing curricula in teaching institutions.

As a continuation and deployment of these basic competences with regard to curricular subjects in primary and secondary education, in 2013 the Department of Education of the Government of Catalonia (Generalitat) published several documents that set out the basic competences for mathematics, languages, and digital competence. Later we will analyse these competences in greater detail.

At the **university level** this debate has coincided with the process to create the European Higher Education Area (EHEA), which promotes a student-based education model that is based on the development of students' competences. These competences are understood as the knowledge, abilities and aptitudes that are needed to carry out a specific task. They demand a combination of technical, methodological and social knowledge that is the result of a learning process and can be applied in both the academic and professional environments (Pons, 2012).

In line with the above, in 2005 the Catalan University Quality Assurance Agency (*Agència per a la Qualitat del Sistema Universitari de Catalunya*, or AQU) produced guidelines for designing curriculums and stipulated that all university graduates should acquire two main types of competence: (1) those that are specific to the university degree in question; and (2) cross-disciplinary competences, which are common to most university degrees and can be divided into the following five categories: time and resource management, interpersonal competences, information management, personal competences and instrumental competences.

According to Prades (2005), the concept of cross-disciplinary competences, which arose from a debate on the role of education and the training of professionals, acquires a certain importance in the university environment. Larraz (2012) points out that the names given to these competences depend on the university concerned: they are known as *transversal* at the UB (University of Barcelona), UPC (Universitat Politècnica de Catalunya) and the UdG (University of Girona); *general* at the UAB (Universitat Autònoma de Barcelona) and the UPF (Pompeu Fabra University); *strategic* at the UdL University of Lleida); *nuclear* at the

URV (Rovira i Virgili University); and *our own* (*pròpies*) at the UOC (Open University of Catalonia). Analysing the main cross-disciplinary competences that have been incorporated into the Catalan universities, the author divided them into the following ten groups: (1) Ethics: social commitment; (2) Communication: oral and written comprehension and expression in both the language of the university and in foreign languages; (3) Teamwork: interdisciplinary work; (4) Information management: the competent use of information resources, information and knowledge management, and information mining; (5) ICTs: the use and application of ICTs in the academic and professional environments; (6) Responsibility: the ability to learn and to learn autonomously; (7) Entrepreneurship: innovation, organisation and planning; (8) Sustainability; (9) Adaptability to new situations; and (10) Respect. The following table provides a summary of the competences developed at each Catalan university:

Competences	UB Transversal	UAB General	UPC Transversal	UPF General	UdL Strategic	UdG Transversal	URV Nuclear	UOC Own
Ethics	X					X	X	
Learning to learn	X			X				
Teamwork	X		X	X		X		
Entrepreneurship	X	X	X	X		X	X	X
				X				
				X				
Sustainability	X		X			X		
Communication	X	X		X	X	X	X	X
Communication in English			X		X	X	X	X
Digital competence			X	X	X	X	X	X
						X	X	
Autonomy		X		X				
				X				
Respect		X			X			
Openness to others				X				

Table 2: Cross-disciplinary competences in Catalan universities

With regard to the number of competences:

- Catalan universities develop between 4 and 9 cross-disciplinary competences.
- All Catalan universities except the UPF have a closed list of competences.

With regard to the frequency of each competence:

- 8 universities (i.e. all of them) develop communicative competence.
- 7 universities develop digital competence and communicative competence in English. Both these competences are developed at every university but one; in both cases the university in question is the UAB.
- 4 universities develop teamwork as a competence.
- 3 universities develop sustainability and 3 universities develop ethics as competences.
- 2 universities develop autonomy and 2 universities develop respect as competences.

Having completed this brief review of the theoretical development of the concept of competence and how it has been incorporated into the various educational environments in Catalonia, we will now discuss several of the main projects, initiatives and studies that have been conducted by the various Catalan institutions to develop these key competences in general and digital competence in particular.

3.2. Studies and projects on key competences

We present a brief summary of the main objectives and proposals of what we consider to be the most important reports and projects that have been conducted in Catalonia.

3.2.1. Study of key competences for students in vocational training programmes

This study, published in 2007 by Peris Morancho, analysed the general competences or key abilities that are associated with vocational training programmes. The aims were to discover how instrumental or key competences are dealt with on such training programmes and to discover features of the programmes that could be used for comparison purposes and for enriching the teaching and research abilities of others. As well as studying the variables and providing a conceptual analysis of both the term *competence* and the various types of competence, contents and key abilities, the author presented a series of proposals and guidelines for developing the following key competences: (1) problem solving; (2) work organisation; (3) responsibility in work-related matters; (4) teamwork; (5) autonomy; (6) interpersonal relationships; and (7) initiative.

3.2.2. The Observatory of Professional Competences, Barcelona Chamber of Commerce[4]

In conjunction with several employment agencies, in 2009 the Barcelona Chamber of Commerce created the Observatory of Professional Competences (OCP), an instrument for classifying all the vocational training conducted in the competences most in demand from the labour market that could be used by companies in the selection, training, promotion and remuneration processes of their human resource departments.

The Observatory defined professional competences as the combination of the know-how, critical knowledge and specific abilities that are of interest to companies and that determine the competitive management of human resources. The Observatory of Professional Competences detects imbalances between the supply of and the demand for labour in the field of R+D+I. According to the study, these imbalances suggest that communication between employers, workers and training centres is needed so that all parties may have knowledge of which competences are needed and which ones are available.

3.2.3. Accreditation of competences: QUALIFICA'T and ACREDITA'T of the Government of Catalonia[5]

In 2009 the Catalan Department of Education developed the QUALIFICA'T project, the aim of which was to validate work experience as an academic qualification linked to vocational training. According to the project, "the accreditation of competences is a procedure that enables the competences acquired on work experience programmes to be recognised. The aim is to give the professional the opportunity to obtain an official qualification by having some of the knowledge and abilities they have acquired from their work experience validated".

In November 2011 the ACREDITA'T programme of the Spanish Ministry of Education was launched in Catalonia with the aim of establishing this procedure to accredit the professional competences acquired on work experience or non-formal training programmes, thus enabling those involved to gain a qualification.

---

4. http://www.cambrabcn.org/c/document_library/get_file?folderId=14210&name=DLFE-55834.pdf
5. www.gencat.cat/acreditat/

3.2.4. Integrated System of Qualifications and Vocational Training (SQCAT), of the Government of Catalonia[6]

In 2010 the Catalan Institute for Professional Qualifications (ICQP) defined and proposed the Integrated System of Qualifications and Vocational Training (SQCAT). According to this programme, "the main objectives of the system are to adapt vocational training to the qualification requirements of productive organisations such as companies, entities and institutions, correct the imbalance between supply and demand in the labour market, extend the training periods of individuals beyond the traditional stages of education (lifelong learning), and promote the free movement of workers".

It also defined the following key competences for vocational training: (1) Attitude: problem-solving, work organisation, teamwork, autonomy, responsibility, interpersonal relationships and innovation; (2) Emotions: (a) knowing oneself (self-knowledge, self-confidence, self-motivation and self-regulation); (b) managing oneself (learning, concentration, listening, initiative, openness to change, achievement orientation, polyvalence, proactiveness, and tolerance to frustration); (c) knowing others (organisational understanding, empathy, flexibility, diversity management, planning and work organisation); and (d) management of relationships with others (interpersonal communication, trustworthiness/integrity, management of resources, conflict management, influence, innovation, lateral leadership, negotiation, service orientation, problem solving, teamwork and collaboration); and (3) Cognitive competences: abstract, analytical, conceptual, spatial, schematic, numerical, synthetic and verbal reasoning and systemic thought.

3.2.5. Dictionary of Key Competences, Barcelona City Hall[7]

In 2013 via its Barcelona ACTIVA programme Barcelona City Hall presented the Dictionary of Key Competences, which comprised 21 competences divided into four levels of achievement.

These competences are: (1) learning and use of knowledge; (2); self-confidence (3); self-control (4); commitment to the organisation (5); communication (6) creativity; (7) people management; (8) empathy; (9) flexibility and change management; (10) initiative; (11) leadership; (12) negotiation; (13) networking; (14) orientation towards

---

6. http://www20.gencat.cat/docs/Educacio/Home/ICQP/Documents/ARXIUS/Sistema_Integrat_Qualificacions.pdf

7. http://w27.bcn.cat/porta22/cat/altres/diccionari.jsp

achievement; (15) customer orientation; (16) strategic orientation; (17) analytical thought; (18) conceptual thought; (19) planning and organisation; (20) concern for order and quality; and (21) team work and cooperation.

3.2.6. Reports on Basic Competences, Government of Catalonia

As we mentioned earlier, in 2013 via its Department of Education the Government of Catalonia published several documents that specified and deployed the basic competences for mathematics, languages, and digital competence. Below we provide the descriptions in these reports that refer to the first two of these basic competences.

(1) Basic competences in mathematics for primary education and compulsory secondary education. These two reports, published in early 2013, were intended to help schools to develop their curricula in the area of mathematics. They contain the dimensions, the competences graded into different levels of acquisition depending on the stage of education, the key contents that contribute to the development of each competence and the methodology and evaluation guidelines.

(2) Basic competences in languages for primary education and compulsory secondary education. Like the preceding document, these reports were intended to help schools to develop their curricula in the areas of Catalan language and Spanish language and, in the case of compulsory secondary education, in the areas of Catalan literature and Spanish literature. The reports contained the same resources as those outlined for the documents in the previous section.

(3) Basic competences in science and technology for compulsory secondary education. This document, published in the middle of 2014, refers to the abilities that enable students to solve problems using their scientific and technical knowledge and their mastery of scientific and technological processes.

3.2.7. Dictionary of cross-disciplinary competences for the labour insertion of people with special needs, Pere Tarres Foundation[8]

This document, developed over the last ten years by the Pere Tarres Foundation, forms part of a set of tools aimed at facilitating the labour insertion of people with special needs. The purpose of the document is to provide a useful, operational instrument for

---

8. http://xarxanet.org/sites/default/files/du-diccionari_competencies_insercio_laboral-2014_2.pdf

facilitating the development of key competences that will help people with special needs to enter the labour market.

The dictionary focuses on 10 competences that are considered key to gaining access to and maintaining a position of work: (1) construction of the professional project; (2) willingness to learn; (3) flexibility; (4); autonomy (5) assertive communication; (6) management of emotions; (7) excellence at work; (8) teamwork; (9) management of the environment; and (10) acceptance of rules and authority.

3.3. Studies and projects on digital competence

As we have mentioned in previous sections, of all the key competences specified in all the reports and projects we reviewed, there is one that appears systematically in all of them: digital competence. For this reason we have also analysed every study, initiative and project that has discussed this competence:

3.3.1. Study to identify and grade basic competences in ICTs

Between 2002 and 2003 the Evaluation Council of the Education System at the Department of Education of the Government of Catalonia conducted a study to identify and grade the basic competences for Information and Communication Technologies (Marquès, 2003). The study, coordinated by Pere Marquès, a professor at the Universitat Autònoma de Barcelona, also included other Spanish autonomous communities. The study produced a list of 15 basic competences for ICTs divided into two groups (primary education and secondary education) and categorised into five dimensions (Pons, 2012).

3.3.2. Educational Telematic Network of Catalonia (XTEC)[9]

The Educational Telematic Network of Catalonia (XTEC) was created by the Department of Education of the Government of Catalonia specifically to serve the education system. Beginning its operations in 1989, in 1995 it was launched onto the Internet and is now used extensively by the education community. The network provides numerous educational resources, blogs, school websites, an electronic mail service, and access to certain teaching procedures. In addition to offering numerous educational resources, XTEC contributes to the promotion and development of the digital competence of students and teachers as well as of the wider education community.

---

9. http://www.xtec.cat/

3.3.3. The Punt TIC Network (Xarxa Punt TIC)[10]

The Punt TIC Network, managed by the Directorate General of Telecommunications and the Information Society (DGTSI), has more than 700 public Internet access points all over Catalonia. The Punts TIC (*ICT points*) are reference centres for the knowledge society in Catalonia that energise community and entrepreneurial activity in the region and whose main objective is to promote the knowledge and use of ICTs by citizens in the region. Previous versions of the Punts TIC included the Xarxa de Telecentres de Catalunya (*Telecentre Network of Catalonia*), which ran from 2002 to 2008, the Programari Lliure (*Free Software*) pilot programme, which ran from 2006 to 2007, the Xarxa Òmnia (Òmnia Network), the Xarxa de Teletreball (*Teleworking Network*), the Comunitat Ciutadania (*Citizens Community*) and Fes Internet (*Do the Internet*).

The Punt TIC Network centres conduct digital literacy and digital training programmes, provide information and advice on ICT-related matters, and promote the economic use of ICTs – for example, for teleworking. It is an important instrument of the Government of Catalonia for ensuring digital cohesion and territorial equilibrium in the information society. The Punt TIC Network has a double mission: on the one hand, it provides points of access to ICTs for all, thereby energising their surrounding areas; and on the other hand, it detects the needs of society and businesses in the region, promoting the acquisition of knowledge and spreading the advantages of ICT use among companies, public administrations and citizens.

3.3.4. Accreditation in ICT skills (ACTIC)[11]

ACTIC is a service for accrediting digital competence. It enables anybody over the age of 16 to demonstrate their ICT competence by completing a computer test similar to the examination for the European Computer Driving Licence (ECDL), which ran from 2009 to the end of 2011. Those who pass the test are awarded a certificate (at the basic, intermediate or advanced level) by the Government of Catalonia. This certificate enables holders to accredit a certain level of ICT competence (levels 1, 2 or 3, respectively) before any company or public administration.

The competences that make up digital competence are: C1 culture, participation and digital civism; C2 digital technology, computer and operating system usage; C3 browsing and communication in the digital world; C4 written information management; C5 graphics, audio and video management; C6 numeric information management; C7 data management; and C8 content presentation.

---

10. http://punttic.cat
11. http://www20.gencat.cat/portal/site/actic

ACTIC is based on general political frameworks such as the information society strategy of the European Council, which was presented in 2000 and reaffirmed in 2010, and the strategic accord for internationalisation, quality of occupation and competitiveness of the Catalan economy, signed in 2005 between the Government of Catalonia and the main employers' and trade union organisations and reaffirmed in 2008.

3.3.5. COMPETIC, Basic ICT Competence for Adult Education

The curriculum of COMPETIC basic digital competence, which was regulated in 2012, was adapted for adult education from the order regulating the accreditation of ICT skills (ACTIC). The curriculum is structured in two parts: (1) basic, initial courses in adult education (initial COMPETIC); and (2) adult education competences for the information society (COMPETIC 1 and 2).

Since the end of 2013, an equivalence has been established between the COMPETIC digital competence certificates for adult education and the ACTIC certificates for ICT skills.

3.3.6. The Digital Agenda for Catalonia (*idigital*) of the Government of Catalonia[12]

The Digital Agenda for Catalonia is a strategic document that looks ahead to 2020. It is in line with the plans of the European Union outlined in the Digital Agenda for Europe and the objectives outlined in the *idigital* plan of the Government of Catalonia.

The document first provides an overview of the current ICT situation in Catalonia, focusing on five areas of reference: (1) citizens; (2) business; (3) public administration; (4) the ICT sector; and (5) infrastructure.

The operating model on which *idigital* is based is divided into three basic pillars: (1) the development of impulse projects as key tools for developing ICTs in Catalonia that have the capacity to act as motors for public-private partnerships and business competitiveness; (2) the implementation of a new ICT model by the public administration that involves evolution of the current paradigms into others that focus on efficiency and innovation; and (3) the deployment of telecommunications infrastructures that, in combination with the deployment of high-capacity networks, ensure that a basic service is provided throughout Catalonia. Figure 1 illustrates the strategic initiatives and work areas of the Digital Agenda for Catalonia.

---

12. www.idigital.cat

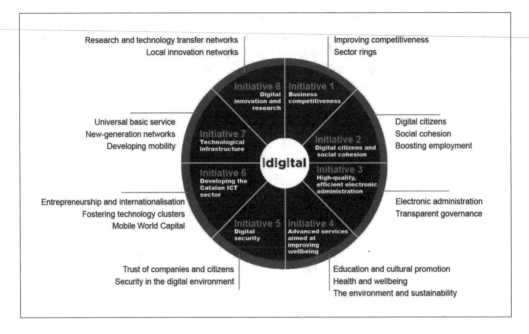

Figure 1. Strategic initiatives and work areas of the Digital Agenda for Catalonia

This strategy deals with the topics involved in digital competences directly both in education and in society in general. In education, in addition to the digitisation of the education system and the deployment of communications infrastructures in schools, it considers the education and training of teachers in order to make the most of these instruments and their use throughout the entire education community. Generally speaking, the document states that greater digital competence is required by all citizens, that ICT use should be encouraged, and that access to and the development of new channels of communication and ways of sharing information should be promoted.

3.3.7. Reports on basic digital competences, Government of Catalonia

These reports discuss basic digital competences in both primary education and compulsory secondary education. Published at the end of 2013, they complete the curriculum in the area of digital technologies, where cross-disciplinary competences relate to every subject in the curriculum. Like other reports on basic competences, they consider several dimensions, competences (divided into three levels of acquisition), key contents, guidelines on methodology and evaluation, and a glossary.

Having selected and presented the main initiatives both in Catalonia and from abroad, we now present our conclusions and make several proposals for Catalonia. These proposals were the main aim of this analysis, which has been conducted from the local context but with an international perspective.

4. Conclusions and proposals

Our research and analysis of the documents and initiatives we considered to be the most important and illustrative have led us to draw numerous conclusions, which we briefly present below. Later we will complete this chapter with several proposals for innovation and change in the Catalan context.

First we present our conclusions from the international perspective and then from the Catalan perspective – the area on which we are mainly focused.

From the international perspective:

1. In the European context the Agenda Digital 2020 is a fundamental reference document for tackling the digitisation of society. One axis of this document describes the key competences, particularly digital competence. This document has its counterparts at the local level (in numerous countries and regions): Catalonia, for example, has produced a corresponding document with the same time scale.
2. Internationally, the key competences are approached more often from the professional and business environments than from the academic environment. They are therefore more often interpreted from the productivity point of view than from the life (personal development) perspective. We maintain this is a clear shortcoming in all the contexts we analysed.
3. In the international context a highly accurate analysis is made of the key teaching competences of teaching staff, with particular emphasis on digital competence. Teaching competence in general, and digital competence in particular, remain two of the main challenges as far as the training and professional development of teachers is concerned.
4. Competence began to be analysed internationally well before it came to be analysed in Catalonia. We have found no conception that deals with the development of key competences from a multidimensional perspective (individual, social, professional and academic) in any reference report or document.

From the Catalan perspective:

1. There is a lack of a generally accepted conceptual framework that would enable the concept to be used confidently and transparently (i.e. whereby everybody un-

derstands the same thing by the same term). We have often found texts in which expressions such as basic competence, key competence and transversal competence mean similar ideas. In addition, when Anglo-Saxon approaches have been borrowed into the Catalan context, we have had to clearly define what literacy and competence mean from our perspective because literal translations of the English terms are not always successful.

2. In our context, although not so much internationally, there is a lack of educational initiatives aimed at developing and acquiring key competences as a means of organising training processes and professional development. Such initiatives in Catalonia spring mainly from the working and professional environments, and especially from the business world.

3. As we have mentioned, the one key competence that is systematically repeated in all reports and documents is ICT competence. In this chapter we have generalised this expression by speaking of digital competence. Although digital competence usually appears as a cross-disciplinary competence in higher education curricula, it does not appear explicitly at all three stages of education. However, both European and Catalan initiatives to certify this competence have begun to appear. The Government of Catalonia (via both its Department of Education and its Department of Work) has led and implemented such initiatives.

4. An initiative from the Catalan public administration is needed to develop an Observatory of Professional Competences with both a local and an international outlook.

5. We have been unable to document initiatives from education administrators, universities or training centres that are aimed at developing key competences in general and digital competence in particular. Similarly, no accreditation process exists for documenting levels of achievement either in general competences or key competences.

6. No programme exists to develop the key competences (in general) or digital competence (in particular) of teachers. This often makes it difficult for teachers to adapt to changes that technology has incorporated, is incorporating, and will incorporate into the system. Having digitally able teachers is one of the keys to the success of our education system.

7. The digital agenda approved by the Government of Catalonia and in line with the Horizon 2020 Digital Agenda for Europe of the European Union may be an extremely important tool for designing strategies in these areas in the Catalan context. The fact that three axes have a direct relation with these areas could help to promote strategies and public policy proposals that support improvements in key competences in general and digital competence in particular.

Based on these conclusions drawn from both the international and Catalan contexts, we now make a series of proposals for Catalonia that we believe would help to improve the level of training of our citizens in the key competences. These proposals are made with the Catalan public administrations in mind since it is with them that the responsibility for implementing them should lie.

1. Institutional responsibility should be accepted to convert the 2020 Digital Agenda for Catalonia into an instrument for developing the digital competence of citizens in Catalonia while bearing in mind the four dimensions described in Figure 1 (individual, social, professional and academic). Programmes are needed to guarantee the development of key competences in general and digital competence in particular.

2. A plan to develop and certify the key competences of teachers should be designed and introduced with special attention paid to the development of teachers' digital competence during both initial and continuous training programmes. This plan should be designed jointly by academia, the Department of Education, and the Department of Work.

3. An Observatory of Professional Competences in Catalonia should be designed and developed as a Catalan initiative for ensuring the correct professional development of its citizens from the personal, academic and professional perspectives. We especially recommend that part of the observatory should focus on teacher digital competence since, as we mentioned earlier, this is of fundamental importance for competitiveness and employability in the digital society.

4. A programme for developing key competences should be developed jointly by the professional and academic environments in order to maintain and improve the level of competence of Catalan citizens.

5. Teacher digital competence should be introduced into teacher training programmes as a compulsory competence that graduate teachers should acquire before entering the teaching profession.

All aspects of the above proposals should be taken on board by the administrations concerned and should be developed by the relevant institutions. Personal and professional commitment will be required at all times.

References

Agència per a la Qualitat del Sistema Universitari de Catalunya. (2005). *Eines per a l'adaptació dels ensenyaments a l'EEES*. Barcelona: AQU.

Brown, P., Lauder, H., & Ashton, D. (2011). *The Global Auction: The Broken Promises of Education, Jobs and Incomes.* Oxford: Oxford University Press.

Bullen, M., Morgan, T. & Qayyum, A. (2011). Digital learners in higher education: Generation is not the issue. *Canadian Journal of Learning Technology, 37(1),* .Burkhardt, G., Monsour, M., Valdez, G., Gunn, C., Dawson, M., Lemke, C., . . . Martin, C. (2003). *EnGauge 21st century skills: Literacy in the digital age.* Naperville, IL: North Central Regional Educational Laboratory.

Carreras, J., & Perrenoud, P. (2005). *El debat sobre les competències en l'ensenyament universitari.* Barcelona: Institut de Ciències de l'Educació (ICE). Universitat de Barcelona.

Coll, C. (2007). Las competencias en la educación escolar: Algo más que una moda y mucho menos que un remedio. *Revista Aula De Innovación Educativa, 161.*

Dede, C. (2010). Comparing frameworks for 21st century skills. In J. Bellanca & R. Brandt (Eds.), *21st century skills. Rethinking how students learn* (pp. 51-75).

Departament d'Ensenyament. (1996). *Guia didàctica dels cicles formatius.* Barcelona: Generalitat de Catalunya.

Departament d'Ensenyament. (2013). *Competències bàsiques de l'àmbit digital. Educació Primària.* Generalitat de Catalunya.

Departament d'Ensenyament. (2013). *Competències bàsiques de l'àmbit digital. Educació Secundària Obligatòria.* Generalitat de Catalunya.

Departament d'Ensenyament. (2013). *Competències bàsiques de l'àmbit lingüístic. Educació Primària.* Generalitat de Catalunya.

Departament d'Ensenyament. (2013). *Competències bàsiques de l'àmbit lingüístic. Educació Secundària Obligatòria.* Generalitat de Catalunya.

Departament d'Ensenyament. (2013). *Competències bàsiques de l'àmbit matemàtic. Educació Primària.* Generalitat de Catalunya.

Departament d'Ensenyament. (2013). *Competències bàsiques de l'àmbit matemàtic. Educació Secundària Obligatòria.* Generalitat de Catalunya.

Departament d'Ensenyament. (2014). *Competències bàsiques de l'àmbit cientificotecnològic. Educació Secundària Obligatòria.* Generalitat de Catalunya.

Domingo Villarreal, A. (2010). Desplegament de competències bàsiques a l'educació obligatòria a Catalunya: De la regulació legal a l'aula. *Revista Catalana De Pedagogia, 7*, 35-53.

European Commission. (2007). *Key competences for lifelong learning.* European reference framework.

Ferrari, A. (2012). *Digital competence in practice: An analysis of frameworks.* Seville: European Commission, Joint Research Centre (JRC).

Ferrari, A. (2013). DIGCOMP: A Framework for Developing and Understanding Digital Competence in Europe. Seville: European Commission, Joint Research Centre (JRC)

Fisher, T., Denning, T., Higgins, C. & Loveless, A. (2012). Teachers' Knowing How to Use Technology: Exploring a Conceptual Framework for Purposeful Learning Activity. *Curriculum Journal, 23*(3), pp. 3070325.

Gimeno Sacristán, J. (2008). *Educar por competencias, ¿qué hay de nuevo?*

Gisbert, M., & Esteve, F. (2011). Digital learners: La competencia digital de los estudiantes universitarios. *La Cuestión Universitaria,* (7), 48-59.

Griffin, P., McGaw, B., & Care, E. (2012). *Assessment and teaching of 21st century skills.* Springer.

Halász, G., & Michel, A. (2011). Key competences in Europe: Interpretation, policy formulation and implementation. *European Journal of Education, 46*(3), 289-304.

Hall, R., Atkins, L., & Fraser, J. (2014). Defining a Self-Evaluation Digital Literacy Framework for Secondary Educators: the DigiLit Leicester Project. *In Research in Learning Technology, 22*: 21440.

Institut Català de Noves Professions. (1997). *La formació al segle XXI. Les competències clau.* Actes de la jornada del 27 de noviembre de 1996. Barcelona: Generalitat de Catalunya.

Krumsvik, R. J. (2008). Situated learning and teachers' digital competence. *Education and Information Technologies, 13*(13), 279-290. doi:10.1007/s10639-008-9069-5

Larraz, V. (2013). *La competència digital a la universitat* (tesi doctoral). Universitat d'Andorra.

Lankshear, C., & Knobel, M. (2008). *Digital literacies: Concepts, policies and practices.* New York: Peter Lang.

Le Boterf, G. (1994). *De la compétence, Essai sur un attracteur étrange.* Paris: Les Éditions d'Organisation.

Le Boterf, G. (2001). *Ingeniería de las competencias.* Gestión 2000.

LEY ORGÁNICA 1/1990, de 3 de octubre, de Ordenación General del Sistema Educativo (LOGSE).

LEY ORGÁNICA 2/2006, de 3 de mayo, de Educación (LOE).

LLEI 12/2009, del 10 de juliol, d'educació (LEC).

Martin, A. (2002). The ICT Pioneer Teacher: Towards a European Curriculum, NAACE. Retrieved April 29, 2014 from: http://archive.naace.co.uk/transformedlearning/new_framework/content/ICT_as_subject/Documents/-download-pioneer_teach_def.doc

Martin, A. (2008). Digital literacy and the "digital society. In Lankshear & M. Knobel (Eds.), *Digital literacies: Concepts, policies and practices* (pp. 151-176). New York: Peter Lang.

Mishra, P., & Kereluik, K. (2011). What 21st century learning? A review and a synthesis. In *SITE Conference.*

Navío, A. (2005). *Las competencias profesionales del formador.* Barcelona: Octaedro.

Newfield, C. (2010). The Structure and Silence of the Cognitariat. EduFactory webjournal, January 2010. Retrieved April 28, 2014 from: http://www.edu-factory.org/edu15/webjournal/n0/Newfield.pdf

OECD. (2005). *The definition and selection of key competencies (DeSeCo). Executive summary.* Organisation for Economic Co-operation and Development (OECD).

OECD. (2012). *Better skills, better jobs, better lives: A strategic approach to skills policies.* OECD Publishing. doi:http://dx.doi.org/10.1787/9789264177338-e

Partnership for 21st Century Skills. (2007). *Framework for 21st century learning.* Tucson, Arizona: Author. Retrieved from http://www.p21.org/storage/documents/1.__p21_framework_2-pager.pdf

Peris Morancho, P. (2007). *Les competències instrumentals o clau en l'alumnat de cicles formatius de formació professional: Valoració per part dels agents implicats i proposta concreta d'estratègies per desenvoluparl-les.*

Perrenoud, P. (2005). La universitat entre la transmissió de coneixements i el desenvolupament de competències. In J. Carreras & P. Perrenoud (Eds.), *El debat sobre les competències en l'ensenyament universitari.* Barcelona: Institut de Ciències de l'Educació (ICE). Universitat de Barcelona.

Pons Comella, B. (2012). *Disseny d'un programa de capacitació en competències bàsiques TIC per alumnes de secundària* (tesi doctoral). Universitat de les Illes Balears.

Prades, A. (2005). *Les competències transverals i la formació universitària* (tesi doctoral). Universitat de Barcelona.

Prensky, M. (2001a). Digital Natives, Digital Immigrants. *On the Horizon, 9*(5)

Rubio, F. (1999). Las competencias transversales en los programas de formación ocupacional dirigidos a colectivos en riesgo de exclusión. *Diálogos, 18*(2), 61-64.

Rychen, D. S., & Salganik, L. H. (2000). *Definition and selection of key competencies, A contribution of the OECD program definition and selection of competencies:* Theoretical and conceptual foundations. INES GENERAL ASSEMBLY.

Rychen, D. S., & Hersh Salganik, L. (2004). *Definir y seleccionar las competencias fundamentales para la vida.* México, D.F.: FCE.

SCANS. (1991). *What work requires of schools. A scans report for America 2000.* The Secretary's Commission on Achieving Necessary Skills U.S. Department of Labor.

Selwyn, N. (2013). Education in a Digital World: Global Perspectives on Technology and Education London: Routledge.

Tapscott, D. (1998). Growing Up Digital: The Rise of the Net Generation. Toronto: McGraw-Hill.

Tapscott, D. (2009). *Grown Up Digital: How The Net Generation is Changing Your World.* Toronto: McGraw-Hill.

Tiana, A., Moya, J., & Luengo, F. (2011). Implementing key competences in basic education: Reflections on curriculum design and development in Spain. *European Journal of Education, 46*(3), 307-322.

UNESCO (2011). *UNESCO ICT Competency Framework for Teachers.* Paris: UNESCO.

L4. Nuevos escenarios de aprendizaje

Antonio Bartolomé, Jesús Salinas, Mariona Grané,
Pedro Pernías, Vanessa Esteve-González y José Cela-Ranilla

La sociedad digital se encuentra bombardeada por múltiples posibilidades formativas con diferentes escenarios de aprendizaje más allá del ámbito formal del sistema educativo. Se trata de la posibilidad de aprender desde cualquier lugar y en cualquier momento, accediendo desde cualquier dispositivo. La proliferación de dispositivos, plataformas y redes sociales produce un reto educativo en la era del cambio constante, de la identidad digital y del trabajo colaborativo. La tecnología nos permite tener una evaluación no sólo en el producto final, sino del registro de todo el proceso. Toda la información recopilada permite la mejora de los procesos de aprendizaje.

Para poder aprovechar al máximo este nuevo contexto, se requieren ideas innovadoras que permitan sacar el máximo provecho a sus facilidades, teniendo en cuenta el compromiso ético en el uso y en la elaboración de estos recursos y de sus contenidos. En este sentido, la innovación en los procesos educativos, en los repositorios de contenidos y en los entornos personales de aprendizaje se orienta hacia recursos y herramientas multimedia, interactivas e inmersivas.

Los espacios virtuales de aprendizaje utilizan una tecnología avanzada como soporte, proporcionando una experiencia de aprendizaje interactiva centrada en el alumno. Es el alumno quien crea su conocimiento a partir de los recursos y de las herramientas disponibles y con un fuerte componente social.

A menudo, la incorporación de la tecnología al proceso de E/A se impone desde un punto meramente mecanicista y con poco valor pedagógico. Las estrategias didácticas determinarán la tecnología por utilizar según los objetivos de aprendizaje. La formación en las capacidades y competencias de los futuros profesionales genera nuevos modelos de aprendizaje basados en el escenario de aprendizaje, como es el caso del *game-based learning*, el *mobile learning* o el *project-based learning*, por poner unos ejemplos.

1. Contextualización

Los nuevos escenarios de aprendizaje se sitúan hoy en el contexto de los lenguajes y de las formas de representación del saber a través de las Tecnologías de la información y la Comunicación.

1.1. Los soportes que contienen la información

Los libros son, en sentido estricto, una tecnología de la Información y la Comunicación. También lo son las vidrieras de las catedrales o los papiros. La imprenta de Gutenberg genera un cambio de especial relevancia en la historia de la Humanidad, pero no es el único: televisión, telégrafo, Internet o la World Wide W... Todas estas tecnologías han tenido su origen, sus momentos de gloria y luego han ido viendo cómo han ido siendo superadas por otras.

Es frecuente entre los autores contemporáneos la idea de que la Humanidad ha vivido tres etapas. Existe un cierto consenso respecto a las dos primeras: la Era Hablada (*orality*) y la Era Escrita (*literacy*). Respecto de la tercera, no hay tanto acuerdo: para algunos es la era de la Electricidad, para otros son la Era Digital o Cibernética (*cibernetics*) o la Era Audiovisual.

La primera opción es planteada, entre otros, por Mark Federman (2005), quien sitúa el origen de la era «eléctrica» en la demostración del telégrafo, en 1844. En su análisis señala cómo al cambiar el modo dominante de comunicación también lo hacen los modos de conocer y la autoridad, así como el acceso a ambos, al conocimiento y al poder. Según Federman, esta es una etapa de cambio, que afectará en máxima medida a la sociedad y a la cultura, y que todavía se extenderá por 150 años más (Federman, 2005, p. 7).

Podríamos pensar que, si el cambio del soporte escrito hacia nuevos soportes ya se ha producido, ¿por qué se retrasa el cambio cultural y social? Aunque Federman explica detalladamente su teoría de los «300 años» necesarios para cada cambio, parece más pertinente el análisis de Barker y Tucket (1990). Estos autores estudian detenidamente el proceso de invención y expansión de los libros impresos. Gutenberg no inventó la imprenta: los tipos movibles de madera fueron utilizados y olvidados por los chinos muchos años antes. Lo que hizo Gutenberg fue encontrar la tecnología adecuada (los tipos metálicos) en el momento adecuado (demanda de libros y menor oposición de la autoridad eclesiástica). Para los autores algo parecido sucede con el Hipertexto (Barker y Tucket, 1990, pp. 12-13).

Cuando Vannevar Bush (1945) diseña su propuesta Memex, está diseñando el hipertexto o, con más precisión, lo que hoy es la World Wide Web. El momento era el adecuado: Nielsen (1990) señala que lo que despertó en Bush esta idea era la cantidad de información que hacía imposible, incluso para el especialista, estar al día. Pero habrá que esperar un mayor desarrollo de lo que puede llamarse la «democracia del conocimiento». El movimiento de mayo del 68 influye decisivamente en este punto; por ejemplo, con el emergente concepto de «autogestión académica» (Iglesias, 1969; Revueltas, 1969). Pero ¡todavía no existía la tecnología!

Tim Berners-Lee es un físico que en 1980 en el CERN desarrolló Enquire, un pequeño programa que permitía enlazar ideas. Años después lo transformó en algo mejor, con lo que nació en 1989 el lenguaje de la Web, el html (*hypertext markup language*), con ayuda de su colega Robert Cailliau. En 1991, el lenguaje se puso a disposición de la comunidad. Un estudiante llamado Marc Andreessen que estaba en el NCSA viajó por la red, lo encontró y escribió el primer navegador: Mosaic. Éste se convirtió en Netscape Navigator y Andreessen en Presidente de NetScape Communications Corporation (Fontaine, 1997). Podemos decir que es con la combinación de tecnología y momento (entendido como oportunidad) cuando estalla la Web en 1994.

Diez años más tarde, en términos aproximados, la Web, deformada por las presiones a que las empresas la someten, reencuentra sus orígenes en la Web 2.0, un modo de entenderla en que se potencian las dimensiones participativa y social a partir de un planteamiento tecnológico (la web es la plataforma). La denominación *Web 2.0* aparece por primera vez durante una reunión organizada por O'Reilly y MediaLive International en 2004 (O'Reilly, 2005), y unos pocos meses después tiene lugar la primera conferencia sobre el asunto (http://www.web2con.com/).

1.2. El concepto de autor y la creación colectiva

Algunos aspectos por destacar de la Web 2.0 desde la perspectiva del asunto que estamos analizando son la autoría social y la inteligencia colectiva. Estos conceptos pueden estudiarse en numerosos textos sobre el tema (Cobo y Pardo, 2007) y plantean cambios a los que apenas la comunidad científica se asoma. Pensemos por un momento en el concepto de derechos de autor, una idea que aparece ligada a la Era Escrita, cuando el autor es reconocible, cosa que no sucedía en la Era Hablada. Algunos autores sostienen que en la Era Cibernética (recuérdese que no hay todavía acuerdo en el nombre de la tercera era) el concepto de autor vuelve a desdibujarse.

Es evidente que el concepto de autor en los documentos creados de modo colaborativo queda desdibujado, en particular cuando la autoría se realiza de modo anónimo y registrado simultáneamente. En todo caso, una obra como la Wikipedia sólo puede atribuirse a la inteligencia colectiva.

Algo similar ocurre cuando pensamos en el conocimiento sobre hechos más «domésticos» como los hoteles donde hospedarse, el equipo más adecuado para comprar, o el médico al que dirigirse: la Web acoge multitud de información, más o menos estructurada y convertida en conocimiento estable, sobre estos y muchos otros temas de consulta diaria. Se trata de las aportaciones de usuarios anónimos (o no), con diferentes grados de fiabilidad, pero que un usuario experto («alfabetizado digitalmente») puede razonablemente discernir.

¿Qué sucede con los documentos de un autor claramente identificado? La lógica tradicional de la Era Escrita nos dice que él es el autor y que, por tanto, posee los derechos sobre su obra, que no puede ser reproducida o modificada sin su autorización. Esta idea apenas lleva unos pocos cientos de años con nosotros. Durante la Era Hablada el autor de un romance sabía que cuando otro lo repitiera (para lo que obviamente no iba a solicitar su permiso), lo adaptaría al público y lo modificaría. Manuel Machado lo describe de modo preciso y poético en su poema «La copla»: «Hasta que el pueblo las canta, / las coplas, coplas no son, / y cuando las canta el pueblo, / ya nadie sabe el autor».

En todo caso, la cuestión es si con la Era Cibernética permanecerá el concepto de propiedad de la obra. Mientras que para algunos resulta escandaloso y digno de sanción el fenómeno YouTube, en el que fragmentos de obras audiovisuales o musicales son reproducidos y modificados sin aparente respeto al autor; para otros es un avance de lo que va a ser el futuro. Si una creación puede ser modificada, o adaptada mejorando su difusión o su comprensión, o si de ese modo puede ayudar a transmitir nuevos mensajes que, en última instancia, ayudan a incrementar el conocimiento como bien social compartido, ¿tiene el autor derecho a prohibirlo?

Otra aproximación es aquella que lleva a la siguiente pregunta: ¿le interesa al autor prohibirlo? Es posible escuchar hoy que lo que no está en Internet no existe. La idea es que cuando una obra es reproducida, copiada o modificada, al mismo tiempo es también difundida y amplía su radio de influencia. Así, músicos jóvenes prefieren distribuir sus obras gratuitamente en Internet, lo que se traduce en un mayor conocimiento de su obra, más seguidores, más contratos, más conciertos.

El problema en realidad supera la discusión teórica y tiene una dimensión económica. Lo que está en cuestión no son solo los derechos de autores, sino la supervivencia de toda una industria cultural. En países que ven día a día como las grandes empresas norteamericanas dominan el mercado (por ejemplo, el de la distribución cinematográfica), no es extraño que los gobiernos consideren que es necesario proteger la industria cultural propia a fin de proteger con ello las señas de identidad y los elementos culturales nacionales.

De nuevo, se trata de un razonamiento formulado desde la perspectiva de los viejos modelos sociales y culturales. Para algunos la pregunta es simplemente cuántos años de vida le quedan a esas grandes productoras musicales o cinematográficas o a esas editoriales de textos. Cuando un autor puede publicar en Internet su obra y su difusión supera rápidamente la que obtendría a través de la edición convencional (si es que el público la valora), y cuando así deja de depender de la inversión en promoción que realice la empresa que lo edita, ¿para qué someterse a los dictados de una editorial?

Existen naturalmente más argumentos a favor de un cambio o no, pero lo cierto es que poco a poco parece que ese cambio se está produciendo a pesar de una lucha desesperada, literalmente a muerte, entre la industria y algunos (o muchos) autores.

En este camino, aparece también el problema de quién se aprovecha asumiendo la autoría de lo que no le pertenece. Para compaginar la propiedad social de la obra con el respeto al autor original y evitar esos usos indebidos, hace años que aparecieron las licencias Creative Commons. Estas licencias no aseguran la identificación del autor sino que permiten fijar el modo en que el autor cede los derechos de reproducción y modificación de su obra.

1.3. La permanencia de la información

Otro aspecto por considerar tiene que ver con la estabilidad de la información. Recogiendo el viejo proverbio, «lo escrito, escrito está» los libros han fijado la información de modo que el paso del tiempo no la altera. Pero ahora, en la Web, un texto puede cambiar recogiendo nuevas aportaciones, corrigiendo errores, creando una visión dinámica del conocimiento, en la línea de la metáfora del reflector. Karl Popper había desarrollado esa idea en un apéndice titulado «El cubo y el reflector» (Popper, 1972). Allí considera que la mente humana puede ser vista como un cubo, receptor pasivo del conocimiento preexistente, o como un reflector que emite y refleja luz. En este segundo caso, el conocimiento que crea y transmite la mente sólo existe en tanto en cuanto está en movimiento, transmitiéndose hacia otras mentes.

Así, nos encontramos que mientras la imprenta en un primer momento representa un elemento positivo para la ampliación del conocimiento humano, pues permite que las ideas se diseminen más lejos y más rápidamente, lo cual asegura además la permanencia (al permitir por el número de copias que disminuya el riesgo de pérdida del documento); también aparece un segundo efecto altamente negativo, pues asocia el conocimiento al texto impreso; y, por tanto, lo convierte en inmutable o de lento cambio. Difumina, en otras palabras, su carácter dinámico y cambiante.

Así surge la idea del «Paréntesis Gutenberg», inicialmente propuesta por Sauerberg (2009), que Piscitelli (2010) resume presentando la época generada por la imprenta como un mero paréntesis, entre el mundo oral de casi toda la historia previa a la invención de la imprenta y la oralidad secundaria que estaríamos viviendo a partir de la invención de Internet.

1.4. Cambios en el modo de pensar

Entre las voces más críticas para con los efectos de la Web, o al menos con mayor difusión, hay que citar a Nicolas Carr (2008, 2010). Muy critico con los efectos de Internet en el modo como conocemos, su objeción se centra en la disminución de la capacidad de concentración y contemplación. Y en ese contexto, el gran enemigo es, obviamente, la Wikipedia. Es obligado señalar que su gran artículo contra la Wikipedia y donde plasma sus principales ideas al respecto coincide curiosamente con su contratación como editor por la Enciclopedia Británica. Nicolas Carr ha cosechado un gran número de seguidores, pues por primera vez la crítica a Internet y al concepto de autoría social se realizaba por alguien con un grado de conocimiento importante y desde dentro de la propia red. Y hay que señalar que, mientras que algunos juicios no dejan de ser comentarios brillantes sin una base fundamentada, la esencia de su pensamiento se acerca a la realidad.

En su crítica, Carr incluye a McLuhan, al que tilda de charlatán. Es importante este aspecto, pues la superficialidad del pensamiento no es en absoluto un efecto de Internet sino del audiovisual. Lo que Nicolas Carr no parece percibir es que realmente nos encontramos ante un cambio en el modo de conocer.

El primer humano que vistió la piel de un animal comenzó a provocar un cambio (mucho más lento que el que nos ocupa) que llevaría a la Humanidad a depender del vestido para poder sobrevivir en condiciones extremas. Así, por ejemplo, mientras durante siglos los yámanas han sobrevivido en Tierra del Fuego a temperaturas bajo cero sin vestimenta, hoy la mayoría de los habitantes de la misma región difícilmente podrían sobrevivir de ese modo. ¿El vestido representa un retroceso en la historia de la Humanidad? Es obvio que junto con estos efectos negativos (dependencia), la vestimenta ha tenido otros efectos beneficiosos, en general ligados a la capacidad de superar las limitaciones que imponían el tiempo atmosférico, especialmente a los individuos más débiles de la especie o en las condiciones menos óptimas para la supervivencia.

De modo similar, puede considerarse que los humanos serán en el futuro diferentes en el modo de conocer a como lo son ahora. No es disparatado aceptar algunas tesis de Carr sobre la superficialidad del pensamiento, o añadir una previsible disminución de la capacidad de la memoria. En la misma línea, también puede suponerse el desarrollo de una mayor capacidad de interactuar con las máquinas, de tomar decisiones en menos tiempo y tras un análisis rápido de información visual. Percepción global, comprensión holística, capacidad de valoración de información, capacidad de integración e interrelación de datos... son todas competencias que parecen en alza en el haber de nuestras habilidades cognitivas.

Carr, pretendiendo predecir el futuro, lo que no deja de ser una forma segura de equivocarse, quizás suscribirá el siguiente párrafo pensando en la Web:

> Ella no producirá sino el olvido en las almas de los que la conozcan, haciéndoles despreciar la memoria; fiados en este auxilio extraño abandonarán a caracteres materiales el cuidado de conservar los recuerdos, cuyo rastro habrá perdido su espíritu. Tú no has encontrado un medio de cultivar la memoria, sino de despertar reminiscencias; y das a tus discípulos la sombra de la ciencia y no la ciencia misma. Porque, cuando vean que pueden aprender muchas cosas sin maestros, se tendrán ya por sabios, y no serán más que ignorantes, en su mayor parte, y falsos sabios insoportables en el comercio de la vida (Azcárate, 1871).

El último párrafo entronca con aspectos del aprendizaje ubicuo y del aprendizaje invisible. También parecen palabras firmadas por algunos miembros del profesorado universitario.

Sin embargo, recordemos que estamos ante uno de los textos que Platón atribuye a Sócrates en referencia a la escritura.

Quizás la objeción más importante a las ideas de Carr vengan de su confusión entre causas y efectos. ¿La «superficialidad» en el modo de acceder a la información está provocada por el modo como se organiza ésta en Internet, o ambos son el resultado del crecimiento acelerado de la cantidad de información disponible, en lo que algún autor describe como una Ley de Moore semántica?

Quizás sea más propio pensar en el «síndrome de Frankestein» tal como lo describe Postman (1985): los hombres creamos una máquina con un fin definido y concreto, pero una vez construida descubrimos que la máquina tiene ideas propias, es capaz de cambiar nuestras costumbres y nuestra manera de pensar. Así, los ordenadores, que fueron creados inicialmente para contar el censo de los Estados Unidos y otros cálculos matemáticos (de hecho reciben el nombre de *computers* o *computadores/as*) permitieron el procesamiento primero de textos y posteriormente imágenes, sonidos y documentos audiovisuales, lo que facilitaba su archivo, su recuperación y su distribución. Como resultado, el conocimiento comenzó a experimentar un crecimiento nunca antes visto: mientras que a comienzos del siglo xx un investigador español que desease estar al día de lo que se publicaba en Estados Unidos necesitaría una buena bolsa de dinero y posiblemente recibiría la información con meses o años de retraso, cien años más tarde cualquier investigador en cualquier lugar del mundo accede a las publicaciones e incluso a los borradores de los textos más actuales casi de modo instantáneo.

A lo anterior debemos añadir la vinculación entre investigación y desarrollo, que liga los avances científicos y tecnológicos a resultados en términos económicos. Esto se traduce en una mayor inversión (y reconocimiento) en investigación y de nuevo y más rápido crecimiento del conocimiento.

¿Se produce por igual en todas las áreas? Evidentemente algunas áreas de conocimiento son primadas por la Industria, pero todas se benefician en una especie de «efecto rebote» de la disponibilidad y de la accesibilidad de esas tecnologías.

Así que finalmente, y como predijo Vannevar Bush (y se ha señalado antes) es imposible hoy leer «profunda y contemplativamente» (las comillas son propias) los textos. La Web 2.0 ha supuesto una solución para afrontar este exceso de información por la vía de la colaboración humana. La llamada Web 3.0 pretende hacerlo recurriendo a la Inteligencia Artificial para trabajar sobre contenidos semánticos directamente. Así que la Web no es una herramienta de comunicación perniciosa que debilita el modo como conocemos sino la única respuesta que la Humanidad ha encontrado hasta ahora para hacer frente a un fenómeno nuevo: la superpoblación de conocimientos.

1.5. Audiovisual y multimedia

Todo lo expuesto hasta ahora habrá permitido intuir que existen dos grandes modos de codificar la información: el audiovisual y el multimedia.

El audiovisual aparece vinculado al cine, a la televisión, a la reproducción doméstica en formatos analógicos (videocasetes) o digitales (DVD, BlueRay) y a la distribución a través de Internet o en equipos informáticos.

Excepto en el último caso, en el que en ocasiones el documento audiovisual se incluye en un contexto multimedia, el audiovisual se ha caracterizado por la superficialidad de la información y por la fuerza de su impacto sobre las emociones (Babin, 1983). Pero no pueden ser considerados exactamente del mismo modo medios como la televisión o el cine.

Por su parte, el multimedia aparece relacionado con varios entornos muy diferentes. Es multimedia el conocimiento recogido en documentos MM e hipertextuales en la Web, pero también los videojuegos, en red o no, son documentos multimedia. Mientras que los primeros se dirigen hacia el conocimiento o el acceso a la información modificando los modos de comunicarse, los videojuegos pretenden generar entretenimiento, pero desarrollan al tiempo habilidades en áreas tan importantes como la toma de decisiones o la interacción con las máquinas.

Como resultado, mientras que para algunos la brecha digital divide a la humanidad entre alfabetizados audiovisuales y digitales por un lado, y el resto por otro, creemos que también es posible comenzar a ver una brecha entre los consumidores audiovisuales, generalmente pasivos, receptores de información y devoradores de entretenimiento, y los usuarios digitales, generalmente participativos, cogeneradores de información, miembros activos de la red.

Puede objetarse que muchos usuarios de Internet consultan en la red la información de un modo pasivo. La experiencia muestra de modo empírico que generalmente se comienza accediendo de ese modo a la información para, con el tiempo, quizás espoleados por el ejemplo de otros, quizás inducidos por los propios requerimientos de los sitios, atreverse a enviar una opinión, una valoración o terminar añadiendo información a los perfiles creados en las redes sociales. En otras palabras, es difícil imaginarse a un miembro de alguna de las redes sociales en Internet como mero receptor pasivo de mensajes: en algún momento se plantea o planteará la posibilidad de aportar su propia opinión, pues el medio le incita a ello.

Todos estos cambios que han generado las tecnologías nos llevan a una idea que posiblemente sea la clave para contextualizar los escenarios de aprendizaje: las TIC actuales permiten aprender (o al menos acceder a la información para aprender) desde cualquier lugar y en cualquier momento rompiendo las barreras del espacio y el tiempo ligados a un aprendizaje tradicional, formal, presencial.

La cuestión es que esta idea no se da por igual en todos los escenarios. La primera diferencia se encuentra entre la educación formal y la educación informal o la educación no formal. Y encontramos que estas diferencias están comenzando a diluirse.

Dentro de la educación formal también existen importantes diferencias. Mientras que la educación superior está sufriendo un fuerte zarandeo desde el fenómeno MOOC, y anteriormente desde los materiales abiertos, los niveles más elementales de la escolarización se encuentran mucho más sujetos a la reglamentación gubernamental y no dejan traslucir el fenómeno, lo que no quiere decir que no se esté produciendo.

Por el contrario, dentro de la formación continua o del aprendizaje a lo largo de la vida la situación es completamente la opuesta. Los tradicionales cursos y sistemas de formación son puestos en cuestión o frecuentemente quedan relegados por el acceso a sistemas alternativos. De hecho, existe una quizás pretendida ambigüedad respecto a si los MOOC están destinados a los estudiantes de Educación Superior o a los trabajadores y profesionales necesitados de una formación complementaria o actualizadora.

2. Estado del arte

Llegados a este punto, para comprender qué se entiende hoy por escenarios de aprendizaje podemos fijarnos en la investigación que explícitamente dice tratar este tema.

2.1. La investigación sobre escenarios de aprendizaje

Ocuparse de los escenarios de aprendizaje tiene importantes implicaciones respecto de la investigación en dos líneas que no pueden investigarse por separado (Salinas, 2009a): (1) cuáles son y cómo se configuran los escenarios de aprendizaje futuros, y (2) cómo van a tener que desenvolverse los actores del proceso de enseñanza-aprendizaje.

Numerosos autores se han ocupado de estas cuestiones: Paulsen (2004), Koper (2004), Mason y Rennjie (2008) o Conole (2008) ofrecen avances de cara a elaborar modelos educativos para e-Learning. De Benito (2006) y Weller (2007), entre otros muchos, estudian las posibilidades que las aplicaciones de gestión y distribución de materiales en la web ofrecen desde la perspectiva pedagógica. Nuevos enfoques en relación con el diseño y con la presentación de materiales de aprendizaje (Mason y Rennjie, 2008), o estrategias de aprendizaje colaborativo. (Salmon, 2004; Mason y Rennjie, 2008) contribuyen a experimentar con alternativas metodológicas. Juwah (2006) pone el énfasis en la interacción. Wenger, McDermott y Zinder (2002) en la gestión social del conocimiento.

A partir de las investigaciones relacionadas con el proyecto *EDU2008-05345 Diseño de estrategias metodológicas para el uso de Espacios Compartidos de Conocimiento mediante herramientas software y sistemas de gestión del conocimiento en entornos virtuales de formación*, es posible centrarse en los modelos emergentes para entornos virtuales de aprendizaje (Salinas, 2009c) y aparece junto a la configuración de los escenarios de aprendizaje (Marín y De Benito, 2011; Salinas, Marín y Escandell, 2011) la cuestión del desarrollo profesional de los docentes orientado al desarrollo de competencias docentes versátiles para poder desenvolverse en las distintas modalidades de enseñanza-aprendizaje (Gelabert, Moreno y Salinas, 2010; Salinas, 2009a; 2009b) y al mismo tiempo adecuadas para facilitar un aprendizaje flexible, abierto, conectado (*self-organised learning*).

Si se analiza la trayectoria reciente de los entornos virtuales de enseñanza-aprendizaje, es posible observar una lenta evolución, sobre todo en los cambios necesarios desde la didáctica y desde las metodologías por implantar, pero también una apuesta generalizada en el ámbito de la educación superior por incorporar este tipo de entornos, atendiendo tanto a las vías en las que pueden restringir o permitir ciertos tipos de interacción, como al proceso por el que las personas son capaces de construir y negociar significados a través de la interacción y de la actividad colaborativa.

En este sentido, con la consiguiente actualización, puede ser un buen punto de partida la propuesta de 1995 (Salinas, 1995), al hablar de tres escenarios que venían configurados por la evolución de las redes de telecomunicaciones y de las potencialidades que aportaban a los procesos de formación: aprendizaje en el hogar, aprendizaje en el puesto de trabajo y aprendizaje en un centro de recursos de aprendizaje o centro de recursos multimedia. Estos tres escenarios, que en aquel momento comenzaban a interconectarse mediante las tecnologías del momento han ido experimentando modificaciones y avances. Quizá uno de los más importantes ha sido la dotación de ubicuidad que las tecnología móviles han aportado y que dio lugar a añadirla como un cuarto escenario (Salinas, 2005).

En efecto, los avances en la capacidad de conexión de la tecnología de uso personal — teléfonos móviles, PDAs…— permite que se vaya haciendo realidad la ubicuidad del acceso a la información y en consecuencia a los recursos de aprendizaje. Es decir, el aprendizaje ubicuo, el aprendizaje en cualquier lugar y en cualquier momento.

Todo ello se orienta al cambio en la función de las instituciones de educación superior, e incorpora como una de sus misiones la educación de los estudiantes más allá del campus: desplazamiento de los procesos de formación desde entornos convencionales a otros entornos, demanda generalizada de competencias necesarias para el aprendizaje continuo, comercialización del conocimiento que genera oportunidades para nuevos mercados y competencias nuevas en el sector, etc. El ámbito de aprendizaje varía de forma vertiginosa.

2.2.   Una idea clave: cualquier momento, cualquier lugar

Diferentes autores han insistido en destacar esta idea inicial acerca de las posibilidades actuales de aprender desde cualquier lugar y en cualquier momento. Cebrián (2009) se refiere a la influencia de Internet en todos los ámbitos de la comunicación y de la información y a cómo ésta ha incidido en las formas de participación e interacción de la sociedad.

En este sentido, a la concepción del aprendizaje *online* (desde cualquier lugar desde cualquier momento) le ha sucedido (debido a los avances tecnológicos de los dispositivos móviles) el *mobile learning*. Laouris y Eteokleous (2005) presentan diferentes enfoques asociados a la definición del aprendizaje móvil y hacen énfasis en el cambio del concepto de movilidad antes y después de los dispositivos movibles que tenemos hoy, que nos permiten estar permanentemente conectados.

Por otra parte, Sharples (2007) señala la importancia del contexto. Existe una gran variedad de ambientes de aprendizaje, que incluye al aula física y presencial; y es forzosa la necesidad de comprender de manera más amplia los procesos educativos.

Traxler (2005) hace también una revisión conceptual del término, comparando el e-Learning y el m-Learning, y dando importancia no sólo a las características técnicas y de portabilidad de los dispositivos móviles, sino también sus posibilidades y ventajas pedagógicas, desde un punto de vista didáctico y no tecnológico. Traxler plantea una evolución del e-Learning al m-Learning evidenciando la importancia que tienen las personas y las interacciones en determinar este cambio en los contextos formativos.

Más allá, y más interesante, Camacho (2011) presenta la idea de cómo el concepto de *mobile learning* ha evolucionado en pocos años desde una visión centrada en la tecnología a una concepción basada en modelos educativos.

Pero a pesar de las posibilidades que nos ofrece esta movilidad para desarrollar nuevos modelos y enfoques que nos lleven fuera de las aulas, y permitan enlazar los aprendizajes formales, informales y no formales, así como los procesos personales y colectivos, a pesar de ello, todavía es complejo encontrar experiencias educativas en entornos académicos que posibiliten trabajar en entornos móviles no referidos a dispositivos.

Hablar de entornos de aprendizaje hoy también implica un estudio acerca de lo que algunos llaman ecosistemas de aprendizaje (Santamaria, 2009); y, ligadas a este concepto, las ideas clave de las comunidades (de aprendizaje, de práctica) y de su evolución hacia redes (*networks of practice*): redes de personas capaces de trabajar colaborativamente, desde diferentes perspectivas o prácticas, pero con objetivos de aprendizaje comunes. Es una idea totalmente ligada al constructivismo social, que se ha desarrollado desde entornos de aprendizaje profesionales, más formales, pero también con un profundo estudio de las redes sociales abiertas y sus posibilidades en el aprendizaje informal.

Sin embargo, las redes sociales constituyen un sistema complejo, formado por nodos, que son personas. Y, para que una red funcione y contribuya con aportaciones, es necesario que las interacciones se gestionen, y que las personas desarrollen estrategias personales para la conectividad y para el propio progreso a partir de ella. Para Attwel (2009) debemos ser capaces de:

- Acceder y buscar
- Agregar
- Construir andamiajes
- Manipular
- Analizar
- Almacenar
- Reflexionar
- Presentar
- Representar
- Compartir

Así, las ideas más ligadas a las redes sociales se enlazan de forma cada vez más significativa con los entornos virtuales de aprendizaje (PLE). Para Adell (2013), además, implican una relación directa con las perspectivas constructivistas del aprendizaje.

3. Análisis de necesidades

3.1. La necesidad de un cambio

Lo primero que se observa es la necesidad de un cambio profundo en los escenarios de aprendizaje en su conjunto.

Durante el 2010, la Comisión Europea puso en marcha, en el marco de la estrategia Europa 2020, una iniciativa cuyo propósito era orientar el desarrollo de competencias tecnológicas para alcanzar los objetivos económicos y sociales de la Unión Europea a largo plazo. La Agenda Digital Europea, como parte de este programa, surge a partir de la relevancia que tienen las tecnologías, específicamente Internet, como herramienta para la obtención de beneficios de carácter sostenible.

Esto significa que las tecnologías significan todavía un reto para la sociedad en general, una necesidad para la educación y para el aprendizaje. A pesar de formar parte de nuestra vida social y cotidiana, debemos seguir priorizando una alfabetización mediática y digital para poder aprovechar y utilizar los medios en nuestro proceso de crecimiento (Bartolomé y Grané, 2013).

Así pues, a pesar de las potencialidades de los medios los dispositivos móviles, y pensando que las TIC son algo mucho más potente que un libro o un lápiz (Gros, 2012), todavía se asiste a acciones educativas basadas en determinismos que plantean que los dispositivos digitales y móviles sirven para: crear comunidades de aprendizaje, aprender diferente, trabajar colaborativamente, ser más creativos, centrarse en el alumno, etc.

En nuestro entorno siguen fracasando cada año, en cada proyecto, y en cada dotación del Estado, los intentos de integración de tecnologías en ambientes educativos, porque se mantienen metodologías tradicionales, dirigidas, y centradas en los contenidos, que no permiten el desarrollo y crecimiento personal de los alumnos. Y se perpetúa la necesidad de enlazar la realidad de la vida social y cultural de los niños y de los jóvenes con la vida académica, que se mantiene aparte y descontextualizada. El cambio por lo que respecta al modo como los educadores abordan la educación formal es cada vez más necesario.

En la era de la abundancia de información (Weller, 2011) no es posible seguir abordando la educación basada en contenidos. Sin un cambio de modelo educativo, no existirá un uso potencial de los nuevos entornos para el propio aprendizaje y para el avance social. Los estudios basados en el aprendizaje mejorado por la tecnología (TEL, Technology-Enhaced Learning) solo tienen sentido desde una perspectiva del aprendizaje más global, abierta, activa, participativa, y enlazada con cada contexto.

En ese sentido, las aportaciones de Prensky (2011) son una fuente de inspiración para los educadores, que se dan cuenta que no se puede seguir trabajando con los mismos métodos en un entorno rico en tecnología como el actual, y donde la información está a un solo click (Adell y Castañeda, 2013). El concepto de co-asociación es clave en cualquier entorno educativo, especialmente formal, pero todavía es más importante que seamos capaces de una vez de dejar de lado las respuestas y empezar a aprender a hacer preguntas y proponer retos a nuestros alumnos.

3.2. Grandes interrogantes

Como conclusión a todo ello, podemos concluir que la principal necesidad de los espacios de aprendizaje hoy estaría en poder responder a los interrogantes que nos plantea un contexto basado en los nuevos procesos de comunicación y generación de la información. Podríamos plantear, entre otros, los que desarrollamos en los siguientes epígrafes.

3.2.1. ¿Quién define el currículum?

En los niveles obligatorios es el Gobierno quien define el currículum. En España incluso es un tema de controversia entre los gobiernos autonómicos y Estatal. Es interesante recordar que, hace más de 40 años, la Ley General de Educación dejaba en manos de los propios profesores la definición del contenido curricular de algunas materiales como Ciencias Sociales. En niveles superiores el currículum lo define la institución; o, en última instancia el profesor. Pero, ¿es esto coherente con el panorama de una sociedad del aprendizaje, de los MOOC, de las redes de aprendizaje que hemos visto anteriormente?

Lejos de representar un problema de aprendizaje, esta cuestión se ha convertido en la clave del reconocimiento y la acreditación de aprendizajes. El modelo actual basado en un reconocimiento oficial proporcionado por instituciones o autoridades fue válido en su momento; pero, en una sociedad con acceso instantáneo a la información y a los datos, ¿este modelo centralizado sigue siendo la solución?

A nivel del profesor o del centro, ¿sigue teniendo sentido que un docente programe las actividades para sus alumnos, las mismas para todos? Incluso si realiza un esfuerzo por adaptarse a las diferencias individuales, lo cual hoy ciertamente no se da en la mayoría de casos, ¿por qué ha de ser el profesor el que decida qué debe realizar el alumno cuando precisamente lo que se intenta es que cada individuo desarrolle su propia capacidad para autorregular el aprendizaje? (Steffens y Underwood, 2008; Carneiro, Lefrere, Steffens y Underwood, 2011).

3.2.2. ¿Cuál ha de ser la estrategia ante los cambios en el modo de conocer?

Hay que referirse específicamente a la superficialidad del conocimiento, esa que se genera cuando apenas vistos el primer minuto de un vídeo se envía el *tweet* sin haber completado el visionado, esos artículos leídos apenas parcialmente, esas ideas captadas de modo superficial y sin analizar en profundidad o conocer los detalles del problema.

Es ingenuo retomar el viejo tópico que ve los tiempos pasados como mejores y tratar de forzar a los estudiantes a actuar como lo hicieron generaciones anteriores. No es que la tecnología nos haga superficiales: es el exceso de información el que nos obliga a conocer de un modo diferente. No podemos ni imaginar el problema cuando una máquina pueda diseñar máquinas más inteligente que ella misma, es decir, cuando llegue la *singularidad* y las máquinas nos superen. Ahora es posible todavía pensar en modos de organizar la información que permita el acceso en las condiciones actuales, por ejemplo, el diseño hipertextual. También puede pensarse en la inteligencia colectiva, cuando es el conocimiento colectivo el que permite a la Humanidad avanzar a pesar de la clara insuficiencia de los conocimientos individuales. ¿Cómo puede esto compaginarse con una escuela en la que priva el individualismo (las calificaciones y acreditaciones son generalmente específicas para cada individuo)?

La dimensión social del conocimiento apenas aparece en nuestro sistema educativo detrás de la dimensión colaborativa en algunas actividades, pero no como el gran salto actual en relación con el conocimiento. Por supuesto, las aproximaciones actuales de la inteligencia artificial no son tomadas en cuenta en absoluto. Si el sistema educativo no cambia, habrá que concluir que la singularidad representará el fin de nuestra especie.

3.2.3. ¿Cómo deben los estudiantes entender el acceso a la información?

A un nivel más elemental, cuando únicamente se considera el acceso a la información, los profesores todavía poseen una visión del conocimiento como algo fijo, inamovible o al menos tan lento en los cambios que el acceso a la información es más una repetición de acceso que una acción continuamente cambiante. Los profesores recomiendan a sus estudiantes qué leer (qué información recoger) cuando esa recomendación cambia rápidamente y cuando el estudiante debe desarrollar su propia capacidad para acceder a ella tomando decisiones.

El problema adopta a veces características pintorescas: los diseñadores de cursos y los docentes ofrecen enlaces a los estudiantes, enlaces que en proporciones quizás superiores al 10% habrán dejado de funcionar un año más tarde.

Los profesores piensan entonces en su deber de guiar al estudiante entre tanta información errónea, quizás añorando la vieja pretensión de Dominique Wolton (2001) de crear un comité de periodistas que censuren Internet. Todo funciona sobreentendiendo que esa información está ahí fija y no que, cuando los estudiantes vayan a necesitarla, les será más útil saber buscarla y valorarla que poseer unas referencias quizás desaparecidas.

Los profesores todavía piensan en el libro de texto, en papel o digital, en la Red o en el aula, cuando es precisamente ese libro texto el que desprofesionaliza al profesorado, subordinándolo a un contenido preestablecido, distanciado los aprendizajes del resto de aprendizajes (aprendizaje ubicuo) ajenos al aula (Lopez Hernández, 2007).

¿Cómo plantear la enseñanza en el marco de un mundo saturado de información cambiante, inabarcable? No ciertamente con las viejas recetas del siglo xix.

3.2.4. ¿Debe seguir citándose a los autores?

La pregunta, así planteada, suena incluso a herejía. Pero su trasfondo es más grave de lo que aparenta. La cita respetuosa a los autores, algo sagrado en el mundo académico, se basa en una concepción de obra cerrada, fija, inalterable. Esto resulta sorprendente en un mundo donde Google llega a definir sus herramientas como versiones beta permanentes (en constante proceso de desarrollo).

Incluso si un autor se plantea su obra como dinámica, ¿dónde quedan la autoría social y la construcción colectiva del conocimiento? El individualismo ha primado en el mundo de la ciencia y del arte aun cuando numerosos ejemplos han mostrado y muestran cada día que esos avances no han sido fruto de un individuo, sino que se producen de modo simultáneo y gracias al avance colectivo. No obstante, resulta más atractivo poner un nombre propio, quizás emulando algún proceso de identificación.

Los profesores no pueden ser ajenos a lo que representa el movimiento de código abierto, no identificable con programas gratuitos, sino con una creación abierta a ser recreada, a ser adaptada y a ser mejorada. El significado de la «copia», tan claro y denostado en el mundo académico, pierde sentido en la red.

Al tratarse de un tema tan sensible, estas líneas son insuficiente para abordar esta cuestión, que al menos debe quedar como un punto de interrogación para docentes de mentes abiertas.

4. Análisis de potencialidades

Los nuevos escenarios de aprendizaje se presentan cargados de potencialidades. Pero habría que clarificar sus configuraciones y las competencias docentes necesarias para desenvolverse en ellos.

En el diseño de cada uno de los escenarios, lo fundamental no es la disponibilidad tecnológica, también debe atenderse a las características de los otros elementos del proceso didáctico y en especial al usuario del aprendizaje. La investigación debe atender, por tanto, tanto al estudio de las configuraciones tecnológicas, como la las competencias para desenvolverse en ellas de los actores.

4.1. De los EVEA a los iPLE

Los entornos virtuales de enseñanza-aprendizaje que utilizan las instituciones y que se pueden caracterizar como escenarios de la web 1.0 se construyen sobre aplicaciones para la gestión de los entornos virtuales de aprendizaje (los llamados LMS).

Desde la perspectiva pedagógica, a pesar de que supusieron avances y dieron lugar a muchas experiencias innovadoras, han estado siempre preferentemente orientados a la producción y, sobre todo, a la distribución de contenido.

Dejando de lado el abanico de posibilidades que incorporan a los procesos formativos formales, hay que señalar que estas aplicaciones para la gestión de los entornos virtuales de aprendizaje, sean comerciales o de software libre, se centran primeramente en la administración del curso antes que en la interacción bidireccional profesor-alumno. Pocas de las aplicaciones integradas –LMS– han sido diseñadas desde una visión sistémica fundada en las teorías del aprendizaje. Las más usuales responden bien cuando el aprendizaje se define en términos de transmisión de conocimiento, ya que el elemento central es el diseño del contenido más que el diseño del proceso de aprendizaje. Esto se corresponde muy bien con la práctica habitual en los EVEA de poner contenido en web y que permite utilizar estrategias didácticas muy planificadas y predefinidas. Pero si se define el aprendizaje como construcción de conocimiento en lugar de transmisión, entonces el aprendizaje se convierte en una actividad que principalmente proporciona significados y en la que el estudiante busca construir una representación mental coherente a partir del material presentado. En estos casos, se observan limitaciones por parte de las distintas plataformas, sean de software propietario o sean de software libre (De Benito y Salinas, 2008; Salinas, 2009a).

En efecto, los EVEA institucionales replican la percepción de la enseñanza tradicional mediante la distribución de contenidos *online*, y permiten la creación y la distribución de contenido, el envío de correos y de anuncios y la comunicación mediante chats y foros. Todo ello en un entorno seguro y controlado (desde le punto de vista del profesor).

Estas limitaciones, presentes en los entornos virtuales institucionales, en algún caso parecen debidas a un cierto estancamiento en su utilización –masa crítica en número de cursos, penetración real en las actividades formativas, compromiso de formadores y estudiantes, modelos didácticos inadecuados, etc.–, pero en gran parte están asociadas a la rigidez de las plataformas para adaptarse a nuevos modelos que orienten el proceso de formación (Salinas, 2009a). Como limitaciones pueden destacarse:

- Incorporan modelos obsoletos de enseñanza.
- Sitúan al profesor en el centro del proceso en lugar de al alumno.
- No se integran con las herramientas y con los entornos que usan habitualmente alumnos y profesores.
- Son fundamentalmente cerrados (no atienden al aprendizaje en red).
- Aíslan a los actores del exterior.
- No motivan a los alumnos a tomar la responsabilidad sobre su propio aprendizaje, sobre las herramientas y sobre la alfabetización digital.

Estos entornos virtuales de enseñanza-aprendizaje, que se etiquetan como institucionales, incorporan este tipo de componentes tecnológicos, pero sobre todo componentes organizativos y pedagógicos. También incorporan limitaciones para el despliegue de metodologías centradas en el alumno.

Los avances tecnológicos y los cambios en los usos sociales de las tecnologías de red han propiciado la diversificación de espacios de comunicación y aprendizaje. Así, suele hablarse de entorno social de aprendizaje, que apoyado en una rápida evolución del software social está permitiendo nuevas formas de interacción y comunicación más horizontales, y que configuran otros entornos como redes sociales y comunidades virtuales que toman cada vez mayor importancia. Aunque en muchos casos ello responde más a un fenómeno de moda en la red y debe ser considerado con precaución, es indudable que aportan grandes posibilidades de formación y, por ello, deben ser abordado desde la investigación. Aquí, parece necesario estudiar el fenómeno por cuanto canaliza variadas formas de aprendizaje no formal y sobre todo informal.

En la intersección de ambos fenómenos pueden situarse los entornos personales de aprendizaje, que se presentan como un sistema bisagra donde integrar el entorno virtual institucional en el que estamos distribuyendo cursos y asociado preferentemente al aprendizaje formal, y este entorno más informal que ofrecen redes sociales y comunidades virtuales de aprendizaje para construir las propias redes personales de conocimiento (*personal knowledge networks*, PKN) (Chatti, 2009; Salinas, 2009c).

Si el entorno social y el personal se dan sobre todo en el ámbito informal, los entornos institucionales se sitúan todavía en el ámbito formal. Encontramos tendencias a integrar lo formal, no formal e informal. Entre ellas, encontramos trabajos que se ocupan del estudio y del desarrollo de artefactos y experiencias que integren los distintos entornos mediante iPLE: Wilson et al. (2009); Taraghi, Ebner, y Schaffert, (2009); Santos y Pedro (2010); Casquero et al. (2010); White y Davis (2011). En nuestro caso, los primeros avances se han desarrollado de acuerdo a lo que hemos dado en llamar de forma provisional «modelo de aprendizaje flexible» (Salinas, Marin y Escandell, 2011).

Estos planteamientos pretenden, en esencia, incorporar aspectos del ámbito informal y no formal en los entornos formales, al mismo tiempo que facilitan el uso de metodologías centradas en el alumno; y, para ello, lo hacen desde una concepción de las instituciones educativas como instituciones de gestión del conocimiento. Esta integración está facilitada por el uso de redes sociales que pueden superar los límites institucionales, y, sobre todo, por el uso de los nuevos protocolos de red (P2P, servicios web, cloud, sindicación, etc.) para conectar un rango de recursos y sistemas en un espacio gestionado personalmente. La idea responde bien al concepto de ecología de aprendizaje (Siemens, 2006), entendiendo como tal un entorno que apoya y promueve el aprendizaje y que puede caracterizarse por ser adaptativo, dinámico, auto-organizado y dirigido individualmente; estructurado informalmente; diverso, vivo.

A nuestro criterio, estos nuevos entornos se caracterizan por incorporar posibilidades de personalización del entorno desde la visión del estudiante y también del profesor, por la modularización del entorno de modo que cada profesor pueda incorporar aquello que se adecua mejor a sus planteamientos metodológicos y por requerir nuevas competencias de los actores, como ya se ha señalado.

Una de ellas, que se vuelve imprescindible, viene a ser la gestión personalizada de la información. En efecto, el aumento de la autonomía del alumno añade a la superación de las barreras de la distancia y el tiempo para acceder al aprendizaje una mayor interacción y la oportunidad de compartir el control de las actividades de aprendizaje mediante la intercomunicación en un marco de apoyo y colaboración. Y, entre estos aspectos, consideramos que debe atenderse a los desarrollos relacionados con la gestión personal de la información (*personal information management*, PIM) como uno de los procesos clave en los sistemas de gestión del conocimiento en el ámbito del aprendizaje.

La integración de los entornos virtuales de aprendizaje en este marco contribuye a invertir la tendencia de alumnos que se adaptan al sistema para ir hacia un sistema cada vez más adaptado al alumno. En la línea de Mott y Wiley (2009) al proponer la red de aprendizaje abierto (OLN), un híbrido de CMS y el ambiente de aprendizaje personal (PLE), la idea es avanzar en una alternativa a los entornos institucionales para aprovechar las potencialidades de la Web en la mejora del aprendizaje.

Todo esto responde a conceptos con cierta tradición que hacen referencia al aprendizaje abierto y a los modelos de educación flexible (Van Den Brade, 1993; Tait, 1999; Moran y Myringer, 1999; Salinas, 1999; Collis y Moneen, 2001; Fallows y Bhanot, 2002). Con independencia de que la enseñanza sea presencial o a distancia, atribuyen al alumno la posibilidad de participar activamente en la toma de decisiones sobre el aprendizaje y suponen una nueva concepción tanto en la organización administrativa, como de los materiales y sistemas de comunicación y mediación, y sobre todo, de las metodologías por implantar.

4.2. Las competencias docentes para los nuevos escenarios

No puede separarse el análisis de los escenarios de aprendizaje de las competencias necesarias para desenvolverse en ellos en la práctica del proceso enseñanza-aprendizaje de los actores, especialmente en los profesores (Marin et al., 2007, 2012; Couros, 2010; Castañeda y Adell, 2011).

Los escenarios de aprendizaje situados entre la web 1.0, el *blended learning* y los escenarios del futuro, requieren una pericia por parte de los profesores en relación con:

- los modelos de puesta a distancia de la formación.

- los dominios de la producción y distribución de contenidos y de recursos a distancia.
- los efectos psico-sociológicos de los dispositivos síncronos y asíncronos sobre el aprendizaje.
- sobre los mismos dispositivos.

Atendiendo a estos aspectos puede entenderse que los avances en los modelos de actualización del profesorado se convierten en un tema de investigación inseparable del diseño y del desarrollo de nuevos escenarios. Disponemos de modelos surgidos de la investigación (TPACK, sería un caso emblemático), pero puede ser necesario seguir trabajando en este terreno para no perder el paso de los avances tecnológicos.

Estos desafíos están requiriendo un perfil permanentemente en cambio de los docentes. Se trata de manejarse en ambientes que al mismo tiempo que incorporan estos tipos de aprendizaje van a requerir nuevas competencias para manejarse en el e-Learning:

- Un e-Learning inclusivo: maestría de los dispositivos de aprendizaje en entornos digitales, en el proceso de trabajo.
- Un e-Learning extensivo: maestría de la ergonomía cognitiva sobre soportes móviles, en entornos físicos de transición.
- Un e-Learning contributivo: maestría de las dinámicas de contribución y de reputación digital en las redes sociales.

Se trata de un docente caracterizado por la conectividad que facilita el manejo adecuado de la *affordance* pedagógica, un nuevo manejo del conocimiento y de la construcción de redes o entornos personales de aprendizaje. Para Wheleer (2011), este docente estaría caracterizado por:

- La *curación* del contenido (filtro, manejo…)
- La colaboración
- El co-aprendizaje
- La facilitación
- El apoyo al aprendizaje
- La inspiración

Cualquier avance hacia nuevos escenarios va a requerir un nivel reseñable de dominio de los profesores respecto a las competencias pedagógicas asociadas. Si consideramos la enseñanza como el diseño de situaciones y experiencias de aprendizaje, como guía y facilitación del uso de recursos y herramientas necesarias para explorar y elaborar nuevo conocimiento y destrezas, actuando el profesor como gestor de la pléyade de recursos de aprendizaje y acentuando su papel de orientador en lugar de entenderla como mera transmisión mecánica de contenidos (Salinas, Pérez y de Benito,

2008), entonces va a ser necesario manejarse con soltura en los distintos modelos de puesta a distancia, cierta maestría en la producción y en la distribución de contenidos y recursos para situaciones diversas (*blended*, a distancia, etc.); dominio de distintos aspectos relacionados con los dispositivos, así como conocimiento de los efectos de estos dispositivos sobre el aprendizaje. Paradójicamente, en estas metodologías centradas en el alumno el papel del formador presenta una mayor complejidad.

4.3. Los desafíos

Tanto desde el terreno de los escenarios de aprendizaje, como desde el de los modelos y del desarrollo de competencias pedagógicas para el mundo digital, la actual situación de investigación se enfrenta a distintos desafíos. Desafíos que provienen de una nueva forma de entender el aprendizaje a lo largo de la vida, a lo largo del trabajo, y con los otros (en un mundo digital). Es decir, el futuro próximo se está caracterizando por un aprendizaje embebido, continuo y basado en el aprendizaje social:

- Aprendizaje embebido, por cuanto cada vez toma mayor importancia la formación a lo largo del trabajo, dentro del trabajo, sin solución de continuidad.
- Aprendizaje continuo, asociado a una gestión personal del aprendizaje, sin solución de continuidad en el tiempo y en el espacio, que disminuye la diferencia entre vivir, trabajar y aprender.
- Aprendizaje social, desde el momento que existe una organización colectiva y contributiva del aprendizaje, con valorización de los aportes y del apoyo entre pares.

Se trata, en definitiva, de un aprendizaje caracterizado por una creciente porosidad, aspecto importante desde el punto de vista de la investigación, que se presenta entre distintos escenarios, y que puede observarse entre lo real y lo virtual, entre jugar y aprender, entre formarse e informarse (o mejor gestionar información), entre vivir, trabajar y aprender.

Los iPLE requieren imaginar nuevos espacios comunicativos que puedan albergar los distintos tipos de aprendizaje. Al mismo tiempo que incorporan estos tipos de aprendizaje, van a requerir nuevas competencias para manejarse en ellos. Abordados desde la investigación, vamos a encontrar temas que no son nuevos, pero que adquieren nueva importancia en este contexto de la comunicación y de la interacción a caballo entre contextos presenciales y digitales, al contribuir a que el estudiante acomode sus formas de comunicación, se apropie del nuevo entorno y lo domine, para que se produzca el aprendizaje, la construcción personal del conocimiento, la realidad del conocimiento compartido.

Los desafíos que estamos describiendo ponen en el centro de la agenda de investigación el estudio, la reflexión, el diseño y el desarrollo de entornos de aprendizaje, el cambio de modelos en la actualización de los profesores que den cabida a este nuevo perfil docente. Pero, al mismo tiempo, se observa la necesidad de propuestas y conocimiento de las metodologías centradas en el alumno en estos entornos virtuales y la búsqueda de un nuevo modelo pedagógico que se ajuste a la concepción de las instituciones como instituciones de gestión de conocimiento.

Es imprescindible avanzar desde los modelos que describen la enseñanza como un proceso técnico y que considera al profesor como un simple ejecutor al que hay que equipar de competencias y habilidades para aumentar su eficacia por medio de los recursos (desplegando lo que se ha denominado metodologías «genéricas»), hacia modelos más abiertos que ven la enseñanza como un espacio de saber y conocimiento y como un espacio sociopolítico en el que el conocimiento se selecciona, se legitima y se distribuye a los sujetos diferencialmente y que ve al profesor como un profesional dotado de capacidad de decisión y juicio, y capaz de reconstruir su propia práctica críticamente y de incluir los medios de un modo creativo (metodologías «específicas») (Salinas, 2009c). En definitiva, con las estrategias centradas en el alumno se trata de motivarlos a aprender de una forma nueva y poco familiar, y en el caso del aprendizaje en red, utilizando un abanico de herramientas y técnicas muy diversas y, a veces, poco conocidas (Salinas, 2004; Prendes, 2007).

Para poder incorporar metodologías centradas en el alumno, metodologías más artesanales desde la perspectiva del docente, dichos entornos tendrán que responder a planteamientos abiertos, flexibles, como se ha señalado. Se espera que en los EVEA abiertos puedan generarse propuestas curriculares y didácticas flexibles adaptables a las características del usuario, que amplíen su conocimiento y estimulen la investigación y la autonomía del alumno. Es decir, que potencien la interacción, la conversación y el aprendizaje social, el desarrollo profesional y personal continuo y que le permitan establecer conexiones a nivel global.

Es imprescindible, por tanto, atender al modelo de enseñanza-aprendizaje que subyace, y esto requiere una nueva mirada sobre los modelos pedagógicos, un fuerte apoyo de tecnologías, cambios importantes en la organización tanto administrativa, como de los materiales y sistemas de comunicación y mediación.

No tiene sentido hablar de metodologías centradas en el alumno sin considerar su protagonismo en su propio proceso de aprendizaje –núcleo central de la educación flexible, ya señalado en el capítulo primero al hablar del control– y en el conjunto de decisiones en las que se ve implicado (Salinas, 2004). Las estrategias didácticas centradas en el alumno se inclinan más hacia este último y representan alternativas a partir de las cuales el profesor puede elegir una nueva metodología de enseñanza basada en el trabajo activo, en la autonomía y en la flexibilidad, donde el alumno sea el protagonista de su formación.

En este contexto, consideramos relevante investigar sobre las posibilidades que la integración de los sistemas para la gestión del conocimiento ofrecen para desarrollar nuevas modalidades en los procesos de enseñanza-aprendizaje en entornos virtuales. Y la pregunta de debería plantearse sería cómo logramos la adecuada combinación de elementos pedagógicos, tecnológicos y organizativos del escenario de aprendizaje que estamos construyendo. La preocupación es, pues, de corte metodológico: la idea es que se logra mayor calidad desplegando aquellas estrategias didácticas que mejor respondan a las características del usuario, al conocimiento con el que estamos trabajando, a la organización y al contexto donde nos movemos, utilizando herramientas software que faciliten la interacción y estructuras de información y conocimiento.

Todo esto requiere procesos de experimentación y validación de herramientas software, pero también de metodologías y formas de implantación de sistemas de enseñanza flexible. Por ello, para lograrlo necesitamos conocer, experimentar y validar –en su componente pedagógica– las distintas herramientas y recursos susceptibles de configurar los nuevos escenarios de aprendizaje.

4.4. Cómo las TIC nos pueden ayudar

Trabajar desde esta perspectiva de entornos y escenarios de aprendizaje diversos, sociales y personales debe ayudarnos a superar problemáticas concretas de nuestros sistemas y modelos pedagógicos actuales. Los educadores podemos pensar que las TIC nos pueden ayudar a:

- Repensar la educación desde un paradigma activo y abierto, que considere el hecho de aprender como un proceso social pero a la vez profundamente personal y, por ello, personalizable, donde cada uno puede hallar su ruta y su ritmo, sus entornos y herramientas para el avance propio y colectivo.
- Analizar de forma sistemática los procesos cognitivos que permiten el aprendizaje en diferentes ámbitos. Enlazar cada vez más los conocimientos desde la psicología que nos permitan comprender los procesos de adquisición de conocimiento.
- Diseñar y desarrollar las herramientas, los entornos, los recursos que pueden ser clave en este proceso de aprendizaje, como ayuda o como organizadoras de dicho proceso. Evitar estandarizaciones y adecuar los recursos a cada proceso, a cada grupo, a cada situación, o a cada persona. Un reto para los educadores es ser capaces de construir con los alumnos y para ellos los recursos y los contenidos adecuados, que

ofrezcan un uso real de las potencialidades del medio y que atiendan a las necesidades de aprendizaje; y ser capaces de enseñar a crear a nuestros alumnos, a construir sus propios contenidos, y sus propios escenarios de aprendizaje.

- Investigar en profundidad y con rigor metodologías didácticas que promueven un aprendizaje real.
- Analizar las potencialidades de las tecnologías emergentes en ambientes de aprendizaje propiamente y en escenarios donde se produce aprendizaje, ya sean profesionales, sociales, culturales o de entretenimiento.
- Desarrollar análisis de perfiles de usuarios de TIC (dispositivos, redes sociales, recursos digitales, plataformas, herramientas, etc.) y análisis de perfiles de aprendices. Establecer entre estos perfiles correlaciones o causalidades que nos ayuden a conocer mejor las posibilidades más efectivas.
- Acceder por medio de la explotación de los datos a información que nunca antes tuvimos, y hacer significativos algunos procesos de aprendizaje gracias a la validación mediante analíticas de aprendizaje.
- Diseñar sistemas de evaluación de los aprendizajes totalmente ligados a las necesidades de aprendizaje y a su aplicabilidad en cada campo.

Referencias documentales

Adell, J. (2013). Los MOOC, en la cresta de la ola. *Edu & tec*. 19-03-2013. http://elbonia.cent.uji.es/jordi/2013/03/19/los-moocs-en-la-cresta-de-la-ola/

Adell, J. y Castañeda, L. (2013). El ecosistema pedagógico de los PLEs. En L. Castañeda y J. Adell (Eds.), *Entornos Personales de Aprendizaje*: Claves para el ecosistema educativo en red (pp. 29-51). Alcoy: Marfil.

Attwel, G. (2009). *Personal Learning Environments: The future of education?*. http://www.pontydysgu.org/2009/01/personal-learning-environments-the-slidecast/

Azcárate, Patricio (1871). *Obras completas de Platon*. Madrid: Medina y Navarro Editores. http://www.filosofia.org/cla/pla/azc02261.htm

Babin, P. y Kouloumdjian, M.F. (1983). *Les nouveaux modes de comprendre. La génération de l'Audiovisuel et de l'Ordinateur*. Lyon: Éditions du Centurion.

Barker, John y Tucker, Richard (Ed.) (1990). *The Interactive Learning Revolution*. London: Kogan Page.

Bartolomé, A. y Grané, M. (2013). Interrogantes educativos desde la sociedad del conocimiento. *Aloma. Revista de Psicologia, Ciències de l'Educació i de l'Esport,*

31 (1), pp.73-82. ISSN: 1138-3194. http://www.revistaaloma.net/index.php/aloma/article/view/173/115

Bush, Vannevar (1945). As we may think. *The Atlantic Monthly., 176/*1, July, pp. 101-108.   http://www.theatlantic.com/magazine/archive/1945/07/as-we-may-think/3881/

Camacho, M. (2011). Mobile Learning: aproximación conceptual y prácticas colaborativas emergentes. UT. *Revista de Ciències de l'Educació*, Desembre 2011. Pag. 43-50. ISSN 1135-1438. http://pedagogia.fcep.urv.cat/revistaut

Carneiro, R., Lefrere, P., Steffens, K. & Underwood, J. (Eds.) (2011). Self-regulated Learning in Technology Enhanced Learning Environments: A European Perspective. *Technology Enhanced Learning, 5*. Rotterdam: Sense Publishers.

Carr, Nicholas (July 2008). «Is Google Making Us Stupid?». *The Atlantic 301* (6). http://www.theatlantic.com/magazine/archive/2008/07/is-google-making-us-stupid/6868/

Carr,Nicholas (2010). *The Shallows. What the Internet Is Doing to Our Brains*. New York: W.W.Norton.

Casquero, O., Portillo, J., Ovelar, R., Benito, M. and Romo, J. (2010) : iPLE Network: an integrated eLearning 2.0 architecture from a university's perspective. *Interactive Learning Environments, 18*, 3, 293-308. http://dx.doi.org/10.1080/10494820.2010.500553

Castañeda, L. & Adell, J. (2011) El desarrollo profesional de los docentes en entornos personales de aprendizaje (PLE). En Roig, R. y Laneve, C. *La práctica educativa en la sociedad de la información. Innovación a través de la investigación. La pratica educativa nella società dell'informazione. L'innovazione attraverso la ricerca.* Alcoy (España)-Brescia (Italia): Editorial Marfil & La Scuola Editrice. URL http://digitum.um.es/xmlui/bitstream/10201/24647/1/CastanedaAdell2011preprint.pdf

Cebrián, M. (2009). Comunicación interactiva en los cibermedios. *Comunicar 33*; 15-24. http://dx.doi.org/10.3916/c33-2009-02-001.

Chatti, M. A. 2009. *Mashup Personal Learning Environment*. http://www.google.com/reader/shared/06179808011277023861 10/4/2010

Cobo, Cristóbal y Pardo, Hugo (2007). *Planeta Web 2.0. Inteligencia colectiva o medios fast food*. México: Flacso. . http://www.planetaweb2.net/

Collis, B. y Moneen,J. (2001): *Flexible Learning in a digital world*. Kogan Page, London

Conole, G. (2008). Capturing practice: The role of mediating artefacts in learning design. In L. Lockyer, S. Bennett, S. Agostinho & B. Harper (Eds.), *Handbook of research on learning design and learning objects: Issues, applications and Technologies*, pp. 187-207). Hersey: IGI Global.

Couros, A. (2010). Developing Personal Learning Networks for Open & Social Learning. In Veletsianos, G. (Ed). *Emerging Technologies in Distance Education*. Edmonton: Athabasca University Press. http://www.aupress.ca/books/120177/ebook/06_Veletsianos_2010-Emerging_Technologies_in_Distance_Education.pdf

De Benito, B. (2006): : *Diseño y validación de un instrumento de selección de herramientas para entornos virtuales basado en la toma de decisiones multicriterio*. Tesis doctora inédita. Universitat de les Illes Balears, Palma de Mallorca

De Benito; B. y Salinas, J.(2008): Los entornos tecnológicos en la universidad .Pixel Bit. *Revista de Medios y Educación*. pp. 83 - 101.(España): 2008.ISSN 1133-8482

Fallows,S. y Bhanot, R.(2002) : *Educational Development Through Information and Communications Technologies*. Kogan Page, London

Ferderman, Mark (2005). *"Why Johnny and Janey Can't Read, and Why Mr. and Ms. Smith Can't Teach: The challenge of multiple media literacies in a tumultuous time."* Conferencia en la University of Toronto Senior Alumni Association, Toronto, November, 2005. http://individual.utoronto.ca/markfederman/WhyJohnnyandJaneyCantRead.pdf

Fontaine, Béatrice (1997) Who weaves the web? (Part II). *Agora, 8*, 12/1997. pp 8-9

Gelabert, J.; Moreno, J. y Salinas, J. (2010): Construcción de Entornos Personales de Aprendizaje por profesores universitarios. *The PLE Conference*. Barcelona.

Gros, B. (2012). Retos y tendencias sobre el futuro de la investigación acerca del aprendizaje con tecnologías digitales. *RED, Revista de Educación a Distancia, 32*. 30 de septiembre de 2012. Consultado el (6/11/2012) en http://www.um.es/ead/red/32

Iglesias, Severo (1969). *Prevención contra la razón*. La Habana: Organización Continental Latinoamericana de Estudiantes.

Juwah,C. (2006): Interactions in Online Education (Open & Flexible Learning). *Open & Flexible Learning series*. Routledge, London

Koper, R., (2004). Learning technologies in e-learning: An integrated domain model. In Jochems, W., Van Merrienboer, J., & Koper, R. (Eds.), *Integrated e-Learning: Implications for Pedagogy, Technology and Organization*, pp. 64–79). London: Routledge.

López Hernández, A. (2007). Libros de texto y profesionalidad docente. Avances en Supervisión educativa, *Revista de la Asociación de Inspectores de Educación de España*, 6, junio 2007. http://adide.org/revista/index.php?option=com_content&task=view&id=202&Itemid=47

Laouris, Y. & Eteokleous, N. (2005). We need an educationally relevant definition on mobile learning. Presentado en: *mLearn 2005 4th World conference on mLearning. Conference*. Cape Town: South Africa.

Marín, V. & Romero, A. (2007). Las redes de comunicación para el aprendizaje y la formación docente universitaria. *Edutec, Revista Electrónica de Tecnología Educativa, 23*, 1-11. Disponible en http://edutec.rediris.es/Revelec2/revelec23/marin_romero/marin_romero.html.

Marín, V., Vázquez, A.I., Llorente, M.C. & Cabero, J. (2012). La alfabetización digital del docente universitario en el Espacio Europeo de Educación Superior. *Edutec, Revista Electrónica de Tecnología Educativa, 39*. http://edutec.rediris.es/Revelec2/Revelec39/alfabetizacion_digital_docente_universitario_EEES.html

Marín, V. & De Benito, B. (2011). A design of a postgraduate course on Google Apps based on an Institutional Personal Learning Environment (iPLE). *The PLE Conference 2011*. Southampton, UK. Retrieved from http://journal.webscience.org/652/

Mason, R., Rennjie, F. (2008): *E-learning and Social Networking Handbook*. Resources for Higher Education. Routledge

Moran, L. & Myringer, B. (1999). Flexible learning and university change. In Harry,K. (ed.): *Higher Education Through Open and Distance Learning*. London: Routledge

Mott, J., & Wiley, D. (2009): Open for Learning: The CMS and the Open Learning Network. In *Education - Technology & Social Media, 15(2)*.http://ineducation.ca/article/open-learning-cms-and-open-learning-network

Nielsen, Jakob (1990). *Hypertext and Hypermedia*. London: Academic Press, Inc.

O'Reilly, Tim (2005). *What Is Web 2.0. Design Patterns and Business Models for the Next Generation of Software*. O'Reilly Network. http://www.oreillynet.com/pub/a/oreilly/tim/news/2005/09/30/what-is-web-20.html

Paulsen, M. F. (2004). *Online Education*. Public Services Review: Nordic States.

Piscitelli, Alejandro (2010). Post-Gutenberg es Pre-Gutenberg. Quinientos años de textualidad son suficientes. En *Filosofitis*. http://www.filosofitis.com.ar/2010/05/24/post-gutenberg-es-pre-gutenberg-quinientos-anos-de-textualidad-son-suficientes/

Popper, Karl (1972).*Objective Knowledge: An Evolutionary Approach*. Osford: University Press.

Postman, Neil (1985). *Amusing Ourselves to Death: Public Discourse in the Age of Show Business*. USA: Penguin.

Prendes, M.P. (2007). "Internet aplicado a la educación: estrategias didácticas y metodologías". Cabero, J. (coord.). *Nuevas tecnologías aplicadas a la educación*. Madrid. McGraw-Hil. 205-222.

Prensky, M. (2011). *Enseñar a nativos digitales*. Madrid:Ediciones SM

Revueltas, José (1969). *Consideraciones sobre la autogestión académica*. México: Ediciones Anteo.

Salinas, J. (1995): Organización escolar y redes: Los nuevos escenarios del aprendizaje. En CABERO,J. y MARTINEZ,F. (Coord.): *Nuevos canales de comunicación en la enseñanza*. Centro de Estudios Ramón Areces, MAdrid. 89-117

Salinas, J. (1999) : Enseñanza flexible, aprendizaje abierto. Las redes como herramienta para la formación. *Edutec, Revista Electrónica de Tecnología Educativa, 10*. http://edutec.rediris.es/Revelec2/Revelec10/revelec10.html

Salinas, J. (2004): Cambios metodológicos con las TIC. Estrategias didácticas y entornos virtuales de enseñanza-aprendizaje. *Bordón 56* (3-4). 469-481

Salinas, J. (2005): Nuevos escenarios de aprendizaje .Grupo CIFO: *IV Congreso de Formación para el Trabajo*.pp. 421-431. IFES, Fundación Forcem y Universidad de Vigo,2005.

Salinas, J. (2009a): Hacia nuevas formas metodológicas en e-learning. Formación XXI. *Revista de Formación y empleo, 12* abril 2009. < http://formacionxxi.com/porqual-Magazine/do/get/magazineArticle/2009/03/text/xml/Hacia_nuevas_formas_metodologicas_en_e_learning.xml.html>

Salinas, J. (2009b): Innovación educativa y TIC en el ámbito universitario: Entornos institucionales, sociales y personales de aprendizaje. *II Congreso Internacional de Educación a Distancia y TIC*. Lima, Perú, 2009

Salinas, J. (2009c). Modelos emergentes en entornos virtuales de aprendizaje. *Congresso Internacional Edutec 2009*: Sociedade do Conhecimento e Meio Ambiente: Sinergia Científica. Manaus (Br). http://gte.uib.es/pape/gte/content/modelos-emergentes-en-entornos-virtuales-denseñanza-aprendizajeprendizaje

Salinas, J., Marín, V., & Escandell, C. (2011). A Case of an Institutional PLE: Integrating VLEs and E-Portfolios for Students. *The PLE Conference 2011*. Southampton, UK. Retrieved from http://journal.webscience.org/585/

Salinas, J.; Pérez, A. y de Bento, B. (2008): *Metodologías centradas en el alumno para el aprendizaje en red*. Síntesis, Madrid.

Salmon,G. (2004): E-Moderating . *The Key to Teaching and Learning Online* . Ed. RoutledgeFalmer (UK)

Santamaria, F. (2013). Análisis del aprendizaje: práctica emergente para un diseño instruccional en un mundo de datos interconectados. *Textos: Revista Internacional de Aprendizaje y Cibersociedad. 17,* 1 (2013). ISSN 1577-3760. http://bit.ly/ZkpetT

Santos, C., & Pedro, L. (2010). What's the role for institutions in PLEs? The case of SAPO Campus. *The PLE Conference 2010*. http://www.slideshare.net/csantos/whats-the-role-for-institutions-in-ples-the-case-of-sapo-campus

Sauerberg, Lars Ole (2009). The Encyclopedia and the Gutenberg Parenthesis. Ponencia en *Media in Transition 6: stone and papyrus, storage and transmission*, April 24-26, 2009 Massachusetts Institute of Technology in Cambridge, MA, USA

Sharples, M. et al. (2007). An evaluation of MyArtSpace: A mobile learning service for school museum trips. En *Proceedings of 6th Annual Conference on Mobile Learning mLearn*. University of Melbourne.

Siemens, G. (2006). *Knowing knowledge*. http://www.knowingknowledge.com

Steffens, K. & Underwood, J. (2008). Self-regulated learning in a digital world. *Technology, Pedagogy and Education, 17* (3), 167-170.

Tait,A. (1999): "The convergence of distance and conventional education. Some implications for policy". En Tait,A. Y Mills,R. (eds.): *The Convergence of Distance and*

Conventional Education. Pattenrs of flexibility for the individual learner. Routledge, New York. 141-149.

Taraghi, B., Ebner, M., & Schaffert, S. (2009). Personal Learning Environments for Higher Education: A Mashup Based Widget Concept. Proceedings of the Second *Workshop on Mashup Personal Learning Environments* (MUPPLE09). In conjunction with the 4th European Conference on Technology-Enhanced Learning (Nice, France): V. 506, 1-8.

Traxler, J. (2005). Defining Mobile Learning, in *IADIS International Conference Mobile Learning 2005.* Malta, pp. 261-266.

Van den Brande, L. (1993): *Flexible and Distance Learning.* John Wiley $ Sons, Chicherter (UK).

Weller, M. (2007) : *Virtual Learning Environments: Using, Choosing and Developing Your VLE.* Routledge, London

Wheleer, S. (2011): Learning and teaching in the digital age. *8° International Teacher Training Seminar,* Barcelona.

Wenger, E.; McDermott, R.; Zinder, W. (2002): *Cultivating communities of practice. A guide to managing knowledg.* Harvard Business School Press.

White, S., & Davis, H. C. (2011). Rich and personal revisited: translating ambitions for an institutional personal learning environment into a reality. *The PLE Conference 2011.* Southampton, UK. http://eprints.ecs.soton.ac.uk/22140/

Wilson, S., Sharples, P., Griffiths, D., Popat, K. (2009). *Moodle Wave: Reinventing the VLE using Widget technologies.* University of Bolton, UK. http://dspace.ou.nl/handle/1820/2238

Wolton, D. (2001, enero 3). Entrevistado por V. Amela.»¡Basta de Internet! Volvamos a los bares». *La Vanguardia,* pp. 72.

L4. Learning Environments

Karl Steffens, Brenda Bannan, Barney Dalgarno,
Vanessa Esteve-González and Jose Cela-Ranilla

In the context of this project we focus on learning environments in which learning is facilitated by digital technologies. Technology-Enhanced Learning Environments (TELEs) can be used in both formal and informal education, in both distance and presential education, and by individuals, groups and communities of learners. To explore the role of digital technologies in TELEs, we have divided this chapter into four sections. In the first section we present an overview of the theories of learning and discuss the factors that facilitate or impair learning. In the second section we take a closer look at learning in TELEs. In the third section we examine the role of digital devices in technology-enhanced learning. Finally, in the fourth section we discuss issues related to instructional design for TELEs.

1. Learning environments: theoretical foundations of learning

1.1. Global view

In his first presentation of the concept of connectivism, Siemens referred to Driscoll (2000), who defined learning as "a persisting change in human performance or performance potential... [which] must come about as a result of the learner's experience and interaction with the world" (Driscoll, 2000, p.11). This definition is valuable because it makes a distinction between performance and performance potential, thus enabling the distinction between, on the one hand, overt and observable behaviour as performance and, on the other, competences as performance potential (of which overt behaviour may be an indicator). The definition is also wide enough to include different approaches to learning. While behaviourist theories of learning (the classical conditioning of Ivan Pavlov and John B. Watson and the operant conditioning of Burrhus F. Skinner) focus on observable behaviour, other approaches assume that learning is related to processes that are not directly observable, e.g. cognitive theories (Atkinson & Shiffrin), constructivist theories (Piaget & Vygotzky), brain-based theories (Caine & Caine), and connectivist theories (Siemens). However, it would be unwise to completely discard behaviourist theories. Classical conditioning explains how a formerly neutral stimulus acquires the capacity to elicit an emotional response. Moreover, Skinner showed that his theory of operant conditioning could be used as a basis for developing teaching machines and for explaining language acquisition.

However, theories to explain human learning are more convincing if they explicitly assume that human beings are conscious of themselves, have emotions, think and take decisions, and are able to self-regulate their learning. To some extent, this is true of theories that have been developed in the field of cognitive psychology. Atkinson & Shiffrin (1968), for instance, assume that information perceived by the individual is processed as it passes through three types of memory. The problem with the cognitive approach, however, is that the individual is portrayed as an information-processing system that evidently does not have the qualities mentioned above. Piaget's theory focuses on cognitive structures and activities but is not completely oblivious to emotions and consciousness. While during the course of a child's cognitive development, cognitive activities (thinking) turn into operations when they acquire a specific formal structure, children – and adults – also develop structures of content (schemata) in which their knowledge of the world is represented. Knowledge is therefore constructed individually, though there is no doubt that knowledge construction is also a social process.

Recent progress in neuroscience has greatly improved our understanding of human beings and how they learn. Findings from neuroscience show that individual learning is a highly complex activity that involves emotional as well as cognitive processes. According to Damasio (1994, 2003), all our cognitive activities are accompanied by body feelings (somatic marker hypothesis). On the basis of findings in neuroscience, Caine & Caine (1991) suggested 12 principles of brain-based learning.

The most recent ideas on learning were proposed by Siemens. Siemens (2005) introduced the concept of connectivism as a learning theory for the digital age. Basically, his idea is that learning takes place in a community of individuals who are interested in a specific topic.

For some time now it has been evident that learning is a process that is initiated by individuals who must control the way they learn. While a number of models for self-regulated learning exist, probably the best known is the one by Zimmerman (2000), who assumes that self-regulated learning takes place in cycles of (1) forethought, (2) execution and volitional control, and (3) self-reflection. As our educational system is gradually shifting from teacheroriented learning to student-oriented learning, it is becoming increasingly important that students learn how to self-regulate their learning and improve their competence in this area.

When we talk about learning, it is important to distinguish between the potential for performance and actual performance. Students may have acquired the potential for performance in a specific field, i.e. they may have acquired a specific competence, but for several reasons they may be unwilling to engage in that specific performance. These reasons include a lack of confidence or other beliefs related to their self-concept, a lack of motivation, or a preponderance of negative emotions. Attitudes also play a role, though they are not directly related to action. Finally, knowledge that has been acquired may be inert, i.e. it may not be applied for solving problems.

1.2. *Internationally relevant documents*

The works by George Siemens on learning (Siemens, 2005) and knowledge (Siemens, 2006) are two of the most interesting contributions on these topics. Although Siemens suggests that connectivism is a learning theory for the digital age, it may be queried whether connectivism is actually a learning theory. According to Verhagen (2006) it is more of a pedagogical view than a learning theory. In their critical analysis of Siemens' approach, Duke, Harper & Johnston (2013) reached the conclusion that connectivism as described by Siemens is "a tool to be used in the learning process for instruction or curriculum rather than a standalone learning theory" (Duke, Harper & Johnston, 2013, p.10).

What Siemens describes is actually a community of people who are interested in a specific subject, which is reminiscent of ideas that have been proposed by other authors. Ivan Illich (1972), for example, suggested that schools should be abandoned and replaced by knowledge centres. Although schools will probably never be abandoned, the Internet may be viewed as one big knowledge centre. The idea of a community of practice has also been proposed by Lave & Wenger (1991; Wenger, 1998).

In "Knowing knowledge" (Siemens, 2006), Siemens states that "Learning is the process of creating networks. Nodes are external entities which we can use to form a network. Or nodes may be people, organizations, libraries, websites, books, journals, databases, or any other source of information. The act of learning (things become a bit tricky here) is one of creating an external network of nodes—where we connect and form information and knowledge sources. The learning that happens in our heads is an internal network (neural)" (Siemens, 2006, p.29).

In our opinion, learning may certainly be described as the formation and strengthening of neural networks, though the neural activities that take place while one is learning are much more complex. The external entities – the sources of knowledge – to which we connect to increase our knowledge are indispensable for learning and may therefore be considered part of the learning process.

1.3. Future outlook

The European Higher Education Area (EHEA), which was launched in 2010, was meant "to ensure more comparable, compatible and coherent systems of higher education in Europe" (http://www.ehea.info/; see also European Higher Education Area, 2010). In the Bucharest Communiqué, ministers from 47 European countries agreed on the following priorities for future work in the EHEA: (1) to provide quality higher education for all; (2) to enhance graduates' employability; and (3) to strengthen mobility as a means for better learning (EHEA Ministerial Conference, 2012). The document states: "We reiterate our commitment to promote student-centred learning in higher education, characterised by innovative methods of teaching that involve students as active participants in their own learning" (EHEA Ministerial Conference, 2012, p.2).

We are indeed observing a change from more teacher-centred to more student-centred learning, not only in higher education but also in secondary schools, though this change seems more pronounced in publications on learning and technology-enhanced learning environments than in actual practice. The idea of involving students as active participants in their own learning is also a component of Siemens' concept of connectivism. Indeed, the idea that students are members of a community of learners who are curious about a specific topic and who interact with others in order to increase their knowledge and understanding is intriguing. As far as teaching is concerned, this would mean giving students more freedom in their learning not only with respect to where and when to learn but also with respect to how and what to learn. However, we need to be aware that student-centred learning also requires a greater degree of competence in self-regulated learning and it may be necessary to guide students to acquire and improve this competence.

2. Learning with digital technologies

2.1. Global view

Digital technologies are becoming increasingly important in our societies. This is reflected in the Europe 2020 framework for smart, sustainable and inclusive growth in Europe (European Commission, 2010a). The Digital Agenda for Europe (European Commission, 2010b), which is part of this framework, is based on seven pillars, most of which concern economic and technological aspects. However, the Agenda does include a pillar dedicated to "Enhancing digital literacy, skills and inclusion" (Pillar VII). Digital competence was also listed as one of eight twenty-first-century key competences along with the competence for self-regulated learning (learning to learn) by the European Parliament and Council (European Council, 2006).

While digital competence and the competence for self-regulated learning are domain-general competences whose acquisition can be facilitated by digital technologies, TELEs may also help students to acquire other domain-general competences as well as domain-specific competences. If learning is defined as the acquisition of knowledge and skills, digital technologies facilitate this process by providing access to knowledge (e.g. the Internet) and allowing for interaction with content, peers and teachers. Interaction provides for feedback, and feedback is important both for learning and, especially, for the self-regulation of learning. Several technologies, including Web 2.0, blogs and wikis, facilitate learning through interaction with peers. Some technologies, such as virtual and augmented reality, and the annotation of digital learning objects, facilitate learning by providing interaction with learning objects. Other technologies, e.g. ePortfolios, learning analytics and eRubrics, help students to assess their learning progress.

It is interesting to distinguish between open learning and instructed learning. With open learning, individuals basically satisfy their need for knowledge by accessing sources of knowledge and interacting with people. With instructed learning, knowledge is provided for a limited time by an acknowledged source of information. Examples of this kind of technology-enhanced learning are courses provided by educational institutions (schools and universities) in presential or distance mode.

An important example of technology-enhanced environments for instructed learning are Massive Open Online Courses (MOOCs). In higher education, MOOCs have attracted a great deal of attention in recent years (Karsenti, 2013). Udacity, Coursera and EdX, the main providers of MOOCs in the US, are adding university partners at breathtaking speed and the same is true, though to a lesser extent, for MOOC providers in Europe. OpenupEd, for instance, a pan-European initiative founded in 2013 and supported by the European Commission, offers courses from numerous European and even non-European higher education institutions. A number of national institutions in Europe have also begun to offer MOOCs (see the European MOOCs scoreboard).

Despite public enthusiasm for MOOCs, MOOC participants seem to have serious problems, and dropout rates are huge. A recent study showed that only 4 % of students attending Coursera MOOCs completed their courses (Armstrong, 2014). One problem may be that many courses were created without taking into account the findings from research in the fields of learning and self-regulated learning.

2.2. Internationally relevant documents

It is also difficult to discuss MOOCs generally and this is not just because there are different kinds of MOOCs (UNESCO, 2013). If we compare MOOCs with more traditional online courses, we must acknowledge that, probably, some MOOCs are good and some are poor, just as there are good and poor traditional online courses.

However, some of the problems that seem to be associated with MOOCs are due to the large number of students in these learning environments. These concern self- evaluation and evaluation from course providers, i.e. interactions for providing important feedback for learning and the self-regulation of learning. While some MOOCs allow for peer-evaluation, this may be difficult with large numbers of participants who may also have very different levels of knowledge and competences. Dropout rates are also generally high, reaching more than 90 % of those enrolled. The percentage of female users is much smaller than the percentage of male users and also much smaller than the percentage of female users on traditional online courses. Finally, it appears that only those who are already successful in academia benefit from attending a MOOC (Kolowich, 2013).

Empirical research on MOOCs is still very scant. Although Karsenti reviewed some 100 studies on MOOCs, the results are not unequivocal. While he believes that MOOCs will have a transformative impact on universities, he also states that "It would also be important to keep uppermost in our minds that neither technologies in general nor MOOCs in particular will foster successful university careers. Instead, it is the use that the students will make of them" (Karsenti, 2013, p. 34).

It is important to distinguish between "ordinary" MOOCs (also called xMOOCs) and cMOOCs. CMOOCs are based on Siemens's (2005) idea of connectivism (Siemens, 2012; Yeager, Hurley-Dasgupta & Bliss, 2013). In accordance with our distinction between open and instructed learning, cMOOCs are examples of technology-enhanced learning environments for open learning. The term cMOOC therefore does not refer to an online course but to a community of people who are interested in a specific topic and who interact using digital technologies.

2.3. Future outlook

The main difference between MOOCs and traditional online courses seems to be that MOOCs are really massive. From the point of view of education in general and educational psychology that centres on learning, it is difficult to see why this should be an advantage. While interaction in a community of learners does facilitate knowledge acquisition and feedback for one's own learning processes, the number of possible interactions between members of the community increases exponentially as the number of members increases. There is therefore a practical limit.

The concept of cMOOCs is much more convincing. If cMOOCS are a means to help students establish themselves as a community of learners who interact in their quest for knowledge, then it certainly is a means that needs to be studied in depth. An alternative would be to create SPOCs (Small Private Online Courses), as Harvard is planning to do (Caughlan, 2013), or SCOOPs (Small Connectivist Open Online Courses; Steffens, 2014).

3. The role of digital devices in learning

3.1. Global view

When articulating a position on the implications of technology-enhanced learning environments for student learning, it is essential to be clear on the broader role of technology in the learning process. Numerous authors, most notably Selwyn (2010, 2012), have criticized educational technology research that adopts a techno-centric or techno-determinist stance. Techno-determinism assumes that integrating technology into the learning process is by its very nature positive or desirable, while techno-centrism focuses too much on the objective capabilities of the technology and too little on the social and contextual aspects of the learning situation. In this paper we totally reject any notion of techno-determinism since we attempt to ensure a more critical approach. Nor do we accept the notion of techno-centrism since we focus on encapsulating the broader social and contextual issues.

Underpinning our position on the relationship between technology and learning is the notion of affordances. Specifically, we see technology as affording particular learning tasks for particular learners in a particular context, and we see these learning tasks as then contributing to student learning. We are making two important points here. First, we reject any direct causal relationship between the use of particular technologies and particular learning outcomes. We see the learning outcomes as occurring through the learning activities and, although a particular technology can afford a particular learning activity, the provision of a specific technology never guarantees that the learning activity will occur for all learners and is never the only way to afford a particular activity. Second, we see the learning affordances of a particular technology as being dependent on the prior experiences of the learner. Consequently, they are different for different learners. This second point requires further unpacking because it relates to an aspect of the notion of affordance that is somewhat contested in the literature.

The notion of affordance, which originated in the work of Gibson (1977), is frequently used to provide a lens or a language to frame an analysis of the capability and learning potential of educational technologies (see, for example, Conole & Dyke, 2004; Bower,

2008; Dalgarno & Lee, 2010). It is important to differentiate between two competing articulations of the notion of affordance. James J. Gibson's (1977) notion of affordance is captured by the following quotations: "the affordance of anything is a specific combination of the properties of its substances and its surfaces taken with reference to an animal" (p. 67) and "although an affordance consists of physical properties taken with reference to a certain animal it does not depend on that animal...an affordance is not what is called a subjective quality of a thing..." (p. 69).

Donald Norman's (1988) definition of the term is similar. However, by introducing the idea that the perceived as well as the actual properties of an object affect its potential use, the notion is changed in subtle and important ways: "... the term affordance refers to the perceived and actual properties of the thing, primarily those fundamental properties that determine just how the thing could possibly be used..." (p. 9). In his later writing (see, for example, Norman, 1999), he emphasizes the importance of the perception of affordance in a more definitive way: "When I get around to revising [The Psychology of Everyday Things], I will make a global change, replacing all instances of the word 'affordance' with the phrase 'perceived affordance' ... the designer cares more about what actions the user perceives to be possible than what is true". When applied in an educational context, Gibson's notion encourages a focus solely on what is possible using the technology, irrespective of the prior experience of the educator or students. Norman's notion, on the other hand, which we subscribe to, has the ability to explain decisions by educators or students not to adopt an educational technology even in situations where the technology apparently has a clear capability for relevance to the learning situation.

From a history in which overwhelmingly the most common digital devices used in educational settings were desktop and laptop computers, recent years have seen an explosion in the number and range of digital devices available to teachers and students. These devices include netbook computers, tablet computers, mobile phones, person audio phones, mobile games consoles, and numerous other general-purpose and special-purpose devices of many shapes and sizes. These devices tend to be internet-connected, touch-screen and mobile and at their core is a microprocessor that is conceptually very similar to the microprocessors of the desktop computers found in educational settings over the past 30 years or so.

3.2. Internationally relevant documents

Recent papers on digital devices in education vary in the degree to which they critically analyse the unique affordances of the newer digital devices and their educational implications. Sharples, Taylor and Vavoula (2010), for example, highlight the consequences of the mobile nature of digital devices for more flexible and social approaches to learning and teaching that go well beyond the traditional classroom context. In a similar vein,

Kukulska-Hulme and Traxler (2007) emphasize the ubiquitousness, affordability and portability of new digital devices and how they open up new possibilities for spontaneous communication and collaboration in the context of teaching and learning activities in both formal and informal settings.

Some media commentaries on devices such as the iPad have tended to treat such devices as though they are completely unique and do not acknowledge the fact that iPad applications, for example, are generally not conceptually different to other interactive learning resources that have been available on other devices for many years. Some commentators have treated apps on mobile devices as though they are something completely new and therefore consider as somehow revolutionary new technology (when clearly it is not) a drill and practice application on the iPad that is conceptually similar to something we might have seen on the Apple II in the 1980s. In reality, as was clearly demonstrated in a review of 315 iPad applications conducted by Murray and Olcese (2011), very few applications really capitalize on the device's unique educational affordances to allow educators to design learning activities beyond what would be capable without the device.

3.3. Future outlook

Our view is that educationalists and learning-resource designers need to draw on the lessons of the past 30 years or so to design and evaluate applications for these devices and focus on their unique affordances where appropriate.

4. Research on instructional design for TELEs

4.1. Global view

Research into technological learning environments is in the midst of challenge and change. The theme of the 2014 annual American Educational Research Association conference was to "examine seriously the many changes occurring across education research, from its design to its implementation, in areas where we have had a major stake, such as learning, pedagogy, school systems, higher education, and education inequality". Similarly, the European Educational Research Association, which celebrated its 20th anniversary in 2014, declared the theme of the past, present and future of educational research in Europe and raised important questions such as "Do the ways in which educational research has been used in practice and policy within Europe provide a good foundation for the future? Or do we need to develop different strategies?" As is illustrated by these similar calls for change and is evident in global shifts in education, how we view and, indeed, how we conduct research has shifted in the last five years, particularly given the capabilities of emergent technology-enhanced learning environments (TELEs). Design research is an emerging approach for educational research with TELEs that facilitates the integration of design, innovation and research methods given the unique affordances of current technologies such as those in ubiquitous, seamless and mobile learning environments.

The intersection of mobile and ubiquitous learning technologies, learning design and design research requires a reconceptualization of these methods individually as well as in combination. For example, the complexities inherent in mobile learning research in a global context, the natural ambiguity of the creative design process, and the drive for rigor in research methods all present significant challenges. In combination, these challenges multiply but they also provide opportunities for reconsidering and reconceptualising educational technology or technology-enhanced learning research.

Sandoval (2013) recently defined design research as: 1) pursuing the joint goals of improving practice and refining theory; 2) occurring through iterated cycles of design, enactment and analysis; 3) employing methods that link processes of enactment to outcomes; 4) involving sustained engagement with stakeholders; and 5) striving to produce usable knowledge (p.389). Reimann (2013; p44.) states that design-based research "brings a qualitative change in the relation between design and research" in that the research is "fully integrated as a key component of an ongoing design process and from engaging in long-term collaborations with researchers and practitioners". Given these recent definitions and descriptions of design research as a catalyst in the changing landscape of educational research, it is incumbent upon educational researchers to re-examine research methods and contexts that particularly relate to the current affordances of mobile and emerging digital technologies for education.

From the point of view of education-based research, education and learning take place in very complex environments that may be considered learning ecologies (Cobb et al., 2003; Gravemeijer & Cobb, 2006). Education-based research is especially oriented towards research on new themes, new learning tools and new ways of organizing learning environments (Confrey, 2006). Of special interest are TELEs, i.e. learning environments that incorporate digital technologies (Fishman et al., 2004; de Jong & Pieters, 2006; Lajoie & Azevedo, 2006).

4.2. Internationally relevant documents

Design research has gained traction over the last ten years in multiple publications and academic practices (Reeves & McKenney, 2012; Andersen & Shattuck, 2012; Kelly, Lesh and Baek, 2008). Posited as a form of integrated research and applied development in education, design research has been leveraged to investigate complex pedagogical and technological learning contexts.

One aim of design research is to identify and model technology-mediated, social learning and behaviours in order to design tools that support and promote the practices under investigation. Researchers have embraced design research as a form of inquiry that will best position them to generate learning theory and to generate and test solutions for complex problems in contexts for which no clear guidelines or solutions are available (Kelly, 2004; McKenney and Reeves, 2012).

Accordingly, conducting mobile design research on a global level presents unforeseen challenges for design research, design process and mobile learning research. Traxler (2013) presents evidence to suggest that mobile technology now dictates the agenda for prior educational technologies by providing learning opportunities to disenfranchised populations around the world who were "previously too distant or expensive to reach" and that their inclusion is "enhancing, enriching and challenging the conceptions of learning itself (p.237)". The global reach of emerging forms of technology-enhanced learning environments can provide challenges and affordances for systematically collecting and analysing multiple forms of data. Fortunately, several theoretical frameworks, design processes and examples have begun to emerge that are beginning to frame and examine the intersection of the challenges of mobile learning design and mobile design research.

Pachler, Bachmair and Cook (2010), for example, have presented a socio-cultural pedagogical framework for mobile learning that describes the interrelationship between three components: agency (the user's capacity to act in the world); cultural practices (the routines users employ in their everyday lives); and the socio-cultural and technological structures that govern their being in the world viewed as an ecology that, in turn, manifests itself in the form of an emerging cultural transformation. These perspectives have much to offer design research as we grapple with new perspectives on learning, new tools, new forms of data collection, and technological affordances germane to the mobile learning space.

Plomp & Vieveen (2013) presented seven papers from a seminar on educational design research held at the College of Educational Sciences of the East China Normal University in Shanghai in November 2007. The book provides an introduction into educational design research as a suitable research approach for addressing complex problems in educational practice. Among the seven contributions is one from Brenda Bannan on an integrative learning design framework (Bannan, 2013).

4.3. *Future Outlook*

Designing mobile learning and conducting design research in mobile learning or with new forms of ubiquitous, seamless and sensor-based technologies adds another layer of complexity to the research process. For example, the technological affordances and pedagogical considerations of mobile learning technologies blur the lines between formal and informal education with regard to who facilitates learning, what learning is facilitated, and where learning is facilitated (e.g. is it user-generated and socially shared, and are the technologies location-aware?). They also promote the powerful potential of leveraging simultaneous, in-situ, real-world and virtual data (e.g. augmented reality applications provide digital layering of real world information in real time) and illustrate exactly how these new technological "mixed reality" capabilities may impact applicable design processes and educational research methods for design research. Combined with these capabilities are the contextually aware, seamless and ubiquitous forms of learning that take place outside school walls and prompt new questions and conceptualizations for learning design and design research. Additionally, the possibilities for educational research data collection expand with new affordances of learning technologies such as software and hardware capabilities that support learning analytics as well as contextually-sensitive and sensor-based data collection. Analysis of large data sets through "big data" and enhanced tracking systems for student activities across devices and contexts magnify the complexity of educational design research. It is these larger questions that intrigue and drive us towards change in an integrated iterative form of educational research such as design research. The challenges are many.

5.   Final remarks, proposals and general/international perspectives

New technologies and services are changing their users' handling of data, information and knowledge. They enable us to learn from any place, at any time, and with any device. However, a critical assessment that provides pedagogical value is still required if learning opportunities are to be maximized.

To sum up, the main challenges for this thematic line are:

- To clarify the needs of students and the requirements of society.
- To understand the learning potential of smart technology in learning environments.
- To better understand the potential of emerging learning environments.
- To provide opportunities for the creative construction of knowledge and critical thinking.
- To understand how students learn in informal, information-rich learning environments.
- To involve all participants in the design of learning environments.
- To explore user-generated learning environments.

To conclude, we make several final suggestions as a motor for change:

- The government should commission a consortium of universities to conduct a review of the literature that brings together contemporary learning theory and recent neuroscience findings and culminates in guidelines for educators who are interested in implementing TELEs in their context.
- Support projects should explore specific areas of need in the Catalan education system and integrate a design-based research approach to design, develop and evaluate an educational intervention that aligns with rich, authentic, contextualized learning with mobile devices.
- Experts should be invited to meet in order to create a platform for exploring successful and unsuccessful implementations of TELEs and identify their strengths and weaknesses in these settings. Studies should include a focus on teacher- and student-perceived affordances of the TELEs as well as other contextual factors that contributed to the success or failure of the implementation.
- An observatory should be created to execute research on TELEs in which physical and virtual aspects come together to allow for creative construction. These studies could include formative design research cycles that focus on particular case studies of their implementation.

References

Armstrong, L. (2013). 2013–the year of ups and downs for the MOOCs. Changing Higher Education. Retrieved from http://www.changinghighereducation.com/2014/01/2013-the-year-of-the-moocs.html?goback=.gde_2774663_member_5832211875772788740#!

Atkinson, R.C. & Shiffrin, R.M. (1968). Human memory: A proposed system and its control processes. Pp. 89-195 in K.W. Spence & J.T. Spence (Eds.). *The psychology of learning and motivation* (Volume 2). New York: Academic Press.

Bannan, B. (2013). The Integrative Learning Design Framework: An Illustrated Example from the Domain of Instructional Technology. Pp. 114-133 in T. Plomp & N. Vieenn (Eds.). *Educational design research.* Part A: Introduction. Enschede: SLO. Netherlands Institute for Curriculum Development.

Bower, M. (2008). Affordance analysis – matching learning tasks with learning technologies. *Educational Media International, 45 (1),* 3-15

Caine, R. & Caine, G. (1991). *Making connections: teaching and the human brain.* Alexandria, VA: ASCD.

Caughlan, S. (2013). Harvard plans to boldly go with 'Spocs'. BBC News. http://www.bbc.co.uk/news/business-24166247

Cobb, P., Confrey, J., diSessa, A., Lehrer, R., & Schauble, L. (2003). Design experiments in educational research. *Educational Researcher, 32(1)*, 9–13. Retrieved from http://www.aera.net/uploadedFiles/Journals_and_Publications/Journals/Educational_Researcher/3201/3201_Cobb.pdf

Confrey, J. (2006). The evolution of design studies as methodology. Pp. 135-152 in R. Keith Sawyer (Ed.) *The Cambridge handbook of the learning sciences*. New York: Cambridge University Press.

Conole, G., & Dyke, M. (2004). What are the affordances of information and communication technologies? *ALT-J, 12(2)*, 113-124.

Dalgarno, B. & Lee, M. J. W. (2010). What are the learning affordances of 3D virtual environments? *British Journal of Educational Technology, 41(1)*, 10-32.

Damasio, A. (1994). *Descartes' Error: Emotion, Reason, and the Human Brain*. London: Putnam.

Damasio, A. (2003). *Looking for Spinoza: Joy, Sorrow, and the Feeling Brain*. New. York: Harcourt, 2003

de Jong, T. & Pieters, J. (2006). The design of powerful learning environments. Pp. 739-754 in P. A. Alexander y P. H. Winne (Eds.), *Handbook of Educational Psychology*, 2nd ed. Mahwah: Lawrence Erlbaum.

Driscoll, M. (2000). *Psychology of Learning for Instruction*. Needham Heights, MA: Allyn & Bacon

Duke, B., Harper, G. & Johnston, M. (2013). Connectivism as a digital age learning theory? *The International HETL Review*, Special Issue, 4-13.

EHEA Ministerial Conference (2012). Making the Most of Our Potential: Consolidating the European Higher Education Area. Bucharest Communiqué. Bucharest. http://www.ehea.info/article-details.aspx?ArticleId=11

European Commission (2010a). Communication from the Commission. Europe 2020. A strategy for smart, sustainable and inclusive growth. Brussels: European Commission.

European Commission (2010b). Communication from the Commission to the European Parliament, the Council, the European Economic and Social Committee and the

Committee of the Regions. A Digital Agenda for Europe. Brussels: European Commission.

European Council (2006). Recommendation of the European Parliament and of the Council of 18 December 2006 on key competences for lifelong learning http://eurlex. europa.eu/LexUriServ/LexUriServ.do?uri=OJ:L:2006:394:0010:0018:en:PDF

European Higher Education Area (2010). Budapest-Vienna Declaration on the European Higher Education Area. http://www.ehea.info/Uploads/Declarations/Budapest-Vienna_Declaration.pdf

European MOOCs scoreboard. Retrieved from http://openeducationeuropa.eu/en/european_scoreboard_moocs

Fishman, B., Marx, R., Blumenfeld, P., & Krajcik, J. (2004). Creating a framework for research on systemic technology innovations. *Journal of the Learning Sciences, 13 (1),* 43–76

Gibson, J.J. (1977). The theory of affordances. Pp. 67-82 in R. Shaw & J. Bransford (Eds). *Perceiving, acting and knowing: toward an ecological psychology.* Michigan: Lawrence Erlbaum Associates.

Gravemeijer, K., & Cobb, P. (2006). Design research from a learning design perspective. Pp. 17-51 in J. Van Den Akker, K. Gravemeijer, S. McKenney & N. Nieveen (Eds.), *Educational design research.* London: Routledge.

http://ec.europa.eu/news/economy/100303_en.htm

http://eurlex.europa.eu/LexUriServ/LexUriServ.do?uri=CELEX:52010DC0245R%2801%29:EN:NOT

http://unesdoc.unesco.org/images/0022/002238/223896e.pdf

http://www.elearnspace.org/Articles/connectivism.htm

Illich, I.(1972). *Deschooling society.* London: Marion Boyars.

Kartensi, T. (2013). The MOOC. What the research says. *International Journal of Technologies in Higher Education, 10(2),* 23-37.

Kelly, A.E., Lesh, R. A. & Baek, J.Y. (2008). Handbook of design research methods in education: Innovations in science, technology, engineering, and mathematics learning and teaching. London: Routledge.

Kolowich, S. (2013). MOOCs Are Largely Reaching Privileged Learners, Survey Finds. The Chronicle of Higher Education. http://chronicle.com/blogs/wiredcampus/moocs-are-reaching-only-privileged-learners-survey-finds/48567

Kukulska-Hulme, A., & Traxler, J. (2007). *Mobile learning: A handbook for educators and trainers.* London: Routledge.

Lajoie, S. & Azevedo, R. (2006). Teaching and learning in technology-rich environments. Pp. 803-821 in P. A. Alexander y P. H. Winne (Eds.). *Handbook of Educational Psychology.* 2nd.ed. Mahwah: Lawrence Erlbaum.

Lave, J & Wenger, E (1991). *Situated Learning: Legitimate Peripheral Participation.* Cambdrige: Cambridge University Press.

McKenney, S. & Reeves, T.C. (2012). *Conducting educational design research.* London: Routledge.

Murray, O. T., & Olcese, N. R. (2011). Teaching and learning with iPads, ready or not? *TechTrends, 55(6),* 42-48.

Norman, D. (1988). *The Psychology of Everyday Things.* New York: Basic Books.

Norman, D. (1999). Affordances, Conventions and Design, Interactions, May/June 1999, pp. 38-43. www.jnd.org

OpenupEd retrieved from http://www.openuped.eu/openuped-temp/61-welcome

Pachler, N., Bachmair, B. & Cook, J. (2010) *Mobile learning: structures, agency, cultural practices.* New York: Springer.

Plomp, T. & Nieveen, N. (2013) (Eds.). Educational design research. Part A: Introduction. Enschede: SLO. Netherlands Institute for Curriculum Development. http://international.slo.nl/ariadne/loader.php/projects/slo/slo2/site/downloads/2013/educational-design-research-part-a.pdf/

Reimann, P. (2013). Design-based research: Designing as research. In, R. Luckin, S. Puntambekar, P. Goodyear, B. Grabowski, J. Underwood, J. & N. Vinters (Eds.) *Handbook of Design in Educational Technology.* New York: Routledge.

Sandoval, W. (2013). 21st century educational design research. In, R. Luckin, S. Puntambekar, P. Goodyear, B. Grabowski, J. Underwood, J. & N. Vinters (Eds.) *Handbook of Design in Educational Technology.* New York: Routledge.

Selwyn, N. (2012). Making sense of young people, education and digital technology: The role of sociological theory. *Oxford Review of Education, 38(1),* 81-96.

Selwyn, Neil (2010). Looking beyond learning: Notes towards the critical study of educational technology. *Journal of Computer Assisted Learning, 26,* 65-73.

Sharples, M., Taylor, J., & Vavoula, G. (2010). A theory of learning for the mobile age. Pp. 87-99 in B.Bachmair (Ed.). In Medienbildung in neuen Kulturräumen . Wiesbaden: VS Verlag für Sozialwissenschaften.

Siemens, G. (2005). Connectivism – A learning theory for the digital age. Retrieved from

Siemens, G. (2005, January). Connectivism: A learning theory for the digital age. *International Journal of Instructional Technology & Distance Learning.* Retrieved from http://www.itdl.org/Journal/Jan_05/article01.htm

Siemens, G. (2006). *Knowing knowledge.* Retrieved from www.knowingknowledge.com

Siemens, G. (2012). MOOCs are really a platform [Blog post]. Retrieved from http://elearnspace.org

Steffens, K. (2014). Aprender con MOOCs: comentarios desde la perspectiva del aprendizaje autorregulado. Paper presented at III International Workshop on establishment of MOOC with multimedia annotations. University of Malaga, 5 -7 de Marzo, 2014.

Traxler, J. (2013). Mobile learning: Shaping the frontiers of learning technologies in global context. In R. Huang, J.M. Kinshuk, and M. Spector (Eds.) *Reshaping Learning: Frontiers of Learning Technology in a Global Context.* Berlin Heidelberg: Springer.

UNESCO (2013). Introduction to MOOCs: Avalanche, Illusion or Augmentation? Policy Brief. Moscow: UNESCO Institute for Information Technologies in Education.

Verhagen, P. (2006). Connectivism: A new learning theory? Retrieved from http://elearning.surf.nl/e-learning/english/3793

Wenger, E. (1998). *Communities of Practice: Learning, Meaning, and Identity.* Cambridge: Cambridge University Press.

Yeager, C., Hurley-Dasgupta, B. & Bliss, C.A. (2013). cMOOCs and global learning: an authentic alternative. Journal of Asynchronous Learning Networks, 17 (2), 133-147.

Zimmerman, B.J. (2000). Attaining self-regulation: a social cognitive perspective. Pp.13-39 in M.Boekaerts, P.Pintrich, & M.Zeidner (Eds.). *Handbook of self-regulation.* New York: Academic Press.

L5. Formación de educadores

Miquel Àngel Prats y Pedro Hepp

Uno no puede esperar que pase algo diferente en su vida, si suele tener los mismos pensamientos, hace las mismas cosas y abraza las mismas emociones cada día. Aplicar esto en el ámbito educativo supone repensar y poner en juicio muchas de nuestras prácticas docentes en el aula. Este es el primer escalón hacia la innovación: convertirse en profesionales reflexivos.

En la sociedad de los comienzos del siglo xxi, caracterizada como sociedad del conocimiento, la institución escolar no puede permanecer ajena a los ritmos del cambio actual, por lo que la innovación constituye una de sus principales y prioritarias tareas. Y es obvio que uno de los cambios más profundos que hemos experimentado en estos últimos años ha venido de la mano de las tecnologías digitales. Por tanto, la escuela, si lo que quiere es preparar para la vida real a corto, medio y largo plazo, no puede quedar al margen del ecosistema informacional actual: los medios digitales son decisivos al respecto y son ya una parte indisociable de esta vida, aunque sea muy probable que suelan aparecer implicaciones donde la tecnología parezca una simple cuestión de moda o bien una exigencia consumista. Precisamente por esta última razón, es aún más necesario conocer las herramientas digitales y usarlas de modo ético, reflexivo y saludable en la escuela y en casa.

Estudios recientes y expertos agentes del sector educativo terminan confirmando que las necesidades de cambio en las instituciones escolares y las innovaciones en los procedimientos de enseñanza-aprendizaje en el aula en general y las digitales en particular provienen del propio entorno y del interior mismo de las escuelas. En este sentido, el conocimiento y el dominio de las herramientas y de los procesos digitales constituye una garantía de equidad en el sistema educativo de la misma manera que es un reto para la escuela poner las herramientas y las aplicaciones de la tecnología digital al alcance de todos los alumnos sin renunciar a su función educativa en todos los aspectos. Sin embargo, el profesorado no puede quedar al margen de unas competencias digitales, que son hitos ineludibles de la educación actual y futura. El conocimiento y el dominio de estas herramientas y de estos procesos digitales ahora es parte de la profesión docente, al igual que les ha sucedido a muchos otros profesionales de otros sectores. Sería una negligencia por nuestra parte perder la oportunidad que tenemos para promover una verdadera transformación educativa donde las tecnologías digitales tienen un papel capital de acceso y gestión de la información, así como de apoyo y motivación al aprendizaje.

1. Justificación de objetivos y contenidos de la línea 5: Formación de educadores

La línea 5, dedicada al análisis de la Formación de educadores, de acuerdo con el documento marco del FIET 2014, constata que «el esfuerzo de la formación del profesorado tanto inicial como permanente debe centrarse, en una gran parte, en el desarrollo de las competencias que se necesitan para la utilización docente de las herramientas TIC. En el caso de la formación permanente, esta debe articularse en torno al aprendizaje autónomo del profesor pero con una estrategia de formación e implementación basada en el trabajo en equipos docentes».

Desde la perspectiva del desarrollo profesional del docente en un contexto digital, se debe profundizar mucho más en el análisis de las calificaciones y de las competencias necesarias para el diseño y el desarrollo de la acción docente. Esta acción docente debe proyectarse desde la vertiente de las necesidades del estudiante y, por tanto, el uso de las herramientas TIC debe estar al servicio de lo que resulta útil para el estudiante.

Deben articularse procesos de formación del profesorado que abarquen al profesional en formación y al profesional ejercicio. El primero de ellos debe articularse a través del diseño curricular de los grados de maestro, que deben garantizar que el futuro maestro recibe una formación de alta calidad en las aulas universitarias. Por otra parte, los profesionales en ejercicio deberían encontrar respuesta a sus necesidades formativas con el valor añadido que supone el contacto continuo con la realidad. Resultaría especialmente interesante establecer canales de comunicación que permitan alimentar de forma recíproca la reflexión dentro del contexto académico con la actualidad, la pertinencia y la relevancia que proporciona la praxis.

En resumen, esta línea temática está orientada, por un lado, a reflexionar sobre procesos que puedan proyectarse como de alta calidad a la hora de pensar en un uso docente de las herramientas, de los recursos, de los programas, de los servicios y de los entornos que nos facilitan y facilitarán las TIC disponibles en cada momento; y por otra parte, a que se concreten propuestas en las que la formación de los educadores y las competencias digitales que deben tener estén directamente relacionadas, y sean catalizadoras del cambio y del éxito educativo.

Es desde estas premisas desde donde se ha elaborado el siguiente índice de elementos y aspectos por destacar como dimensiones de análisis que nos permitirán hacer finalmente propuestas de acción:

1. ¿Qué significa ser educador? ¿Y un educador del siglo xxi? ¿Qué competencias clave? ¿Qué perfil?

   a. Gestión del cambio o actitud compromiso (¿Sería necesario instaurar un juramento hipocrático similar al estamento médico en los actos de graduación?)

2. Aspectos de tecnología y educación. Un clúster tecnológico al servicio de la educación

3. Centros de formación inicial de los educadores:

   a. Innovación pedagógica con el apoyo tecnológico
   b. Competencia digital de los educadores
   c. Nuevos perfiles profesionales

4. Seguimiento y desarrollo de la carrera profesional (formación continua)

2. Ideas fuerza sobre las dimensiones de análisis

En este apartado formularemos una descripción de las ideas fuerza que provienen de los estudios y de los informes más relevantes del sector y que tratan directamente las dimensiones de análisis elegidas.

2.1. La formación del perfil de educadores y sus competencias clave

Edgar Morin (2001) propone siete saberes fundamentales que la escuela tiene por misión enseñar:

1. *Las cegueras del conocimiento: el error y la ilusión.* Es necesario introducir y desarrollar en la educación el estudio de las características cerebrales, mentales y culturales del conocimiento humano, de sus procesos y de sus modalidades, de las disposiciones tanto psíquicas como culturales que permiten arriesgar el error o la ilusión.

2. *Los principios de un conocimiento pertinente.* La supremacía de un conocimiento fragmentado según las disciplinas impide, a menudo, operar el vínculo entre las partes y las totalidades, y debe dar paso a un modo de conocimiento capaz de aprehender los objetos en sus contextos, en sus complejidades y en sus conjuntos.

3. *Enseñar la condición humana.* A partir de las disciplinas actuales, es posible reconocer la unidad y la complejidad humanas reuniendo y organizando conocimientos dispersos en las ciencias de la naturaleza, en las ciencias humanas, en la literatura y en la filosofía y mostrar la unión indisoluble entre la unidad y la diversidad de todo lo que es humano.

4. *Enseñar la identidad terrenal.* El destino planetario del género humano será otra realidad fundamental ignorada por la educación. El conocimiento de los desarrollos de la era planetaria que van a incrementarse en el siglo XXI, y el reconocimiento de la identidad terrenal que será cada vez más indispensable para cada uno y para todos, deben convertirse en uno de los mayores objetos de la educación.

5. *Afrontar las incertidumbres.* Deberían enseñarse principios de estrategia que permitan afrontar los riesgos, lo inesperado, lo incierto, y modificar su desarrollo en virtud de las informaciones adquiridas en el camino. Es necesario aprender a navegar en un océano de incertidumbres a través de archipiélagos de certeza.

6. *Enseñar la comprensión.* La comprensión es al mismo tiempo medio y fin de la comunicación humana. Ahora bien, la educación para la comprensión está ausente de nuestras enseñanzas. El planeta necesita comprensiones mutuas en todos los sentidos. Teniendo en cuenta la importancia de la educación para la comprensión en todos los niveles educativos y en todas las edades, el desarrollo de la comprensión necesita una reforma de las mentalidades. Tal debe ser la tarea para la educación del futuro.

7. *La ética del género humano.* La ética no se podría enseñar con lecciones de moral. Debe formarse en las mentes a partir de la conciencia de que el humano es al mismo tiempo individuo, parte de una sociedad y parte de una especie. Llevamos en cada uno de nosotros esta triple realidad. De igual manera, todo desarrollo verdaderamente humano debe comprender el desarrollo conjunto de las autonomías individuales, de las participaciones comunitarias y la conciencia de pertenecer a la especie humana.

Por su parte, Philippe Perrenoud (2004) intenta comprender el movimiento de la profesión docente, insistiendo en diez grandes familias de competencias. Este inventario no es ni definitivo, ni exhaustivo. Ningún referente puede, además, garantizar una representación consensuada, completa y estable de una profesión o de las competencias que lleva a cabo. He aquí estas diez familias:

1. Organizar y animar situaciones de aprendizaje:

   a. Conocer, a través de una disciplina determinada, los contenidos que hay que enseñar y su traducción en objetivos de aprendizaje.
   b. Trabajar a partir de las representaciones de los alumnos.
   c. Trabajar a partir de los errores y los obstáculos en el aprendizaje.
   d. Construir y planificar dispositivos y secuencias didácticas.
   e. Implicar a los alumnos en actividades de investigación, en proyectos de conocimiento.

2. Gestionar la progresión de los aprendizajes:

   a. Concebir y hacer frente a situaciones problema ajustadas al nivel y a las posibilidades de los alumnos.
   b. Adquirir una visión longitudinal de los objetivos de la enseñanza.
   c. Establecer vínculos con las teorías que sostienen las actividades de aprendizaje.
   d. Observar y evaluar los alumnos en situaciones de aprendizaje, según un enfoque formativo.
   e. Establecer controles periódicos de competencias y tomar decisiones de progresión.

3. Elaborar y hacer evolucionar dispositivos de diferenciación:

   a. Hacer frente a la heterogeneidad en el mismo grupo-clase.
   b. Compartimentar, extender la gestión de clase a un espacio más amplio.
   c. Practicar un apoyo integrado, trabajar con los alumnos con grandes dificultades.
   d. Desarrollar la cooperación entre alumnos y promover ciertas formas simples de enseñanza mutua.

4. Implicar a los alumnos en sus aprendizajes y en su trabajo:

   a. Fomentar el deseo de aprender, explicitar la relación con el conocimiento, el sentido del trabajo escolar y desarrollar la capacidad de autoevaluación en el niño.
   b. Instituir y hacer funcionar un consejo de alumnos (consejo de clase o de escuela) y negociar con ellos varios tipos de reglas y de acuerdos.
   c. Ofrecer actividades de formación opcionales, «a la carta».
   d. Favorecer la definición de un proyecto personal del alumno.

5. Trabajar en equipo:

   a. Elaborar un proyecto de equipo, de representaciones comunes.
   b. Impulsar un grupo de trabajo, dirigir reuniones.

    c. Formar y renovar un equipo pedagógico.

    d. Afrontar y analizar conjuntamente situaciones complejas, prácticas y problemas profesionales.

    e. Hacer frente a crisis o conflictos entre personas.

6. Participar en la gestión de la escuela:

    a. Elaborar, negociar un proyecto institucional.

    b. Administrar los recursos de la escuela.

    c. Coordinar, fomentar una escuela con todos los componentes (extraescolares, del barrio, asociaciones de padres, profesores de lengua y cultura de origen).

    d. Organizar y hacer evolucionar, en la misma escuela, la participación de los alumnos.

7. Informar e implicar a los padres:

    a. Favorecer reuniones informativas y de debate.

    b. Dirigir las reuniones.

    c. Implicar a los padres en la valorización de la construcción de los conocimientos.

8. Utilizar las nuevas tecnologías:

    a. Utilizar los programas de edición de documentos.

    b. Explotar los potenciales didácticos de programas en relación con los objetivos de los dominios de enseñanza.

    c. Comunicar a distancia a través de la telemática.

    d. Utilizar los instrumentos multimedia en su enseñanza.

9. Afrontar los deberes y los dilemas éticos de la profesión:

    a. Prevenir la violencia en la escuela o la ciudad.

    b. Luchar contra los prejuicios y las discriminaciones sexuales, étnicas y sociales.

    c. Participar en la creación de reglas de vida común referentes a la disciplina en la escuela, las sanciones, la apreciación de la conducta.

    d. Analizar la relación pedagógica, la autoridad, la comunicación en clase.

    e. Desarrollar el sentido de la responsabilidad, la solidaridad, el sentimiento de justicia.

10. Organizar la propia formación continua:

    a. Saber explicitar sus prácticas.

    b. Establecer un control de competencias y un programa personal de formación continua propios.

   c. Negociar un proyecto de formación común con los compañeros (equipo, escuela, red).

   d. Implicarse en las tareas a nivel general de la enseñanza o del sistema educativo.

   e. Aceptar y participar en la formación de los compañeros.

Por otro lado, a partir del documento *20 claves educativas para el 2020* impulsado por la Fundación Telefónica (2013) podemos extraer las siguientes ideas clave:

1. En la actualidad el proceso de generación de conocimiento pasa por un aprendizaje compartido y un trabajo colaborativo que exigen la conjugación equilibrada entre lo cognitivo, lo emocional, y grandes dotes de habilidades sociales.
2. Teniendo en cuenta que la información es extremadamente accesible gracias al avance de las TIC, el perfil docente basado en la transmisión de contenidos deja de tener sentido absolutamente. El rol del profesor ya no debe consistir en aportar la información, sino en orientar a cada alumno en su proceso de búsqueda y tratamiento de la información, para que sea él quien de manera activa y experimental construya su propio conocimiento.
3. El tiempo que dedica el currículo universitario a las TIC en la formación del profesorado no es suficiente, teniendo en cuenta la demanda que la sociedad tiene sobre la formación tecnológica del docente. Ésta no debe centrarse en el uso de herramientas tecnológicas sino en su aplicación pedagógica.
4. La formación inicial docente no es inicial. Debe ser una continuidad de lo ya aprendido en niveles educativos previos. Este es el primer error que cometen las instituciones universitarias en la formación del profesorado.
5. Aunque podríamos definir muchas más, vamos a compartir algunas de las competencias esenciales para desarrollar la labor docente en el siglo XXI:

   1. Competencia en la materia
   2. Competencia pedagógica
   3. Capacidad de integración de la teoría y la práctica
   4. Cooperación y colaboración
   5. Garantía de calidad
   6. Movilidad
   7. Liderazgo
   8. Aprendizaje permanente

Aspectos clave sobre la formación inicial del profesorado:

1. El liderazgo en una institución educativa debe tener como finalidad principal la mejora educativa de los discentes, un liderazgo centrado en la pedagogía y alejado de la pura burocracia.

2. No debe concebirse un liderazgo que no sea distribuido entre toda la comunidad educativa. Todos los agentes deben estar implicados en la consecución de las metas del centro.

3. Los cambios en los sistemas educativos deben orientarse hacia la mejora competencial de los estudiantes. Una nueva sociedad requiere una serie de competencias que los sistemas educativos deben desarrollar (autonomía, adaptación, pensamiento crítico, tratamiento de la información, etc.).

4. El rol del profesor no debe basarse en la transmisión de contenidos sino en su orientación y en su apoyo, que generen las condiciones para que sea el alumno quien de manera activa y experimental construya su propio conocimiento.

5. El aprendizaje debe producirse de forma natural. Ello implica que debe partir de los intereses del aprendiz, tener en cuenta lo que ya sabe, ser práctico y disponer de la posibilidad de cometer errores para ser reorientado por el docente.

6. El currículo de formación docente debe reconfigurarse para ofrecer una formación que considere de forma más sólida el uso pedagógico de las TIC, pues en la actualidad no se le brinda la importancia que este factor tiene para la sociedad del siglo xxi.

7. Es crítico concienciar sobre la necesidad de que toda la sociedad es responsable de la educación de los jóvenes. Es una cuestión de corresponsabilidad.

8. Existe una nueva ecología del aprendizaje que está reconfigurando la educación, pues volvemos a entenderla en su sentido amplio, más allá de su simple consideración como escolarización.

Perspectiva internacional sobre el perfil de educadores y sus competencias en ambientes digitales

En línea con lo expresado en los puntos anteriores y focalizando ya en las competencias necesarias de los educadores para trabajar en ambientes digitales, mucha literatura e importantes iniciativas internacionales han comenzado a destacar la importancia de unas habilidades concretas para asegurar la participación de individuos y países en la sociedad del conocimiento en el siglo xxi (Ananiadou & Claro, 2009; Claro et al., 2012; Pedró, 2006; Sanchez, Salinas, & Harris, 2011). Estas habilidades, que han sido usualmente llamadas «habilidades del siglo xxi» (Claro et al., 2012; Partnership for 21st Century Skills, 2014), van más allá de habilidades funcionales tales como saber usar un ordenador o un software determinado. Aunque hay diferencias en los planteamientos de cuáles serían estas habilidades, cómo de inéditas son y cómo se distribuyen entre los estudiantes de distintos países y dentro de cada país, se tiende a coincidir en que se trata de un conocimiento de nivel superior vinculado a actividades creativas y a la innovación, a la comunicación y a la colaboración, a la gestión de información, a la resolución de problemas, a la ciudadanía y a los desafíos éticos que se han vuelto críticos en ambientes digitales (Ananiadou & Claro, 2009; Bennett, Maton, & Kervin, 2008; Claro et al., 2012; ISTE, 2014; Sanchez, Salinas, Contreras, & Meyer, 2011).

El desarrollo de estas habilidades en los estudiantes requiere profesores capaces de enseñarlas. Junto con la definición de las habilidades de los estudiantes para el siglo XXI, ha habido una creciente producción de conocimiento en torno al saber y a las prácticas que los profesores requieren para hacerse cargo de enseñar estas habilidades en sus estudiantes. Esto es coherente con la creciente importancia asignada a los profesores en la mejora de los sistemas educativos (Barber & Mourshed, 2007; Darling-Hammond & Bransford, 2005; Twining, Raffaghelli, Albion, & Knezek, 2013).

Diferentes países y organizaciones han desarrollado estándares orientadores del desempeño docente, algunos de los cuales incorporan con mayor claridad conocimientos y prácticas requeridas para el desarrollo de las habilidades del siglo XXI en los estudiantes (ISTE Standards-T, de ISTE; los estándares TIC de UNESCO). En la actualidad, un proyecto de la Universidad Católica de Chile y del Ministerio de Educación de Chile busca definir las habilidades docentes requeridas para que ellos puedan contribuir al desarrollo de las habilidades del siglo XXI de sus estudiantes, y diseñar un sistema de evaluación de estas habilidades.

El esfuerzo del proyecto mencionado consiste en identificar, definir y medir los conocimientos, habilidades y actitudes del docente para diseñar, organizar, guiar y evaluar actividades con objetivos de aprendizaje y criterios pedagógicos explícitos, orientadas a formar la habilidad del estudiante para resolver problemas de información, conocimiento y comunicación, así como dilemas éticos y sociales en ambiente digital. Estas habilidades se organizan en cuatro dimensiones: información, comunicación, colaboración y ética.

Para desarrollar estas habilidades en los estudiantes, los profesores mismos deben dominarlas y ser capaces de enseñarlas. Por ejemplo, para enseñar a gestionar información en ambiente digital, el profesor primero debe saber, entre otras cosas, identificar fuentes de información adecuadas, definir unas estrategias de búsqueda, emplear herramientas para la búsqueda y evaluar la información obtenida. Además, debe saber diseñar y ejecutar unas actividades pedagógicas que permitan a los estudiantes definir unos pasos para definir unas estrategias de búsqueda, emplear herramientas, evaluar información, etc.

Las habilidades han sido seleccionadas a partir de la experiencia de profesores de aula con usos sofisticados de tecnologías de la información en la escuela y de bibliografía relevante, particularmente el trabajo de Ananiadou y Claro (2009) y los estándares para profesores de ISTE.

Las habilidades que ha identificado el proyecto no son las únicas posibles de ser identificadas en esta área. Desde luego, el proyecto no incorpora habilidades vinculadas al desarrollo profesional que son críticas y han sido destacadas por ISTE. Sin embargo, se trata de un punto de partida que puede ayudar a construir una base de conocimiento orientador de las políticas nacionales para profesores.

2.2. Gestión del cambio

A partir del documento de conclusiones del I Workshop Internacional sobre Lideratge Educatiu (acaecido en noviembre de 2013), podemos extraer las siguientes ideas clave:

A. Entender y aceptar que el «mapa» de los procesos de enseñanza-aprendizaje no tiene que ver exactamente con el «territorio» real de la clase y de cada uno de los alumnos. En este sentido, es vital que el docente tenga una actitud abierta –que no ingenua–, y que explore las diferentes posibilidades que le ofrece el soporte tecnológico para que pueda renovar sus escenarios de enseñanza-aprendizaje. Es decir, que se «deje sorprender» y que no tenga prejuicios ante el reto tecnológico.

B. En segundo lugar, que no esté solo, que comparta lo que hace en clase y que trabaje en equipo. El trabajo colaborativo en línea con soporte tecnológico puede ayudar también mucho en esta tarea.

C. En tercer lugar, que documente lo que hace, que escriba sus innovaciones. Solemos tener unos maestros excelentes que innovan diariamente, pero que no escriben lo que hacen.

D. En cuarto lugar, es necesario tener en cuenta los diferentes contextos y comprenderlos, y lo mismo ocurre con los diferentes mapas mentales de nuestros profesores ante la innovación y el cambio. La gestión del cambio tiene más que ver con miedos y emociones que con cuestiones de tipo racional.

E. Y, en quinto lugar, hay que tener una visión de la innovación que permita experimentar y... darnos la oportunidad de equivocarnos, pero sin quedarnos paralizados o tener posturas inmovilistas. El error nos permite aprender y avanzar.

F. Finalmente, cabe destacar también cinco condiciones para la innovación:

a. Si estamos siempre buscando las mejores condiciones, no empezaremos nunca. Siempre existirán obstáculos que dificulten empezar con las condiciones óptimas.

b. En según qué casos, no existe un libro blanco en el que todo está descrito y pautado. Por supuesto que los procesos de innovación deben estar mínimamente descritos y documentados, pero hay que entender también que reescriben constantemente, como el poema de Machado: «Caminante, no hay camino, / se hace camino al andar».

c. Tener todo controlado o «la ilusión del control» nos puede llevar a dejar que las cosas fluyan.

d. Innovar y cambiar exigen inexorablemente «abandonar la zona de confort». En conclusión, si siempre hacemos lo mismo, no esperemos demasiados cambios significativos.

e. Los procesos de innovación en la escuela parten de un sueño y de un plan estratégico, de un horizonte común, compartido y construido socialmente con cada uno de los agentes implicados en la comunidad educativa. Más en http://www.youtube.com/watch?v=8LwvuQkAGcA

Perspectiva internacional de la Gestión del Cambio

La percepción a este respecto es que el mayor problema en la educación es que sirve precisamente para aquello para lo que fue diseñada. Nuestras escuelas (re)producen graduados con conocimientos y habilidades necesarias para servir como empleados y funcionarios. Desde el momento en que nuestra sociedad comienza a transitar hacia una economía del conocimiento y de la innovación (es decir, a partir de la mitad del siglo xx en adelante), este perfil necesita ser actualizado. Estudios recientes realizados por organismos internacionales de desarrollo (OCDE) llegan a conclusiones convergentes en cuanto a que hay un desajuste entre las habilidades que se enseñan en las escuelas y lo que se demanda el mercado laboral (véase especialmente Cobo, 2013). En muchos casos se está formando a los jóvenes de hoy para puestos de trabajo que existían en el siglo xx y sin las habilidades suficientes para adaptarse a los «nuevos» trabajos que demanda el siglo xxi.

La acelerada irrupción de las tecnologías digitales y la expansión de la globalización han afectado un sinnúmero de organizaciones en las sociedades posteriores al siglo xx. Estas innovaciones resultan evidentes principalmente en los ámbitos de generación, distribución y consumo de información y conocimiento.

La educación actual no resulta ajena a esta fase de profundas transformaciones. Es aquí donde parece necesaria una detenida reflexión sobre por qué, cómo y a quién, de esta época de continuas hibridaciones. Sin embargo, antes de adoptar la «bandera por el cambio» es necesario pensar desde una posición crítica para analizar si realmente está preparada la educación del siglo xx para entrar de lleno en la sociedad de la innovación.

En una época en que todo parece predestinado a ser digitalizado, resulta oportuna la pregunta que hace Thomas y Seely Brown (2011): ¿Qué pasa con el aprendizaje cuando se mueve desde la infraestructura estable del siglo xx y avanza hacia las infraestructuras líquidas (inmateriales) del siglo xxi?

Aunque no pareciera directamente relacionado con esto, la aparición de fenómenos tales como Wikipedia y Wikileaks, los 1,200 millones de usuarios de Facebook, el lector digital Kindle como principal fuerza de venta de Amazon, el uso de dispositivos móviles por el 80 % de la población del planeta o la aparición de los MOOCs (siglas en inglés de los cursos en línea abiertos y masivos) son vectores que de manera más directa de lo que pareciera están incidiendo en el devenir de la educación. Zygmunt Bauman[1], en este sentido, agrega que en una sociedad adicta a la información, la habilidad clave es precisamente protegerse del 99,99 % de la información, que es irrelevante.

A modo de síntesis, puede plantearse que estos vectores connotan adaptaciones en el mundo de la educación que atañen tanto a nivel institucional (redefinición de los parámetros tradicionalmente adoptados), individual (reestructuración en términos de perfiles y competencias) y contextual (reconceptualización del tiempo y espacio; así como combinaciones entre el aprendizaje formal e informal).

En esta línea es necesario estimular un debate que posibilite pensar el papel de la educación en el siglo xxi, a través de dos dimensiones como: nuevos modelos de producción de conocimiento (e-ciencia; educación en línea; producción distribuida de investigación y desarrollo; innovación abierta; producción entre pares; enciclopedias en línea; contenidos generados por los usuarios; entre otros) y nuevos modelos de distribución y consumo del conocimiento (redes sociales; impresión bajo demanda; e-journals; repositorios digitales; licencias de Creative Commons; acervos de vídeo y podcast; sindicación de contenidos; e-books; entre otros).

En este marco, es necesario preguntarse cuáles son los nuevos perfiles de profesionales (y docentes) que demanda esta nueva década, cuáles son y cómo se definen los actuales límites del aprendizaje (formal, informal, no-formal; continuo, ubicuo, etc.), o qué flexibilizaciones requiere el sistema educativo actual.

2.3. Aspectos tecnológicos y educativos: la necesidad de un clúster tecnológico al servicio de la educación

Un clúster es una concentración geográfica de empresas, instituciones y universidades que comparten el interés por un sector económico y estratégico concreto. Estas asociaciones generan una colaboración que permite a sus miembros abordar proyectos

---

1. http://blogs.cccb.org/veus/tag/zygmunt-bauman/?lang=es#sthash.nWQy1dPR.dpuf

conjuntos de todo tipo, desde actividades de difusión y fomento del sector, hasta proyectos de I+D+i, o de creación de capacidades compartidas.

Al menos en la situación en Cataluña, un clúster permitiría la generación de sinergias, el impulso de la innovación, la mejora de la competitividad, la promoción del sector y la defensa de sus intereses. Estas son las razones de ser de los clústeres y la base de su importancia para la economía de una región y para su crecimiento socioeconómico, teniendo en cuenta que implican buen diálogo con el ámbito educativo para conocer y satisfacer sus demandas y sus necesidades tecnológicas.

Las características de un clúster son:

- Concentración geográfica de la actividad económica.

- Especialización en un sector económico concreto.

- Triple colaboración: sistema administración-universidad-empresa.

- Equilibrio entre competencia y colaboración por parte de sus miembros.

Todos estos elementos convierten a los clústeres en entidades vivas, que se convierten en elementos dinámicos de la economía, generadores de oportunidades, empleo y riqueza.

La mayoría de los Estados miembros de la UE están actualmente desarrollando e implementando políticas de clústeres, tanto a nivel nacional como regional, como parte de su política para responder a los objetivos de la antigua estrategia de Lisboa. El Consejo Europeo de diciembre de 2009 se propuso revisar la estrategia de Lisboa tomando como punto de partida el impacto de la crisis y los retos que se plantean para el futuro. Como consecuencia de esta revisión la Comisión ha propuesto una estrategia política sucesora de la Estrategia de Lisboa que expiró en 2010, llamada «Europa 2020». Véase más http://ec.europa.eu/europe2020/index_es.htm

El Observatorio Europeo de Clústeres ha calculado que el 38 % de los trabajadores europeos trabajan en empresas que participan en algún clúster. Asimismo, ha identificado más de 2.000 clústeres regionales en 258 regiones analizadas.

2.3.1. La situación concreta en Cataluña

En Cataluña disponemos de un conjunto de empresas del sector TIC Educación (Edutech, en http://edutech.cat/) con un alto potencial de crecimiento. Cabe recordar que la educación representa el cuarto sector económico del país en términos de PIB, con un porcentaje de más del 4 % del total de población ocupada. Aunque estos últimos años ha crecido de forma importante la inversión de TIC en la educación, cabe esperar que esta irá a más en los próximos años. Hasta ahora, la aproximación de las empresas TIC en el sector educativo ha sido muy fragmentada. Son muchas y diversas las actividades empresariales necesarias para hacer funcionar el sector educativo de las TIC. La actuación coordinada de estas actividades, con el denominador común de las TIC, debe convertirse en una de las palancas de evolución y cambio que está reclamando la escuela del futuro.

Del conjunto de empresas de Cataluña que ofrecen productos o servicios TIC en el sector educativo, actualmente existen más de 200 empresas clasificadas en diferentes categorías dependiendo de la tipología de producto que ofrecen:

- Consultoría e investigación
- Software e infraestructura de hardware
- Software de gestión académica
- Contenidos educativos y aplicaciones
- Plataformas de e-learning

Las categorías de infraestructura de hardware y software, seguidas de los contenidos educativos y apps, son actualmente las dos mejores representadas en Cataluña en cuanto a la oferta de productos o servicios en el sector educativo. Pero muchas de las empresas en este sector ofrecen producto o servicios en más de una categoría, lo que hace aumentar su versatilidad. A medida que los centros educativos vayan identificando la necesidad de servicios integrados de diferentes categorías, este hecho dará oportunidades para el crecimiento de este tipo de empresas, así como de nuevas *start-ups* focalizadas en este sector.

El clúster Edutech tiene como misión diseñar e implementar iniciativas para reforzar la competitividad de las empresas que formen parte de él. Sus objetivos son los siguientes:

- Favorecer la competitividad de las empresas del sector.
- Promover escenarios de demanda de productos y servicios tecnológicos de calidad.
- Promover la alianza entre empresas para la creación de nuevos productos o servicios.
- Facilitar una visibilidad más cohesionada del sector ante la demanda.
- Favorecer la interlocución entre empresas, clientes y administración.
- Difundir la importancia estratégica de las TIC en el proceso de enseñanza-aprendizaje.
- Promover un clima de confianza e interoperabilidad entre las empresas participantes.

2.4. Los centros de formación inicial de educadores

A partir del documento de conclusiones de la XXII Jornada de reflexión del Consejo Escolar de Cataluña (celebrado en abril de 2013) pueden extraerse las siguientes ideas clave:

- En este contexto socio-tecnológico actual, una de las misiones de la formación inicial y permanente del profesorado es prepararlo para la inevitable superación de prácticas docentes basadas en la transmisión directa de conocimientos y en una organización rígida de las enseñanzas; todo ello es pertinente especialmente en secundaria, con currículos sobrecargados de objetivos y contenidos obligatorios y con criterios de evaluación estáticos. Un objetivo específico de estas formaciones debe ser proporcionar conocimiento de las diversas tipologías de aplicaciones educativas (ejercitaciones, simulaciones, tutoriales, juegos, etc.), así como de las condiciones de utilización pedagógica en situaciones de presentación al grupo-clase, de atención individual o en grupo, de trabajo colaborativo en equipo o de comunicación con otros alumnos o personas externas expertas, entre muchas otras.
- La introducción de las tecnologías digitales tiene una potencialidad transformadora cuando se incardina en procesos de reflexión y de innovación didáctica y pedagógica, realidad que es bien conocida por el profesorado más activo y por los centros más innovadores. El uso de las tecnologías lleva a una reflexión sobre los procesos pedagógicos y sobre las posibilidades de nuevas prácticas, y esto modifica la forma de actuar del profesor. A su vez, lo lleva a explorar y pedir a las tecnologías nuevas posibilidades. Este círculo virtuoso se trasladará a la formación del profesorado.

2.4.1. Innovación pedagógica con soporte tecnológico

De nuevo a partir del documento de conclusiones de la XXII Jornada de reflexión del Consejo Escolar de Cataluña (celebrado en abril de 2013) pueden extraerse las siguientes ideas clave en cuanto a la innovación pedagógica con soporte tecnológico:

- La concepción tradicional del trabajo del maestro consiste en un conjunto sistemático y planificado de acciones en que presenta información y da instrucciones al grupo-clase de alumnos, los cuales escuchan, preguntan o son preguntados, y después resuelven ejercicios o trabajan unos determinados materiales siguiendo un ritmo pautado. El profesor gestiona la clase para asegurar un aula ordenada y atenta, y propone pruebas y exámenes para evaluar el aprendizaje alcanzado. Esta visión, esencialmente válida, admite sin embargo variaciones sustanciales.

El énfasis de los currículos actuales en la adquisición de competencias exige profundizar en los siguientes aspectos: (1) la interacción alumno-profesor; (2) la atención a un alumnado muy diverso y la satisfacción de necesidades diferentes, que lleva a individualizar las experiencias de aprendizaje; (3) la promoción de las destrezas de colaboración y de trabajo en equipo, que lleva al profesorado a organizar, observar y apoyar la construcción de equipos; (4) la consecución de que el alumno reflexione, explique y contribuya activamente, que requiere organizar, observar y monitorizar discusiones, demostraciones y presentaciones por parte de los alumnos; y (4) el acercamiento de la enseñanza a realidades externas, que comporta que el profesor deba proponer actividades que incorporen ejemplos y aplicaciones relacionadas con el mundo real. Estas, y muchas otras, son manifestaciones concretas de cómo a lo largo de los años ha cambiado el ejercicio de la docencia respecto de la concepción tradicional.

- La incorporación de las tecnologías digitales como apoyo del docente y como instrumento de trabajo intelectual del alumno es otro de estos cambios importantes, de manera que el trabajo de enseñar en absoluto puede considerarse estático y aprendido de una vez para siempre. La predisposición al aprendizaje permanente que hoy en día se reclama de cualquier persona educada comienza con el ejercicio de la función docente. Más que nunca ser profesor implica estar comprometido con aprender toda la vida y evaluar constantemente la propia práctica.

- La literatura educativa de los últimos años pone de manifiesto que el discurso que la escuela debe cambiar encuentra vías de materialización en el aprendizaje basado en problemas y proyectos y en el aprendizaje reflexivo y colaborativo, metodologías con claras evidencias de éxito pero de difícil generalización en el sistema educativo. Las dinámicas de aprendizaje que generan y favorecen las tecnologías digitales comportan que el trabajo de los maestros y de los profesores vaya hacia la adopción de formas de organización de la actividad educativa basadas en el trabajo en red, los proyectos de investigación, la cooperación y la aplicación del conocimiento, y que esta manera de hacer forme parte de una aproximación pedagógica colegiada incluida en el proyecto educativo de centro.

Perspectiva Internacional sobra la innovación tecnológica con tecnologías digitales

Un reciente estudio internacional realizado por UNESCO en el que se consultó a profesores y directivos de más de 30 escuelas innovadoras en el uso de tecnología (Kalaš 2014) permitió identificar distintas dimensiones relacionadas con el uso pedagógico de las tecnologías en escuelas. Un primer mensaje es que las tecnologías no parecen ser –por sí mismas– generadoras de una transformación en los enfoques pedagógicos. Pero sí se observa impacto fortaleciendo los enfoques y las innovaciones pedagógicas que hayan adoptado la escuela y en los cuales se inserta el uso de tecnología. Es así como las tecnologías se ven al servicio de enfoques didácticos tanto constructivistas como también conductistas; y al servicio de modalidades de enseñanza individuales y grupales y colaborativas.

Si bien algunos profesores consultados reportan tener dificultades para adoptar nuevas tecnologías, muchos reportan tener experiencias positivas con ellas. En particular, se destaca la posibilidad de crear situaciones de aprendizaje que acojan distintos estilos de aprendizaje (visuales, auditivos o kinestésicos) y especialmente el apoyo a necesidades educativas especiales. Muchos profesores mencionan un efecto en enseñanza más interactiva gracias al uso de pizarras digitales, generalmente conectadas a dispositivos móviles. La tecnología ha sido también un elemento de apoyo para la enseñanza basada en proyectos en el interior del aula, pero también en experiencias de educación informal. Se reporta también una variedad de oportunidades en relación con la evaluación de aprendizajes, donde la tecnología ofrece nuevas perspectivas para evaluar conocimientos y habilidades.

Un uso generalizado de la tecnología es la producción de guías de aprendizaje por parte de los profesores. Pero también es común el uso de tecnología para actividades creativas por parte de los propios estudiantes, y en especial en la producción de material digital (presentaciones, animaciones, vídeos).

Se reportan usos exitosos en todo tipo de sectores curriculares (incluyendo educación física). En particular, los experimentos de ciencias se vuelven más accesibles a través de simulaciones en aquellas escuelas que no cuentan con laboratorios físicos. Pero también es común encontrar experiencias pedagógicas que atraviesan distintos sectores curriculares y que involucran trabajo en equipo, investigación y exploración; así como también proyectos de participación en redes internacionales que utilizan videoconferencias entre grupos de distintas escuelas. Se reporta también el desarrollo de habilidades y destrezas (orientación espacial, escritura manuscrita, lectura crítica, toma de notas, manejo de referencias, administración del tiempo, toma de decisiones, planificación, etc.).

Perspectiva internacional sobre los desafíos para integrar tecnologías digitales en los sistemas educativos

El proceso de integración de TIC en los sistemas educativos es una tarea que puede analizarse como un conjunto de desafíos o barreras que una institución formadora debería abordar de forma conjunta, debido a que están estrechamente interrelacionadas (Zhao, 2002, Yung-Jo 2012). Los desafíos se resumen en el siguiente cuadro:

		Barrera o desafío
1.er orden	*institución*	Prácticas institucionales, infraestructura TIC disponible, flexibilidad para realizar cambios curriculares.
	estudiantes	Cultura digital e infraestructura TIC personal
2.º orden	*docente*	Autoeficacia, actitud hacia las TIC, infraestructura TIC personal, incentivos percibidos.
3.er orden	*disciplinas*	Conocimiento del aporte de las TIC para enriquecer ambientes de aprendizaje y en resolver nudos de aprendizaje o de enseñanza en las materias y asignaturas específicas de cada docente; el tipo de TIC a usar (hardware y software) y cómo usarlas dentro y fuera del aula.

Barrera de 1.er orden: la institución y los estudiantes

Las instituciones educativas, como toda institución, cuentan con tradiciones y normas, además de un cierto nivel de infraestructura tecnológica y de apoyos para utilizarla. Al plantearse el desafío de integrar las TIC de manera integral y sistemática en la formación de sus estudiantes, la institución se enfrentará a la necesidad de abordar cambios en las mallas curriculares, revisar y eventualmente actualizar y ampliar la infraestructura tecnológica, además de otras decisiones que afectarán directamente a los docentes y a los estudiantes. A este tipo de desafíos se le denomina «barrera de 1.er orden» y tiene las siguientes dimensiones:

1. *La cultura digital institucional, asociada a sus prácticas, a su normativa y al liderazgo que ejerzan sus autoridades.* La manera recomendada de abordar esta barrera es a partir de un proyecto de integración de TIC que incluya metas, recursos TIC, indicadores de integración de TIC, seguimiento del avance de los indicadores, instrumentos de evaluación de habilidades TIC de estudiantes, reconocimiento a la dedicación de tiempo de docentes y que esté sustentado en un marco teórico significativo, tal como TPACK (Mishra y Koehler, 2009).

2. *La infraestructura tecnológica de la institución y los apoyos técnico-pedagógicos de la institución a sus académicos.* La infraestructura tecnológica constituye una barrera básica y esencial de abordar al integrar las TIC en la formación de profesores. Esta barrera fue de las primeras que fueron identificadas (NCES 2000) y está asociada a la calidad, a la cantidad y a la disponibilidad de recursos TIC en la Institución, para todos sus integrantes, en especial para su uso en aula; así como a la rapidez y a la efectividad con que se dispone de apoyo técnico para

situaciones preventivas o correctivas. También se considera la facilidad de uso de las TIC para su aprovechamiento en el aula como recurso didáctico.

3. *La cultura digital de los estudiantes.* La cultura digital de los estudiantes ha ido cambiando sustantivamente en la última década. Los jóvenes llamados «nativos digitales» o «aprendices del Nuevo Milenio» (Pedró 2006 y 2011) han adquirido un nivel elemental de habilidades con la tecnología. Sin embargo, recientes investigaciones han detectado que si, bien los estudiantes manejan de manera eficiente los dispositivos móviles, las redes sociales y los juegos digitales, ello no implica que tengan automáticamente la capacidad de usarlos con propósitos educativos. Por otro lado, (Pedró 2006) indica que en la medida que las tecnologías penetraron en los hogares y en la vida familiar, las competencias TIC de los escolares superaron a las de sus profesores. Por lo tanto, puede esperarse una mayor demanda por la variedad y por la calidad de los usos de las TIC en las escuelas y en las universidades, por lo que se refiere a «tipo de dispositivos disponibles en las instituciones, frecuencia y variedad de uso por parte de docentes; oportunidades de trabajo colaborativo en red; estándares de calidad digital en términos de interactividad y multimodalidad de los recursos utilizados» (Pedró 2006).

Barrera de 2.º orden: los docentes

Esta barrera está asociada a cada docente y se refiere a su actitud hacia el uso de tecnologías en su trabajo docente, y también a su sentido de autoeficacia para su uso en el aula, a su percepción del esfuerzo que le implicará preparar y realizar una clase con tecnología, a cuán útil estime que será realizar este esfuerzo en término de más y mejores aprendizajes o mayor motivación de sus estudiantes.

Barrera de 3.er orden: las disciplinas

Aun cuando la institución haya resuelto las dos barreras anteriores, no está asegurado que los docentes integren las tecnologías en sus asignaturas, pues para cada una hay un desafío específico sobre el rol, sobre los beneficios y sobre los desafíos que implican recursos de aprendizaje. La dificultad radica en justificar el uso de las tecnologías en una materia específica y responder claramente a las siguientes preguntas: ¿qué aportan?, ¿mejoran los aprendizajes?, ¿enriquecen los ambientes de enseñanza y aprendizaje?, ¿requieren apoyos especiales?, ¿qué software usar?, ¿cómo evaluar los aprendizajes al usar tecnologías?, ¿podrán los estudiantes transferir estas prácticas y tecnologías a sus futuros ambientes laborales?

Superar esta barrera disciplinaria es un esfuerzo a largo plazo, que requiere apoyo institucional, en el que un elemento clave son las redes de pares para detectar aquellas prácticas de otros docentes en asignaturas similares, que hayan probado con éxito el uso de tecnologías y que puedan ofrecer modelos de uso en las asignaturas (OECD 2011).

2.4.2. Competencia digital de los educadores

Una vez más a partir del documento de conclusiones de la XXII Jornada de reflexión del Consejo Escolar de Cataluña (celebrado en abril de 2013) pueden extraerse las siguientes ideas clave en cuanto a la competencia digital de los educadores.

El atractivo que las tecnologías digitales ejercen sobre niños y jóvenes es solo comparable a la intuición, a la desinhibición y a la libertad con que interactúan con ellas. Esta familiaridad «natural» es un hecho que en sí mismo marca diferencias entre los jóvenes y los que no lo son tanto (es decir, con madres, padres, profesoras y profesores). También las marca con los gestores y con los administradores del sistema educativo, que en gran parte son generacionalmente anteriores a Internet. En ese sentido, expresiones como «nativos digitales» o «generación Facebook», u otras similares, expresan un hecho generacional relacionado con la familiaridad de los jóvenes con la tecnología. Muchos escolares disponen de un extenso bagaje de conocimientos, experiencias y habilidades digitales, amplias pero poco estructuradas, que no puede asimilarse a competencia digital porque no garantiza que niños y adolescentes aprendan y obtengan valor añadido del uso de la tecnología en el trabajo intelectual. Haber nacido en un contexto sociotecnológicamente rico no implica automáticamente que se sea capaz de trabajar y estudiar con los entornos digitales de manera provechosa ni eficiente, lo que observan los profesores cotidianamente. Emplear asiduamente sistemas de mensajería y participar en las redes sociales no es sinónimo de dominio de la comunicación; buscar información y usar herramientas ofimáticas (a veces poco más que copiar y pegar) no equivale a elaborar ni gestionar conocimiento.

En este sentido, el acceso a la tecnología digital por parte de niños y jóvenes a veces es excesivo e inapropiado por el exceso de exposición y por la escasa calidad de las interacciones. La acumulación y la superposición de los usos de móviles, televisores, ordenadores, reproductores multimedia, consolas y cámaras web, el consumo en solitario de programas de televisión, la abundancia de mensajes instantáneos, las intervenciones en redes sociales y chats, etc.; es decir, la recepción sin control ni moderación de estímulos sensoriales y mentales puede estresar los ritmos vitales, crear fatiga neuronal y tener consecuencias negativas para la salud, para el equilibrio emocional, para la sociabilidad y para la trayectoria académica. La respuesta a esta situación podría requerir un replanteamiento en volumen y tipología de la actividad física para compensar y mantener el equilibrio. Por este motivo, el objetivo de fomentar la competencia digital en la etapa escolar debe tener como parte integral y destacada la capacidad de usar de forma moderada, crítica y productiva los recursos de la red y de los dispositivos de que disponen, así como la gestión de su identidad en Internet y de los riesgos de seguridad. La competencia digital puede entenderse como el conjunto de conocimientos, estrategias y destrezas que permiten a una persona resolver problemas prototípicos y emergentes (en el sentido de relacionados con el futuro y con las nuevas situaciones que se producen) vinculados al mundo digital con relación a comunicar, seleccionar información, escribir, etc. con un soporte digital. Esta competencia engloba una serie de dimensiones que la sociedad debe preocuparse de proveer a los estudiantes mediante el sistema educativo. El sistema educativo debe asegurar la generalización de estos conocimientos a todas las capas sociales sin excepción, ya que, de lo contrario, se corre el riesgo de crear o agravar una brecha digital peligrosa que condene a la exclusión social determinados sectores del alumnado.

Combinar la actividad dirigida por el profesor con las iniciativas y con las propuestas formuladas por los alumnos de acuerdo con sus conocimientos, con sus intereses y con sus destrezas tecnológicas sirve para desarrollar la competencia digital de ambos, al tiempo que influye positivamente en la calidad de las relaciones entre el alumnado y el profesorado.

La competencia digital tiene una dimensión adicional, relacionada con la naturaleza de los sistemas y de los instrumentos tecnológicos como objeto de conocimiento. Aunque los currículos de la educación obligatoria estimulan la aplicación de Internet y de las aplicaciones informáticas de productividad personal y no consideran la programación ni la explicación de los fundamentos básicos de su funcionamiento, hay centros que ofrecen ampliaciones curriculares para aproximar los alumnos a los conceptos de algorítmica, programación y lenguajes, incluso desde edades muy tempranas. La actividad intelectual asociada a la programación enseña a pensar de forma abstracta, lógica y estructurada, favorece el desarrollo de una mentalidad autónoma e innovadora y contribuye a desarrollar el «pensamiento computacional», es decir, el tipo de razonamiento e intuición que ayuda a desarrollar estrategias de resolución de problemas. En algunos países, este es un elemento formativo al alza dentro de la enseñanza obligatoria. Afirmar una oferta formativa, aunque sea de carácter optativo, centrada en la enseñanza de la algorítmica y programación, con aprendizajes basados en la investigación y la resolución de problemas, puede ser del todo necesario para aumentar las opciones de éxito en el ámbito de la ciencia y de la tecnología, atendiendo al escaso prestigio de estas materias entre los estudiantes de educación secundaria debido a que una parte significativa del alumnado rechaza estos estudios por su dificultad.

Desde la perspectiva internacional, la integración de las tecnologías digitales en la formación inicial docente es un asunto aún no resuelto y débilmente abordado en Latinoamérica. Según una investigación que consultó a decanos de instituciones formadoras de profesores, las TIC están integradas en el currículum sólo en áreas específicas pero no de modo transversal (Brun & Hinostroza, 2011). Según la misma investigación, un 56 % de los decanos declara que en menos de la mitad de los syllabus están presentes las competencias pedagógicas relacionadas con TIC como objetivos explícitos. Los profesores, en su mayoría, declaran sentirse cómodos usando TIC; sin embargo, le asignan más importancia a la dimensión funcional de las TIC que a su dimensión pedagógica (Brun & Hinostroza, 2011). En su trabajo, Brun e Hinostroza (2011) plantean que aparentemente el principal problema de los profesores en formación no es aprender a cómo usar las TIC, sino aprender integrarlas de manera pedagógica en su futuro trabajo.

Por su parte, Mishra y Koehler (2009) ofrecen una conceptualización que instala las TIC sobre una distinción propuesta por Shulman en 1986: el conocimiento pedagógico del contenido (Shulman, 1986). Este concepto señala aquel saber docente del contenido que es enseñable. Pero, además, la propuesta de Mishra y Koehler incorpora otro tipo de saber: el saber sobre tecnología.

El concepto de conocimiento tecnológico, pedagógico y del contenido (TPACK, por sus siglas en inglés) es representado por Mishra y Koehler como tres círculos (cada uno dedicado al saber pedagógico, al saber del contenido y al saber tecnológico), con espacios de intersección entre ellos. En punto donde los tres se intersectan es TPACK. La imagen de un punto de intersección denota el punto de encuentro entre tres saberes. TPACK es una propuesta de construcción de un saber nuevo que no está habitualmente disponible en las instituciones formadoras y que articula contenido, pedagogía y tecnología. TPACK responde a la pregunta: ¿qué tecnología articulada a qué pedagogía puede contribuir a aprender qué contenido?

El modelo TPACK ha suscitado un creciente interés en la investigación y ha comenzado a orientar los esfuerzos por integración de las TIC en distintos niveles educativos (Wu, 2013). En educación superior, se han realizado varias experiencias, las que se han expresado en el diseño de cursos y de instrumentos de medición de TPACK (Chai, Ling Koh, Tsai & Lee Wee Tan 2011; Schmidt et. al., 2009). Sin embargo, queda aún mucho recorrido para afinar el modelo, probarlo en la formación inicial de profesores y en el sistema escolar y obtener resultados que permitan ponderar su valor para incorporar TIC en educación.

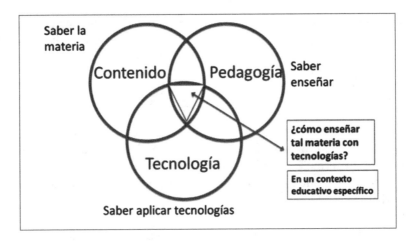

Finalmente, en cada vez más países aumenta la atención a materias como pensamiento computacional y programación como parte del currículo escolar. Esto se ve reflejado en nuevos sectores curriculares para las áreas de computación, informática o ciencia de la computación incluso desde los primeros años de educación primaria. Por ejemplo, el nuevo currículo inglés declara que «una educación en computación de alta calidad equipa a los estudiantes para utilizar pensamiento computacional y creatividad para comprender y cambiar el mundo».

2.4.3. Nuevos perfiles profesionales

Del documento *20 claves educativas para el 2020* de la Fundación Telefónica (2013) podemos extraer las siguientes ideas clave en relación con los nuevos perfiles profesionales.

La empresa debe ir a la escuela, y la escuela debe ir a la empresa; y ambas deben ir juntas a la sociedad. Es cuestión de trabajo colaborativo distribuido. La construcción del currículo que deberán consumir los nuevos perfiles que demanda la sociedad deberá realizarse entre todos los agentes involucrados en su desarrollo.

Hay ciertos aspectos fundamentales que tienen que ver con la persona que deben ser cultivados desde temprana edad en el proceso educativo:

1. Liderazgo
2. Cultura de equipo y de colaboración
3. Incentivo a la curiosidad y apertura al cambio
4. Incentivo a la innovación
5. Aprender de los errores y no tenerles miedo

Finalmente, destacamos algunos de los elementos que hacen a una persona empleable en la sociedad del siglo xxi: capacidad de discernir de forma crítica, flexibilidad y adaptabilidad, trabajo en equipo, multidisciplinariedad, disposición al aprendizaje continuo y capacidad de emprender.

Elementos clave para nuevos perfiles profesionales:

1. Existe una necesidad inminente de disrupción en el sistema educativo planteado como ente aislado de la sociedad. La fuerza de los aprendizajes producidos en ambientes no formales e informales crece a un ritmo vertiginoso y no quedará más remedio que empezar a considerar los beneficios de todos los ámbitos educativos posibles.
2. El aprendizaje no está en los contenidos sino en las interacciones que se producen alrededor de ellos. El aprendizaje en red a través de interacciones debe consistir en agregar, integrar y poner en práctica los conocimientos para cerciorarnos de que funcionan.
3. La construcción del currículo que deberán consumir los nuevos perfiles que demanda la sociedad deberá acometerse entre todos los agentes involucrados en su desarrollo. La sociedad y las escuelas deben colaborar para adaptar la formación a las demandas sociales del siglo xxi.

2.5. Seguimiento y desarrollo de la carrera profesional (formación continua)

A partir del documento de conclusiones de la XXII Jornada de reflexión del Consejo Escolar de Cataluña (celebrada en abril de 2013) pueden extraerse las siguientes ideas clave en relación con la formación continua.

Los profesores que se incorporan al sistema educativo después de sus estudios en las facultades de educación tienen mucha familiaridad con Internet y con las redes sociales, pero conocimientos insuficientes en cuanto a objetivos y metodologías del trabajo pedagógico con las tecnologías digitales. Esto puede deberse a que la formación del profesorado en TIC esté poco desarrollada, e incluso a que haya futuros profesores que pueden cursar los estudios universitarios sin recibir esta formación. También puede influir un nivel insuficiente de prácticas en centros con una acreditada utilización de las tecnologías digitales.

Utilizar los ordenadores con el alumnado en el aula presenta importantes diferencias respecto de una enseñanza que se imparta sin emplear tecnología. Requiere que el profesorado disponga de una preparación adecuada, que combina soltura con los instrumentos, conocimiento de los recursos digitales y planteamientos metodológicos específicos. Con el ordenador, la manera de capturar la atención del alumnado, de presentar la información, de dialogar con los alumnos y de conducir sus razonamientos o de resolver las dudas cambia. También se modifican la instrucción individual y en grupos pequeños, la evaluación y la gestión del grupo-clase. Todos estos asuntos son cruciales para una enseñanza eficaz; y, por tanto, la generación de conocimiento y de experiencia sobre esto es un eje imprescindible de la formación inicial y permanente del profesorado.

La manera de enseñar, explicar y apoyar al alumno influye decisivamente en lo que este aprende y en cómo lo aprende, y también en su actitud y en sus expectativas. En esta línea, que el profesorado conceptualice el conocimiento como la combinación de lo que se sabe en términos proposicionales y procedimentales junto con la conciencia de cómo se ha adquirido y de cómo se puede ampliar, transferir y aplicar, hace que el conocimiento, aunque sea un objetivo central de toda educación, no sea sinónimo de materia ni pueda asimilarse a contenido curricular, sino que adquiera una dimensión más operacional y, por qué no, emocional. Adoptar esta concepción como hilo conductor de la formación inicial y permanente del profesorado implica y sitúa las tecnologías digitales en el núcleo del desarrollo profesional.

La complejidad de todo lo que está asociado a las TIC en términos pedagógicos y organizativos exige que los sistemas educativos vayan más allá de asegurar que el profesorado dispone de unos conocimientos básicos que le permiten operar con las tecnologías digitales. El desarrollo profesional del profesorado –formación inicial, acogida en el servicio activo y formación permanente– debe incluir las tecnologías desde el diseño mismo hasta la implementación y hasta la evaluación, de tal forma que se promueva la visión del docente como un trabajador del conocimiento caracterizado por la alta experiencia y por la aplicación discrecional de sus conocimientos en un marco de trabajo colectivo y cooperativo definido por el proyecto educativo de centro.

Un aspecto fundamental del desarrollo profesional del profesorado en relación con el mundo digital es inducir a la reflexión sobre el cambio radical del entorno de información con la sobrecarga de fuentes de información y de canales de comunicación, y sobre cómo la naturaleza digital de la información ha mudado la tradicional estabilidad de los contenidos escolares y ha alterado la parte de poder del profesorado que residía en la administración, casi en exclusiva, los flujos de información. La pérdida de este monopolio, con la consiguiente fractura de un eje estructural de la función docente del siglo xx, no tiene vuelta atrás.

La clave para la mejora de las prácticas docentes vinculadas a las tecnologías digitales es el desarrollo profesional del profesorado, entendido como parte integral de una dinámica de innovación en los centros educativos. Las políticas y los programas de TIC relacionados con la formación de profesores deberían estructurarse de tal manera que conectaran con las prácticas específicas del aula o implicaran a los profesores en una comunidad de práctica profesional y desarrollo continuo, políticas que han demostrado su efectividad.

La cultura digital de usuario del profesorado es bastante amplia y la necesidad de insistir en aplicaciones muy generales y conocidas es mucho menor que la que había un tiempo atrás. Los recursos de formación deben orientarse a los instrumentos y a los contenidos que potencian la enseñanza de áreas concretas del currículo con aplicaciones de diferentes tipologías. Por otra parte, la formación permanente del profesorado en TIC ha disminuido últimamente y presenta insuficiencias en términos de volumen y modelo. En este sentido, articular de manera sistemática la colaboración profesional entre docentes, uno de ellos más experto y otros con menos conocimientos o experiencia, puede contribuir al desarrollo profesional en TIC muy arraigado en el currículum y en la mejora de los aprendizajes.

El sistema habitual de docencia de un profesor solo en el aula puede frenar la innovación por el temor de que el riesgo de equivocarse, de perder tiempo o de no prosperar plenamente puedan juzgarse como un perjuicio a los alumnos. Las prácticas cooperativas, en cambio, permiten compartir, discutir y analizar, de manera que al profesorado le resulta más fácil animarse a la innovación e implicarse en ella más eficazmente y con más apoyo. La colaboración entre profesionales para compartir experiencias es fundamental, y el trabajo interdisciplinario la favorece. La colaboración da ejemplo: cuando dos profesores comparten el trabajo en el aula, los alumnos responden muy bien a una situación que para muchos de ellos todavía es nueva. Esta aproximación al desarrollo profesional tiene un potencial alto en relación con la incorporación de las tecnologías digitales en las aulas.

2.6. Desarrollo y carrera profesional desde la perspectiva profesional

Diferentes modalidades de desarrollo profesional docente han emergido gracias a la amplia disponibilidad de tecnologías digitales. Muchas de las actuales ofertas de desarrollo profesional o capacitación docente se ha estructurado en torno a talleres y cursos, diplomados y postgrados. El gran desafío de esta oferta sigue siendo lograr impactar las prácticas pedagógicas, que interpelen a los docentes y que se relacionen con los contextos sociales y educativos en que trabajan. Este desafío se ha denominado «de transferencia», es decir, se refiere a la necesidad de transferir el conocimiento experto a las prácticas en aula en un contexto educativo determinado.

A continuación, se mencionan dos modalidades emergentes de desarrollo profesional, comenzando por la que parece lograr mayor efectividad: las redes de pares. Las redes de pares o *peer-to-peer networks* constituyen una modalidad que ha demostrado ser efectiva para el desafío de la transferencia en el desarrollo profesional docente. La razón principal para su éxito es que el intercambio de experiencias entre profesores de contextos similares (por ejemplo, profesores de física y enseñanza secundaria, en escuelas de población en situación de vulnerabilidad social) es percibido como relevante, pertinente y aplicable. Se contrasta con la participación de capacitaciones de expertos en las respectivas disciplinas, que suelen ser percibidos ajenos al contexto en que trabaja el profesor.

Por su parte, los MOOC (*Massive Online Open Courses*) constituyen una tendencia universitaria (en consorcio) que consiste en ofrecer cursos en línea abiertos y masivos para todo público, sin requisitos. Nacieron aproximadamente el año 2008 en EE. UU. y han ido evolucionando hacia cursos cada vez más masivos y de mayor calidad. Entre sus principales características se cuentan las siguientes. Los cursos MOOC son masivos, no tienen prerrequisitos y actualmente los siguen decenas y hasta cientos de miles de estudiantes. Algunos han logrado una matrícula de más de 200.000 estudiantes y se proyecta que podrán llegar a más de un millón de estudiantes. Por otro lado, el prestigio de los docentes es un gran atractivo para los estudiantes. También lo son los ambientes de aprendizaje (interfaces, foros, simulaciones y juegos educativos).

Los MOOC han sido adoptados por algunas de las más prestigiosas universidades del mundo, tales como: Stanford, MIT, Freiburg, Melbourne, Berkeley, Princeton, Edimburgo, Toronto, Washington, entre otras. Entre las razones de estas universidades para participar en MOOC está su interés por llegar a más estudiantes en un ambiente crecientemente competitivo y globalizado, lo que implica a fin de cuentas tener más presencia en el mundo y captar mayor matrícula.

Algunos de los ejemplos más relevantes de consorcios universitarios son Coursera (https://www.coursera.org); Udacity (http://www.udacity.com) y edX (https://www.edx.org).

En la medida que los MOOC maduren, representarán una opción atractiva para estudiantes de todo el mundo que podrán optar a cursos, títulos y grados de universidades prestigiosas.

3. Propuestas de acción

3.1. *Recogidas de otros foros nacionales*

Del 2.º Congreso eduEstat (noviembre, 2013):

Las TIC representan una oportunidad para el cambio y para la transformación de la educación, para la mejora de la competencia digital del profesorado, para la renovación metodológica y para la mejora de los aprendizajes de los alumnos. Por eso hay que dejar de verlas como una amenaza y percibirlas como una oportunidad. Necesitamos disponer de un mapa de la innovación educativa en Cataluña, así como crear una agencia o instituto de investigación de la innovación pedagógica con soporte TIC en los centros escolares (Living Edulab). Es necesaria la evaluación de la madurez tecnológica y pedagógica del centro educativo como hoja de ruta y también acreditar profesorado y alumnado con la ACTIC (acreditación de competencias TIC).

Hay que impulsar el diálogo entre el mundo empresarial tecnológico y el ámbito educativo. Sería interesante crear un evento de referencia internacional y punto de encuentro de la innovación tecnológica aplicada a la educación. No se trata tanto de insertar tecnología en las aulas, como de hacer un nuevo modelo de escuela en presencia de las tecnologías. Por eso hay que empoderar al equipo directivo en competencias digitales y facilitar que los docentes puedan desarrollar procesos de enseñanza y aprendizaje; además, se destaca la necesidad de un liderazgo distribuido en la escuela en cuanto a las tareas TIC y TAC (responsable TIC y el equipo TAC).

De la XXII Jornada de reflexión del Consejo Escolar de Cataluña (abril, 2013):

La autonomía de los centros es uno de los principios organizativos que rigen el sistema educativo de Cataluña, junto con el funcionamiento integrado y la gestión descentralizada, la flexibilidad para adecuarse a las necesidades cambiantes de la sociedad y la participación de la comunidad educativa. La gobernanza de los centros educativos y el liderazgo educativo deben responder a estos principios, en cuyo desarrollo las tecnologías digitales son consustanciales. Las actuaciones de los titulares de los centros públicos y privados deben ser coherentes con este principio.

La Administración educativa y los titulares de los centros privados deben conceptualizar las tecnologías digitales como un factor imprescindible de mejora de la educación de todos los alumnos a todos los niveles, por lo que deben contribuir y facilitar el desarrollo y el logro de estas metas, al tiempo que deben velar por la equidad y por la inclusión digitales, potenciar la labor de los profesionales de la educación, favorecer las redes de colaboración y estimular la participación de las familias y los alumnos mismos.

3.2. Recogidas a partir del consenso del equipo de trabajo FIET 2014

1. Nuestro sistema educativo tiene una necesidad urgente de disponer de una cartografía de un mapa de la innovación educativa en Cataluña.

2. Resulta de enorme importancia seguir invirtiendo esfuerzos en la constante capacitación y actualización digital del profesorado, del alumnado y de los equipos directivos.

3. Es necesario tener en cuenta y comprender los contextos y los diferentes mapas mentales de nuestros profesores ante la innovación y ante el cambio. La gestión del cambio tiene más que ver con miedos y emociones que con cuestiones de tipo racional.

4. Son necesarios un análisis, un abordaje sistematizado y una puesta a punto de las metodologías didácticas docentes más adecuadas para trabajar con tecnología en el aula.

5. Debemos disponer de una visión global de sistema, teniendo en cuenta que tenemos que atender el ámbito empresarial tecnológico comunicándoles allí qué necesidades tecnológicas tienen las escuelas.

6. Necesitamos un documento VTP (*Vademecum tecnopedagógico*, que responda al qué, al quién y al cómo) que recoja y sistematice las diferentes soluciones tecnológicas al servicio de la educación, así como la identificación de los diferentes proveedores y las empresas del sector tecnológico que pueden ofrecer estos servicios; metodologías y pedagogías emergentes con el uso tecnológico.

7. Necesitamos un espacio de encuentro (evento) que permita la actualización profesional y académica entre educadores (innovadores), empresas tecnológicas, editoriales, escuelas y los diferentes agentes educativos asociados (investigadores en tecnología educativa).

8. Necesitamos establecer diálogo con el clúster Edutech para comenzar los diferentes proyectos TIC & Educación.

9. Necesitamos, por otro lado, también un símbolo que permita hacer presente que hoy en día ser maestro es estar comprometido con aprender toda la vida y evaluar constantemente la propia práctica (innovar periódicamente y estar preparado para gestionar el propio cambio), lo cual nos convierte en profesionales reflexivos. Es por esta razón por lo que proponemos una breve promesa platónica en los actos de graduación de maestros, similar al juramento hipocrático de los médicos.

10. Proponemos la articulación de una red de actores (desde las autoridades educativas del país), que deseen hacerse responsables de las tecnologías en la formación docente en sus instituciones, que se configuren en grupos de trabajo temático (ej: integración de tecnologías en ciencias, lengua, historia, etc.), de intercambio de buenas prácticas docentes con tecnologías, de diseño y utilización conjunta de instrumentos (y de resultados) de medición de habilidades TIC de docentes y estudiantes durante la formación inicial docente (FID).

11. Similar a lo anterior, se recomienda implementar redes de pares entre profesores en ejercicio para el intercambio de buenas prácticas, testimonios, consultas, etc.

La tecnología puede ser un medio efectivo para articular estas redes, pero se requieren un esfuerzo permanente de monitoreo y de mediación por parte de líderes y voluntarios.

12.Finalmente, se propone la creación de un Observatorio de tecnologías en la formación docente (sitio web de responsabilidad de Enlaces) con el propósito de servir de repositorio estructurado, actualizado y fácilmente accesible de experiencias de TIC en FID, con documentos, sugerencias, marco teórico, fundamentos, foros, etc., que puede incidir de manera importante y apoyar esfuerzos en las instituciones formadoras de profesores. El Observatorio facilitaría comunicar eventos relativos a tecnologías en la formación docente, nutrir la red de expertos interesada en el tema y aportar al estado del arte. Cabe destacar que no existe hoy en día información de buena calidad, estructurada y actualizada para el consumo de quienes son responsables de tecnologías en la formación docente en los diferentes países.

4. Conclusiones

Los docentes tienen un papel decisivo a la hora de conseguir que la tecnología digital sea globalmente útil para la comunidad y favorezca la distribución equitativa del acceso y la democratización de la información y las destrezas para procesarla y acceder al conocimiento. En el día a día escolar se acumulan evidencias de que ya no se lee ni se escribe igual que antes, de que el alumnado no aprende de la misma manera y de que tampoco puede enseñarse como antes. La indiscutible emergencia de nuevos códigos y lenguajes originados en las tecnologías digitales implica nuevas formas de pensar y hacer, nuevas formas de aprender y de acceder al conocimiento; conlleva una exigencia ética y deontológica al profesorado, que, por frente, debe hacer trabajo a la vez individual y colectivo de conceptualización del papel educativo de las tecnologías digitales. Este trabajo es del todo necesario para afrontar las incertidumbres y superar de manera positiva las reticencias al cambio de parte del profesorado. El reto y el deber profesional son indisociables de la exigencia ética.

En resumen, los signos de los tiempos nos exigen pensar en modelos de escuelas que incorporen innovaciones pedagógicas y proyectos digitales abiertos, flexibles, creativos, reales y participativos. Se trata de modelos donde las tecnologías digitales pueden ser el mejor pretexto para innovar y fomentar la creatividad en el aula, para provocar cambios transversales y organizativos y abrir la escuela a la comunidad. Deben ser proyectos digitales que interpelen a nivel personal y que fomenten el trabajo en equipo y la complicidad con el otro; que generen sinergias con otros departamentos, áreas, claustros y centros; y proyectos que, en el fondo, permitan hacer realidad el sueño de encontrarnos «en red y en la red». En definitiva, pues, el reto del conocimiento y del uso de las tecnologías digitales en la escuela nos vuelve a dar la posibilidad directa de estar muy cerca de aquellos que quizás sentimos muy lejos. Es probablemente el desconocimiento del buen uso de estas tecnologías digitales lo que nos hace sentir más lejos de aquellos que realmente están muy cerca

Referencias documentales

Ananiadou, K., & Claro, M. (2009). 21st century skills and competences for new millenium lerners in OECD countries. In OECD (Ed.), *Working Papers* (Vol. 41). France.

Barber, M., & Mourshed, M. (2007). How the World's Best School Systems Come Out on Top. In M. Company (Ed.). London: McKinsey Company.

Bennett, S., Maton, K., & Kervin, L. (2008). The digital natives debate: A critical review of the evidence. *British Journal of Educational Technology, 39*(4), 773-964. doi: doi:10.1111/j.1467-8535.2007.00793.x

Brun, M., & Hinostroza, J. E. (2011). Research on ICT integration for enhancing quality in teacher education: Nationwide policy or global challenge? In E. Eisenschmidt & E. Löfström (Eds.), Developing quality cultures in teacher education: Expanding horizons in relation to quality assurance (pp. 99-118). Tallinn: OÜ Vali Press.

Chai, C. S., Ling Koh, J. H., Tsai, C.-C., & Lee Wee Tan, L. (2011). Modeling primary school pre-service teachers' Technological Pedagogical Content Knowledge (TPACK) for meaningful learning with information and communication technology (ICT). Computers & Education, 57(1), 1184-1193. doi: http://dx.doi.org/10.1016/j.compedu.2011.01.007

Claro, M., Preiss, D. D., San Martín, E., Jara, I., Hinostroza, J. E., Valenzuela, S., . . . Nussbaum, M. (2012). Assessment of 21st century ICT skills in Chile: Test design and results from high school level students. *Computers & Education, 59*(3), 1042-1053. doi: http://dx.doi.org/10.1016/j.compedu.2012.04.004

Darling-Hammond, L., & Bransford, J. (Eds.). (2005). *Preparing Teachers for a Changing World: What Teachers Should Learn and Be Able to Do*. San Francisco, CA: Jossey-Bass.

ISTE. (2014). ISTE Standards for Students. Retrieved 01 de junio, 2014, from https://http://www.iste.org/standards/standards-for-students

Kalaš, I., Laval, E., Laurillard, D., Lim, C.P., Meyer, F., Musgrave, S., Senteni, A., Tokareva, N., Turcsányi-Szabó, M. (2014). *ICT in Primary Education: Volume 2*

Policy, Practices, and Recommendations. Moscow, Russian Federation: UNESCO Institute for Information Technologies in Education.

Mishra, P., Koehler, M. (2009). «What Is Technological Pedagogical Content Knowledge?» Contemporary Issues in Technology and Teacher Education, 9(1), 60-70.

Morin, E. (2001). Los siete saberes del futuro. Madrid: Santillana.

OECD (2011) Rizza, C. «ICT and Initial Teacher Education. National Policies». OECD Directorate for Education Working Paper No. 61

Partnership for 21st Century Skills. (2014). Framework for 21st Century Learning. Retrieved 01 de junio, 2014, from http://www.p21.org/our-work/p21-framework

Pedró, F. (2006) "The New Millenium Learners: Challenging our Views on ICT and Learning". OECD-CERI. May 2006. www.oecd.org/dataoecd/1/1/38358359.pdf

Pedró, F. (2006). The new millennium learners: challenging our views on ICT and learning (pp. 1-17): OECD-CERI.

Pedró, F. (2011). Tecnología en la escuela: Lo que funciona y porqué. Madrid: Fundación Santillana.

Perrenoud, P. (2004). Diez nuevas competencias para enseñar. Barcelona: Graó.

Sanchez, J., Salinas, A., & Harris, J. (2011). Education with ICT in South Korea and Chile. *International Journal of Educational Development, 31*(2), 126-148. doi: 10.1016/j.ijedudev.2010.03.003

Sanchez, J., Salinas, A., Contreras, D., & Meyer, E. (2011). Does the New Digital Generation of Learners Exist? A Qualitative Study. *British Journal of Educational Technology, 42*(4), 543-556. doi: 10.1111/j.1467-8535.2010.01069.x

Schmidt, D. A., Baran, E., Thompson, A. D., Mishra, P., Koehler, M. J., & Shin, T. S. (2009). Technological Pedagogical Content Knowledge (TPACK): The Development and Validation of an Assessment Instrument for Preservice Teachers. Journal of Research on Technology in Education, 42(2), 123-149.

Twining, P., Raffaghelli, J., Albion, P., & Knezek, D. (2013). Moving education into the digital age: the contribution of teachers' professional development. *Journal of Computer Assisted Learning*, n/a-n/a. doi: 10.1111/jcal.12031

UIS. (2012). ICT In Education in Latin America and the Caribbean: A regional analysis of ICT integration and e-readiness. Montreal, Canadá: UNESCO Institute for Statistics.

Wu, Y.-T. (2013). Research trends in technological pedagogical content knowledge (TPACK) research: A review of empirical studies published in selected journals from 2002 to 2011. British Journal of Educational Technology, 44(3), E73-E76. doi: 10.1111/j.1467-8535.2012.01349.x

Yun-Jo (2012). "Creating Technology-Enhanced, Learner-Centered Classrooms: K-12 Teachers' Beliefs, Perceptions, Barriers, and Support Needs". March 2012.

Zhao, Y., Pugh, K., Sheldon, S., Byers, J. (2002) «Conditions for Classroom Technology Integration». Teachers College Record, Columbia University 104(3): 482-515.

Webgrafía

L'impacte i la contribució de les tecnologies digitals en l'educació. XXII Jornada de reflexió del Consell Escolar de Catalunya. Conclusions:

http://www20.gencat.cat/docs/Educacio/Consell%20escolar/Actualitat%20consell%20escola/documents%20pdf/static%20files/Doc%201-13%20Jornada22.pdf

Conclusions 5 edicions ITworldEdu: http://www.itworldedu.cat

Informes Horizon: http://www.nmc.org/horizon-project/horizon-reports

Competències bàsiques en l'àmbit digital: http://www20.gencat.cat/portal/site/ensenyament/menuitem.e79d96e9bc498691c65d3082b0c0e1a0/?vgnextoid=bde4ff2701e3c310VgnVCM2000009b0c1e0aRCRD&vgnextchannel=bde4ff2701e3c310VgnVCM2000009b0c1e0aRCRD&vgnextfmt=default

ESI 2013 - Fundación Telefònica: http://www.fundacion.telefonica.com/es/arte_cultura/publicaciones/sie/sie2013.htm

Guia experiencias educativas - Fundación Telefònica:

http://curalia.fundaciontelefonica.com/wp-content/uploads/2013/03/Guia_experiencias_innovadoras.pdf

Claves educativas Educación 2020 - Fundación Telefònica:

http://www.fundacion.telefonica.com/es/arte_cultura/publicaciones/detalle/257

Unesco Educación y Tecnologia 2013:

http://www.unesco.org/education/nfsunesco/pdf/LAYTON.PDF

Los siete saberes necesarios para la educación del futuro:

http://unesdoc.unesco.org/images/0011/001177/117740so.pdf

EIX 2. PROCESSOS D'INTEGRACIÓ I TRANSFERÈNCIA

Aquest segon eix aglutina la reflexió al voltant dels processos d'integració i transferència i, per això, engloba tres línies que desenvolupen els àmbits de la ciència, la tecnologia i la innovació, la relació entre educació i tecnologia i les ciutats intel·ligents.

Per al grup de treball de la *Línia 6: Ciència, Tecnologia i Innovació*, la ciència i la tecnologia tenen un impacte clar en gairebé tots els aspectes de la vida quotidiana i, en concret, l'evolució de la ciència i la tecnologia té un paper clar en les agendes estratègiques de creixement de molts països i regions. No obstant això, pot haver-hi un cert grau d'ambivalència al voltant de la ciència a la nostra societat en general. Fins ara, les investigacions han demostrat que no sempre es dóna una comprensió generalitzada de la ciència —o dels mètodes científics— i dels corresponents impactes a la societat. Per tant, és essencial establir un diàleg permanent entre ciència i societat en què el concepte d'Investigació i Innovació Responsables (IIR) emergeixi com a pilar per involucrar les persones amb la ciència i la tecnologia.

La conversió dels descobriments científics en productes tecnològics és un procés impulsat per la innovació que transforma la informació i el coneixement en tecnologies exitoses i útils. En aquest context, la innovació actua com a motor que facilita el progrés social a través de descobriments de la investigació i el desenvolupament tecnològics. L'esperit d'innovació s'ha de promoure com a una de les habilitats fonamentals de les noves generacions per mitjà del disseny i la implementació de noves estratègies educatives orientades a la innovació «educar per innovar». Aquest canvi té fortes implicacions en la manera com la societat i, en concret, els educadors i els alumnes comprenen conceptes com esperit empresarial o fracàs. Precisament, aprendre a enfrontar-se al fracàs sense por és un dels elements més importants per al desenvolupament d'una cultura de la innovació.

Els models educatius han d'actualitzar-se per incloure els conceptes d'IRR, com ara la participació de la societat, l'impacte de la ciència i la tecnologia en la qualitat de vida, les implicacions ètiques, l'estímul de l'interès del jovent per la ciència, les qüestions de gènere i l'accés obert als resultats de la investigació. L'aplicació de noves estratègies, com les *flipped classrooms* o el *learning by doing*, ha de convertir-se en una pràctica habitual en l'educació futura. En aquest context, els programes STEM (*Science, Technology, Engineering and Mathematics*) són essencials per promoure el paper fonamental que té l'educació en la competitivitat i en la futura prosperitat econòmica dels països.

Per tot això, aquesta línia -elabora un conjunt d'indicadors per mesurar l'estat actual i els avenços a la ciència, la tecnologia i la innovació des de les perspectives de la societat i l'educació.

Per altra banda, segons la *Línia 7: Educació i Cultura*, com a definició de la cultura, Daniel Bell parla de l'àmbit de les formes simbòliques, aquelles formes com la pintura, la poesia i la novel·la que tracten d'explorar i expressar els sentits de l'existència humana en alguna forma imaginativa. És a dir, crear significats, donar sentit. En paral·lel, un sistema educatiu significa cohesió i esperit crític, transmissió i creativitat, *civitas* i competitivitat, nova complexitat i tolerància. Educació i cultura coincideixen en la seva naturalesa de bé comú. Són nuclis de raó i de vida simbòlica, i, alhora, són capital humà. En la societat del coneixement, cal aplicar coneixement al coneixement, ja que el recurs econòmic bàsic és i serà el coneixement. La millor gestió consisteix, per tant, a obtenir del coneixement una major productivitat. Aquest caràcter immaterial de la riquesa transforma les maneres de producció i recompensa els que eliminen obstacles per a la creativitat humana.

Estem a l'horitzó d'un nou poder de les idees i una gran oportunitat per a l'educació i la cultura. Si ens preguntem com es transmetrà la cultura a mitjan segle, la perplexitat és la resposta. D'una part, es transmet, es genera i s'incentiva pels sistemes educatius; i, d'una altra, els propis sistemes educatius estan canviant les seves maneres de transmissió. Noves formes d'accés a la cultura signifiquen nous públics. La divisòria entre alta cultura i cultura s'esvaeix. Les noves tecnologies propicien la interconnexió entre cultura científica i cultura humanista. S'obre pas la tercera cultura.

Llegir, pensar i imaginar són accions humanes que poden canviar, com ho han fet la tipografia de Gutenberg o la lletra digital que han accelerat el futur. Allò que és fonamental per a la persona és la lliure opció, és a dir, una forma de llibertat d'elecció que configurarà el futur i que aportarà nous escenaris com biblioteques sense llibres, museus sense obres d'art i aules sense professors.

Finalment, a la darrera línia d'aquest eix, la *Línia 8: Ciutats Intel·ligents*, partim de la idea que entenem la Smart City com un ecosistema viu. Aquesta línia es refereix als diferents aspectes que conformen la seva identitat i la seva reconceptualització en vista dels avenços tecnològics del segle XXI. Atès l'enfocament educatiu en el centre d'aquesta lògica, hi ha diversos factors clau que cal desenvolupar: el primer, el concepte de la ciutat i la seva capacitat educativa en termes dels valors democràtics i socials, l'empoderament de la ciutadania, el foment del talent; el segon, l'organització de la ciutat que aprèn per si mateixa i ofereix, a la vegada, espais per a la innovació i la creativitat que proposen oportunitats d'aprenentatge i on l'eficiència i l'eficàcia constitueixen un recurs per a l'aprenentatge; el tercer, la connectivitat per garantir l'accés gratuït a Internet, fer circular el coneixement distribuït i connectar a les persones en una multiplicitat de capes, no només des d'un vessant tecnològic, sinó també social, emocional i personal; i, per últim, les solucions integradores per superar la desigualtat i tancar l'escletxa que impedeix el ple accés al coneixement i les oportunitats de creixement econòmic, social, cultural… per a tots.

Per tal de donar una visió multifacètica d'aquests factors, es prestarà especial atenció a l'anatomia de la ciutat intel·ligent, amb les seves diferents capes, per generar coneixement; a la creació d'espais de transformació per a l'emergència del talent; a la definició de les funcions i el perfil de les ciutats intel·ligents com els recursos educatius en si mateixos; a la garantia de l'accés universal i gratuït a Internet i els seus recursos per tal d'evitar la desigualtat cultural, especialment en relació amb l'assoliment d'oportunitats d'aprenentatge; i, finalment, a la reconceptualització d'una visió tradicional de la ciutat cap a un espai inclusiu, modern, obert… on la tecnologia impregna cadascuna de les seves parts i afavoreix que la ciutadania la utilitzi com un veritable laboratori d'aprenentatge i se'n beneficiï.

Per tant, a aquest eix trobem els documents següents:

- *L6. Science, Technology and Innovation*, per Pere Estupinyà i Robert Rallo
- *L7. Education, Culture and Technology*, per Cristina Yáñez de Aldecoa, Ramon Palau, Larry Johnson, Alexandra Okada, Valentí Puig, Maria Carme Jiménez, Ferran Ruiz i Xavier Cubeles
- *L8. Smart Cities*, per Albert Sangrà, Mar Camacho i Ronda Zelezny-Green

L6. Science, Technology and Innovation

Pere Estupinyà and Robert Rallo

Science, Technology and Innovation (ST&I) are one of the key components of the integration processes that drive knowledge construction and play a key role in the transfer of this knowledge to the real and digital worlds. In this context, the European and Catalan Digital Agendas are well aligned and share common strategies and objectives for progress in research and innovation. Both strategic approaches aim to promote the development of a new generation of scientists and innovators that will ultimately contribute to the economic progress of European and Catalan societies. Both have identified the education system as one of the main drivers of social progress since it has direct influence on how EU countries train their future generations of scientists and engineers. The new strategies encourage changes in science and engineering curricula in order to train students in new skills such as entrepreneurship, leadership and creativity.

The main EU instrument that supports the implementation of the above strategies is the Horizon2020 Programme (European Commission, 2014). In fact, the new European strategy for science and technology specifically focuses on bridging the so-called "Valley of Death" for innovations (Granieri & Renda, 2012), a metaphor that refers to the gap between basic science and the technology market. Accordingly, there is now a clear distinction between basic (i.e. excellence) and applied (i.e. close to the market) research where new indicators such as the "technology readiness level" (TRL) (European Commission, 2014) are used to measure the real innovation potential of scientific and technological developments.

The above objectives are not only common within the EU but are also shared by other scientifically and technologically developed countries (e.g. the USA, Canada,

China, Japan and Republic of Korea) as well as by emerging regions (e.g. India, South America and the Middle East).

In its *Federal Science, Technology, Engineering and Mathematics (STEM) Education Strategic Plan* (Executive Office of the President of the United States, 2013), the US Government recognized the need for investment in STEM education as a critical factor for the country and its economic future. The main reasons for supporting the importance of STEM are:

- *Future demand is expected to increase substantially for STEM-related jobs*. In the next decade, the demand for professionals in STEM-related fields is projected to surpass the number of trained workers and professionals.
- *The US K-12 system is not well ranked in international comparisons*. The *Program for International Student Assessment* (PISA) ranks American students in the middle range among the 33 OECD countries that participated in the study.
- *STEM education is critical to building a just and inclusive society*. Women and minorities are currently underrepresented in STEM fields.

The goals of US future strategy for ST&I were clearly outlined by the country's President in a speech at the National Academy of Sciences: *"We want to make sure that we are exciting young people around math and science and technology and computer science. We don't want our kids just to be consumers of the amazing things that science generates; we want them to be producers as well. And we want to make sure that those who historically have not participated in the sciences as robustly – girls, members of minority groups here in this country – that they are encouraged as well. We've got to make sure that we're training great calculus and biology teachers, and encouraging students to keep up with their physics and chemistry classes.... It means teaching proper research methods and encouraging young people to challenge accepted knowledge"* (Barack Obama, April 2013).

Similarly, the National Science Foundation, in its *Strategic Plan for Fiscal Years 2014-2018* (NSF, 2014), recognizes investment in Science and Education (S&E) as an essential strategy for ensuring prosperity. In the proposed strategic plan, fundamental S&E research is considered a key element for sustaining an "innovation ecosystem" to create and exploit new concepts in science and engineering and provide global leadership in research and education. One of the strategic goals of the NSF is to stimulate innovation and address the needs of society through research and education. The educational dimension is a key aspect of this strategy and, accordingly, the NSF supports research and development on STEM education in order to prepare *"a diverse, globally competent STEM workforce and a STEM-literate citizenry"* (NSF Strategic Plan 2014–2018, 2014).

The US effort in STEM education is not only government-driven but also involves other stakeholders such as non-profit organizations, universities and corporations. For instance, the *100Kin10* is a multi-sector network that is responding to the challenge of training 100,000 excellent STEM teachers by 2021.

Improvements in STEM education also require collaboration mechanisms to promote partnerships among all the relevant stakeholders as well as an evaluation plan to diagnose and correct the progress of STEM whenever appropriate.

There is also a need to advance classical STEM education schemes by implementing more effective and research-based teaching methods such as Active Learning (Bonwell & Eison, 1991). Freeman et al. (2014) and Wieman (2014) have conducted extensive field studies that demonstrate that new teaching methods used in STEM programmes outperform classical lecture-based methods and yield better educational outcomes.

Canada shares a similar approach to the US. In May 2007, Prime Minister Stephen Harper launched Canada's Science and Technology (S&T) Strategy: *Mobilizing Science and Technology to Canada's Advantage*, outlining a comprehensive plan to make Canada a leader in S&T, research and innovation. On December 4, 2014, the Government of Canada launched an updated strategy: *Seizing Canada's Moment: Moving Forward in Science, Technology and Innovation 2014*, which builds on the foundation outlined in the previous 2007 framework but goes further in order to ensure that Canada remains well positioned in the global arena for research excellence, talent and wealth. The renewed strategy aims to leverage the expertise and resources of post-secondary institutions, industry and government in order to translate brilliant theories and ideas into applications that will improve the day-to-day lives of Canadians and generate economic growth and more jobs. Canada's current strategy is focused on:

- *People*, by attracting and retaining the highly-qualified and skilled individuals and top experts and leaders needed to thrive in the global knowledge economy.
- *Knowledge*, by strengthening support for excellence across discovery-driven and applied activities and by investing in research and infrastructure.
- *Innovation*, by helping bring new ideas and knowledge to the market in a variety of ways, including stimulating more demand for innovation from firms of all sizes and encouraging more innovation-focused business strategies. Innovation efforts will build on *Digital Canada 150*, the strategic plan for Canada's digital future.

In Asia, developed and emerging countries face similar challenges and address them by developing strategic plans for ST&I in which education also plays a key role. In China, the ST&I system has moved from a Soviet-type, science-based R&D system to a firm-centred market-based innovation system. While China's "open door" policy has helped it to access foreign capital and technologies, create pockets of knowledge-intensive activities and move up global value chains, it has also increased its dependence on foreign technologies. China's national innovation system features noticeable regional disparities. Innovative entrepreneurial activities are constrained by regulatory and administrative burdens where the dominance of state-owned enterprises, especially in public facilities, tends to reduce the pressure to innovate. In January 2006 China started an ambitious 15-year *Medium-to-Long-Term Plan for the Development of S&T* (MLP), which provides a blueprint for China's transformation to an innovation-driven economy by 2020 and into a world leader in S&T by 2050. China has made great efforts in the last few years to advance its science and education by increasing expenditure on R&D. This has led to a growing number of scientists and engineers being engaged in R&D activities and increasing enrolments in higher education. The development of a culture for innovation and the popularization of S&T is one of the strategic goals of China's plan, which is implemented via an integrated national system of institutions supporting research creativity and technological innovation. The plan also includes the cultivation of world-class senior experts, the recruitment of talents working abroad, and reforms in education to support the goals of greater creativity and innovation (Cao et al., 2006).

In June 2013, Japan published a policy document entitled *Comprehensive Strategy on Science, Technology and Innovation: A challenge for creating Japan in a new dimension*. The document states the need to reformulate Japan's ST&I strategy in the context of the global economic crisis and takes into account the recent natural disasters that have struck the country. The plan calls for the development of human resources to produce leaders of innovation as a priority. In this regard, it recognizes that further improvement in education is needed in order to develop the international competitiveness of talents in line with the needs of the economic society. Their proposed approach for creating an environment that is suited for science, technology and innovation is to "grow innovation seeds." To achieve this, Japan's strategy strongly promotes several innovative world-class basic research areas at universities and research institutes where innovation leaders can fully demonstrate their abilities. The strategic plan also aims to reinforce industry-academia-government collaboration in several sectors, one of which is education. Proposed actions in this context include:

- The active introduction and expansion of education using programmes based on the actual needs of industry and developed in cooperation with industry and academia.
- The promotion of industry-academia human-resource exchange through the establishment of medium-to-long-term internship programmes for facilitating the mobility of staff and students between industry and academia.

The plan also includes new policies for managing the development of science and technology. Specifically, in addition to the conventional approach, which covers R&D *"from basic research, through applied research, and to practical application"*, the "upstream" and "downstream" stages of the process are also to be considered. The result is a thorough policy management scheme that goes *"from higher education, through researcher training, basic research and applied research, practical application and industrialization, to diffusion and market development."*

The strategic plan was revised in June 2014, resulting in a new *"Comprehensive Strategy on Science, Technology and Innovation: Bridge of Innovation toward Creating the Future.* The new plan highlights the growing severity of the socioeconomic situation and aims to *"operate an exit-oriented and problem-addressing policy by returning to the starting point of the policy on science, technology and innovation, reviewing its mission entrusted by society, and considering how the effect of science, technology and innovation should contribute to the realization of the economy envisaged by people"*. The main action items related to education in the new strategy can be summarized as:

- The reform of education in doctoral programmes in order to nurture excellent doctoral students to become leaders who can act in every possible field (industry, academia and government) and on the global stage with originality and the ability to observe the bigger picture.
- The expansion of competitive funds and the ensuring of the appropriate handling of basic funds for education and research.
- The development of "virtual communication technologies" including high-precision, high-sensitivity recording, analysis and transmission of multiple sensory stimuli to break the distance barrier, the visualization and reproduction of sensory stimuli at a level that makes people feel they are almost real, and the application of all of the above to remote healthcare, education, and work.

South Korea is a nation with limited natural resources, a high population density, and a rising standard of living. The Korean Government has long recognized the importance of maintaining a well-educated and technologically enabled work force. To this end, the government has taken a number of measures ranging from facilitating the deployment of one of the fastest residential broadband networks in the world to investing heavily in the application of ICTs in the classroom. Korean culture values education highly, seeing it as a measure of both social status and economic differentiation. This unique combination of economic incentives and cultural demand for access to quality education has led the Korean Government to devote significant resources to improving education nationwide. For example, the Ministry of Science, ICT and Future Planning (MSIP) implements *"policies to spur a culture of Creative Economy grounded in Science and*

Technology and with a human-oriented vision". The strategies for implementing the above policies include:

- Making the nation overflow with creative ideas and talents.
- Creating new S&T- and IT-based industries to address new market demands, and strengthening the competitiveness of existing industries.
- Fostering local industries by stimulating the joint research community at industries, universities, and research institutes.
- Changing the paradigm of science & technology policy to achieve a creative economy.
- Helping to create a society in which all scientists can focus on research to their fullest capabilities.
- Laying the cornerstone for an education infrastructure that aims to enable all people to develop and use software.
- Building the world's best network infrastructure.
- Developing technology that can resolve social issues.
- Reducing communication costs for households.

To apply some of the above action items, the MSIP works in close collaboration with the Ministry of Education. In this regard, Science, Technology, Engineering, Arts and Mathematics (STEAM) education has become a crucial issue for the Korean education system (Park et al. 2012), where Korean Universities implement STEAM teacher-training programmes. Korean national organizations and professional communities of science and technology also agreed that the integrative approach in STEAM disciplines is a critical element for restructuring school education. For example, the Korean Foundation for the Advancement of Science and Creativity (KOFAC) suggested that implementing STEAM education in Korea may help to improve students' global literacy in the global era of the future.

Similarly, and from a broader international viewpoint, UNESCO – through its mandate in education, the sciences, culture and communication – also aims to forge a culture of peace by fostering the generation and exchange of knowledge, including scientific knowledge, through international cooperation, capacity building and the provision of technical assistance to its Member States. UNESCO's Medium-Term Strategy for 2014 to 2021 (UNESCO Document 37 C/4), which sets out the strategic vision and programmatic framework for UNESCO's action for this period, specifically recognizes as one of its strategic objectives the need to strengthen science, technology and innovation systems and policies regionally, nationally, and internationally.

From the above review of the various approaches to the management of ST&I, it is clear that there is an *urgent –and worldwide– need to evolve the current education system in order to promote the emergence of a new culture of applied creativity that will contribute to social progress.* In the next section we will explore the role of ST&I in achieving a higher level of social progress and the main challenges that must be addressed. Finally, in the last section we present our concluding remarks and make several specific recommendations for Catalonia.

1. Education in ST&I for developing a "culture of innovation"

The ultimate goal of science is to contribute to social progress through innovative ideas that will later materialize in technological advances that will enhance the quality of life of citizens. However, one of the main challenges we face before we can achieve this goal is how to develop a "true culture of innovation". New strategies such as *Open Innovation* (Chesbrough, 2003) have helped to advance the development of new technologies by forcing companies to cooperate in combining internal and external ideas as well as internal and external paths to market.

Advancing towards an "innovation culture" requires changes in how science and technology interact with education. Figure 1 shows the main interactions in the context of ST&I and education. Innovation is the process of transforming basic research (i.e. ideas) into new technological products that are suitable for commercial exploitation (increasing competitiveness and boosting the economy) and use (promoting a welfare society). Science and Society cannot be disconnected islands: an effective and bidirectional dialogue between Science and Technology on the one hand and Education on the other can help to connect these elements. Basic science must be driven by social needs and, in turn, society should be aware of scientific progress. Moreover, Society provides the workforce that will ultimately be responsible for scientific discoveries that lead to technological innovations. Education has to be the engine that will drive the whole process by contributing to the emergence of a new generation of scientists and innovators. In the above context, therefore, it is fundamental to introduce new educational approaches that are aimed at "educating to innovate".

The main objectives to be satisfied in order to advance towards a "culture of innovation" can be summarized as:

- The identification of topics in Science and Technology that will impact on society and, specifically, on education.
- The development of effective communication to facilitate top-down and bottom-up knowledge transfer between S&T and Education.
- The development of new teaching and learning strategies to boost S&T learning and promote innovation.

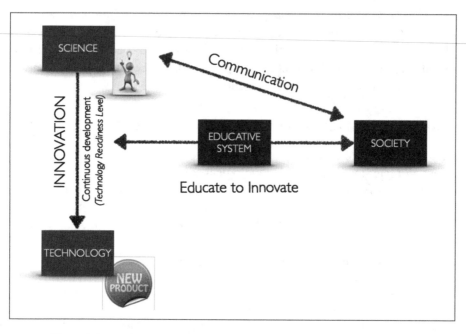

Figure 1. Interaction between Science, Technology, Innovation and Education

Meeting these objectives will help to achieve the goal of training a new generation of "responsible researchers and innovators".

The main obstacles to achieving these objectives for innovation can be divided into three main areas:

- *Assessment*. How do we diagnose the current situation? For example, how do we measure innovation capacity (at both the individual and societal levels)? What are the relevant indicators?
- *Social perception of ST&I*. How do we engage (young) people in science? How do we improve the communication of scientific discoveries? Are scientists aware of society's needs?
- *Education*. How do we train the new generation of innovators and entrepreneurs? How do we teach them to face failure? Can we change the social perception of failure? Do we need new teaching-learning models?

In the last decade the European Union has implemented several programmes to bridge the gap between the scientific community and society and provide appropriate lines of action for addressing these challenges. In 2001, the EU launched its "*Science and Society Action Plan*", which defined a common strategy for making a better connection between European citizens and science. Later, in 2007, a new programme named "*Science and Society*" was launched with the main objective of fostering public engagement and a sustained two-way dialogue between science and society. Since 2010 the focus of this programme has been to develop a framework for Responsible Research and Innovation (RRI). In this new framework, the various societal actors work together throughout the research and innovation process in order to better align both the process and its outcomes with the values, needs and expectations of European society. The RRI framework comprises six key strategic concepts:

- *"Choose together"*. All societal actors (researchers, industry, policy-makers and civil society) must be engaged in the research and innovation process.
- *"Unlock the full potential"*. Engagement means that all actors – women (currently underrepresented) and men – are involved and participate in the process. The gender dimension must be integrated into research and innovation.
- *"Creative learning of fresh ideas"*. There is a need to enhance the current science education process in order to better equip future researchers (children and youth) and other societal actors with the knowledge and tools they need to fully participate and take responsibility in the research and innovation process.
- *"Share results to advance"*. Providing open access to the results of publicly-funded research, including publications and data, will boost innovation and increase the use of scientific results by all societal actors.
- *"Do the right think and do it right"*. In order to adequately respond to societal challenges, research and innovation must respect fundamental rights and reach the highest ethical standards.
- *"Design science for and with society"*. A research and innovation governance model should be designed that prevents harmful or unethical developments.

The RRI approach is implemented in the Horizon2020 within the "*Science with and for Society*" part of the Work Programme (European Commission, 2014), which aims to develop innovative ways of connecting science to society. The anticipated outcome of the programme is the fostering of creativity and innovativeness in European Societies.

In the Catalan context, RRI concepts are partly implemented through the ECAT 2020 roadmap, which outlines the government strategy for reactivating the economy and reorienting the industrial sector towards a more intelligent, sustainable and integrative economic model. *Innovation and Knowledge* is a constitutive component of the ECAT roadmap and is implemented through RIS3CAT (*Research and Innovation Strategy for the Smart Specialisation of Catalonia*) for the period 2014-2020. This strategy, which considers research and innovation as the engines of economic growth, reinforces public policies aimed at promoting the development of an "innovation ecosystem" by:

- Establishing a digital agenda for smart cities and regions.
- Supporting entrepreneurship through culture, education and funding.
- Developing a "green economy" (eco-innovation) through the efficient and sustainable use of resources.
- Fostering education and talent by approaching the education system to the needs of industry and the productive sectors.

In summary, the main elements needed to overcome the obstacles to the development of a new culture of innovation are:

- Methodologies, metrics and indicators for assessing the current situation and the effectiveness of new strategies and programmes.
- New strategies for training teachers for a new generation of innovators and entrepreneurs.
- The introduction of ST&I concepts, procedures and strategies in the educative context (curriculums, the teaching-learning process, etc.) at all levels (from kindergarten to higher education and lifelong learning).

- A constant and bidirectional dialogue between science and all sectors of society.

2. Conclusions and proposed action items for Catalonia

In today's society, strategic plans for ST&I cannot be conceived independently of the educative context. The implementation of models based on the premise of "educate to innovate" requires short, medium and long-term actions in areas such as policy development, leadership and practice. Changes in education policies need to be diagnostic-driven and supported by pilot tests. Figure 2 illustrates the basic workflow for the proposed diagnostic-driven development of education policies for fostering ST&I in Catalonia. Briefly, the first step involves assessing the current situation in order to identify deficiencies and gaps in the current set of education policies. Once this assessment has been completed, based on its results a set of prioritized lines of action should be defined together with specific pilot plans designed to assess the efficacy of the proposed actions before their implementation in a global policy. Finally, pilot plans will be assessed and the results should help to refine the final global policy for ST&I. The policy must be continuously monitored and updated when parts of it become obsolete or ineffective.

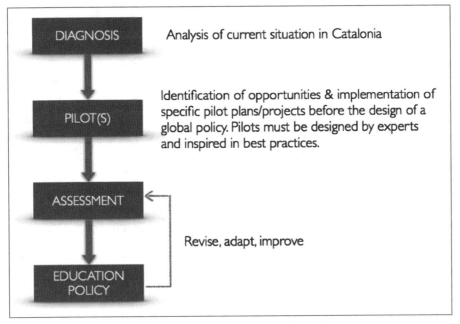

Figure 2. Iterative diagnostic-driven process for an ST&I strategy

Based on the analysis presented so far, the specific action items we recommend for the future ST&I strategy in Catalonia are to:

- Evaluate and implement new – and more dynamic – teaching and learning methodologies (e.g. learning by doing, *flipped classrooms*, and active learning models).
- Introduce the concept of creativity as an innovation driver in education programmes (e.g. the implementation of STEM/STEAM education programmes).
- Consider informal education as a powerful alternative for providing learning and promoting interest in scientific and technological topics in everyone throughout their lives.
- Use the tools and resources provided by ICTs to implement new and more effective learning pathways such as personalized learning.
- Increase the number of optional subjects (specifically at secondary education level) to help students discover their real vocation.
- Use "role models" to teach science and innovation from real experiences (including both success and failure).

Acknowledgement

This document was prepared based on the discussions held during the experts' meeting at the International Forum of Education and Technology (FIET2014, 26-28 June 2014 Tarragona). We are grateful for input and ideas received from a panel of national and international experts that included Ana Ferreras (US National Academies), Julián Cristia (Inter-American Development Bank), Victor Puntes (Catalan Institute of Nanotechnology) and Paco Calviño (Polytechnic University of Catalonia).

References

Bonwell, C., Eison, J. (1991). *Active Learning: Creating Excitement in the Classroom AEHE-ERIC Higher Education Report No. 1*. Washington, D.C.: Jossey-Bass. ISBN 1-878380-08-7.

Cao, C., Suttmeier, R. P., Simon, D. F. (2006). China's 15-year science and technology plan. Physics Today, 59(12), 38-43.

Chesbrough, H. (2003). *Open Innovation: The New Imperative for Creating and Profiting from Technology*, Harvard Business School Press.

European Commission (2014). HORIZON 2020 – WORK PROGRAMME 2014-2015 General Annexes. (Commission Decision C (2014)4995 of 2 July 2014). Retrieved from: http://ec.europa.eu/research/participants/portal/doc/call/h2020/common/1617621-part_19_general_annexes_v.2.0_en.pdf

Freeman, S., Eddy, S. L., McDonough, M., Smith, M. K., Okoroafor, N., Jordt, H., & Wenderoth, M. P. (2014). Active learning increases student performance in science, engineering, and mathematics. PNAS, 111(23), 8410-8415.

Granieri, M., Renda, A. (2012) *Innovation Law and Policy in the European Union: Towards Horizon 2020*. Springer-Verlag, Milano, Italy.

Kapur, M. (2008). Productive failure. Cognition and Instruction, 26(3), 379-424.

Kapur, M., & Bielaczyc, K. (2011). Classroom-based experiments in productive failure. In Proceedings of the 33rd annual conference of the cognitive science society (pp. 2812-2817).

Kapur, M., & Bielaczyc, K. (2012). Designing for productive failure. Journal of the Learning Sciences, 21(1), 45-83.

Park, Y., Kim, J. & Kim, Y. (2012). Developing a Teacher Training Program for Elementary Schools' STEAM Education Initiative. In T. Amiel & B. Wilson (Eds.), *Proceedings of World Conference on Educational Multimedia, Hypermedia and Telecommunications 2012* (pp. 232-236). Chesapeake, VA: AACE.

Wieman, C. E. (2014). Large-scale comparison of science teaching methods sends clear message. PNAS, 111(23), 8319-8320.

L7. Education, Culture and Technology

Cristina Yáñez de Aldecoa, Ramon Palau,
Larry Johnson, Alexandra Okada,
Valentí Puig, Maria Carme Jiménez,
Ferran Ruiz and Xavier Cubeles

Education and culture are both fundamental components of the common good. They are at the core of reason and symbolic life. They are also human capital. The *Knowledge Society* involves applying knowledge to knowledge, since knowledge is and will always be the basic economic resource. The best form of management therefore consists of obtaining greater productivity from knowledge. It is this intangible nature of wealth that transforms the systems of production and rewards those who remove obstacles to human creativity.

The horizon before us is one of *a new power of ideas* and a great opportunity for education and culture. Waiting for us beyond the chip is the era of the *"telecosmos"*, which will universalise human communication instantly, freely and limitlessly. If we ask ourselves how culture will be transmitted in the middle of this century, we will be perplexed in our response. On the one hand it is being transmitted, generated and encouraged by the education systems but on the other hand the transmission systems are being transformed by the education systems themselves.

The power of ideas to change the world is accelerating at an unprecedented rate. Some futurologists say that in the twenty-first century we could achieve over a thousand times the level of innovation we witnessed in the last century. However, culture implies *continuity*, a "continuum", because it is a great conversation. So is teaching and learning.

The new ways of accessing culture are creating new publics. For various reasons these publics may never have had the opportunity to consume certain cultural contents. These reasons, which may be physical or economic, or related to access and knowledge, open the gateway to culture for everyone, whatever their origin or location, etc.

The dividing line between high culture and pop culture is disappearing. However, there is the risk of a gap between those who read and those who do not. We speak of *cognitive elites*. The new technologies are promoting the interconnection between scientific and humanistic culture. The path towards the *"third culture"* is being forged. It is becoming increasingly difficult to distinguish between education and culture and between transmission and content. We already have *Web 2.0* domains, the platform of platforms, where we are not only users but also participants. We are able to consult the great hypertext dictionary, the infinite encyclopaedia that is rewritten every second and reaches our screens with just a click of the mouse.

When we move from the *analogic world to the digital world*, we are digitally remastering all previous analogue versions. These are not additive innovations but multiplicative ones. The new power of ideas works in both directions: on the one hand we are entering an unknown dimension and heading towards the landscape of the future, while on the other hand we are looking to the past in search of a memory that provides consistency to things. After all, when all is said and done, *without memory there will be no ideas*. This principle is vital for education and culture.

Linked to both education and culture is the *cognitive ecosystem*, where there are no established rules and where we are at the mercy of algorithms that propel research and navigation in cyberspace. Consequently, the notion of a *digital humanism* is beginning to take shape in the world of education and culture.

Every culture has its own *symbolic strategies* –processes of sedimentation but also of fragmentation and fossilization. However, we are still unable to predict what the circuits of knowledge that support culture and knowledge will be like.

1.   Digital culture in Europe

In 2013 there were 2.7 billion Internet users, representing 39 % of the world's population. Over 250 million people use the Internet every day in Europe but now we carry it in our pockets on our mobile phones. This has definitely changed our lifestyle and habits. Eighty per cent of the time that we are connected is via mobile devices, more specifically, via social media applications such as Facebook and Twitter. In 2013 there were almost as many mobile subscriptions (6.8 billion) as people in the world. Moreover, most people now have a smartphone.

The boundaries between the various digital devices are becoming blurred, while services are converging, passing from the physical world to a digital world that is becoming universally accessible from any device: smartphone, tablet, PC, digital radio or HDTV. It is expected that by 2020 digital content and applications will be delivered almost exclusively online. The enormous potential of ICT requires attractive services and contents in a borderless Internet, with demand for higher speeds and capacities in turn justifying investment in faster networks.

Given the pervasiveness of technology in the knowledge society, a new digital environment has been generated in which digitization may be considered an indicator of culture since it includes artefacts and systems of meaning and communication that clearly delineate contemporary lifestyle (Gere, 2002: 12). In this context, while digital technology is becoming a central element we should not lose sight of its central role in the analysis of cultural policies.

The ICT sector is responsible for 5% of European GDP. It has a market value of 660,000 million € per year, and contributes to overall productivity growth (20% directly from the ICT sector and 30% from ICT investments) thanks to the sector's high degree of dynamism and innovation and its ability to transform the performance of other sectors.

To meet the challenges of the digital 21st century, however, we must compare the situation in Europe with the situation in the United States or Japan. In the field of music downloads, for example, the figure in the United States was four times higher than in the European Union (EU). The causes, which are not isolated, include supply, market fragmentation, investment in ICT research, and the adoption of high-speed networks. EU spending on ICT research and development is only 40% of that in the United States, while only 1% of Europeans have access to high-speed fibre networks compared to 12 % of Japanese and 15% of South Koreans.

Europe has already begun work on the Digital Agenda. In March 2010 the European Commission launched the Europe 2020 Strategy, which aims to overcome the crisis and prepare the EU economy for the challenges of the next decade. One of the seven flagship initiatives of the Europe 2020 strategy is the Digital Agenda for Europe, whose main goal is to define the empowering role ICT (Information Technology and Communication) must exercise if Europe intends to realize its ambitions for 2020. The Europe 2020 strategy underlines the importance of deploying broadband to promote social inclusion and competitiveness in the EU. Two proposed Digital Agenda actions are therefore to remove barriers that currently impede maximum ICT performance and to provide long-term investment to minimize future problems.

It is essential that we diagnose and evaluate the exact point at which we now find ourselves. We need to meet our future challenges by designing a strategic action plan that aims to overcome all obstacles and take full advantage of information and communication technology in order to assist economic recovery and lay the foundations for a sustainable digital future.

The AC/E Digital Culture Annual Report has recently been launched. This Annual Report, whose aim is to become a reference document on analyses of the changing trends in the world of digital culture, examines cases of good practice nationally and internationally to determine the impact of new technologies in a particular sector. It also analyses digital trends across the cultural sector, from the impact of the new concepts of "gamification", "transmedia narrative" and "crowdfunding" in the cultural sector to cloud culture, selling online, and the role of social networks in promoting culture.

2. The digital paradigm and the cultural reset

The profound changes in the models of cultural production and consumption reflect the change in era our society is experiencing. The transformations are substantial: nothing is, or ever will be, as it was before. *The speed at which the new technological culture is evolving and being implemented has surpassed the capacity of administrations, the traditionally innovative culture industry, the world of education, and even the creators themselves to reply and adapt.* Digitization defines new models of negotiation, opens up new means of finance, multiplies possibilities for dissemination, and changes the consumption habits of a new, young and emerging public.

For a culture like the culture in Catalonia, which has a great deal of talent but whose territory is limited, the digital paradigm can provide a window that is open to the world and whose full potential should be realized. *The new reality is an opportunity* for talent, ingenuity, and innovation as well as a springboard for enabling Catalan culture to enjoy greater presence overseas.

As is confirmed by the following data, the Catalan language is well represented on the Internet, where it enjoys a much greater presence than one would expect for a population of roughly ten million:

- Catalan remains in eighth place in the index of Internet penetration – the number of Internet users in a country divided by the total population of that country – above languages such as French, German, Italian and Spanish.
- The .cat domain, with 61,000 domains registered, enjoyed the second largest grow of all domains in 2012.
- With over 391,000 articles, Catalan is the fifteenth most used of the 285 languages on Wikipedia.
- Catalan is the nineteenth most used language on Twitter, where almost 80,000 users have updated their profile to Catalan.

248

The network can be a valuable ally for creators since it provides new environments for showcasing their work and generating new capabilities for their creative potential. Without the need to incur substantial costs or use intermediaries, they can connect with an unlimited number of followers, who in turn become potential promoters and communications channels for their work. *Systems of viral communication*, which have never before been achieved in our country for cultural projects, can be generated. This new paradigm involves a change in the established parameters, expectations and models of negotiation and new concepts of innovation are therefore required. Now is the time to explore new paths for the interrelationship between users and creativeness.

The culture industry must adapt with initiative and clarity to the digital transformation, anticipate new trends, and find leadership in an environment of global content, where strength is consolidated by an ability to identify talent, to be a promoter of quality and a supplier of services, to break the boundaries of traditional territorial management (international law, multilingual translations, etc.), and to redirect one's projects in order to ensure their continuity and consolidation.

New models of negotiation must therefore be defined that will necessarily involve a reduction in the chains of intermediaries, a diversification of activities, and a more precise personalization of the product. Without the need for grand structures, more business opportunities are opening up for digital contents as technological innovations are being introduced. For this reason, Catalan business management must be encouraged to take up strategic positions in the new digital markets through the adoption of an open attitude to the current changes.

So far the debate on the transformations brought about by the digital environment has focused mainly on managing and defending copyright and, more specifically, on attacking piracy, the current plague that threatens the culture industry and those who create. As a political and cultural community that is committed to creativity and excellence, Catalonia must adopt a role in this debate and instigate proposals. Both creators and the industry itself must be able to safeguard their rights, and public administrations must help to create the legal framework that enables them to do so.

At the same time, we must not forget the conceptual change in the patterns of consumption that is brought about by the digital environment: *the objective is no longer ownership of the good but accessibility to its contents*. It should be anticipated, therefore, that some creators will decide to distribute their productions without charging royalties and opt for other forms of longer-term financial compensation for their work.

Technology today enables all types of formulas for opening and control, with no more limits than those set by the creators themselves. For this reason, we require adequate distribution platforms, agreements with the technological platforms (which are not only necessary but essential), and sanction mechanisms to ensure compliance with the regulations.

Facing this challenge successfully is vitally important for the survival of our culture system. It is also essential that Catalan creators and their projects have an Internet presence and that our industries, which have always been leaders of change and transformation, are prepared to fully accept this new era, leading it from the front with regard to communication and creative formats.

The *digital environment* is radically changing the relationship between citizens and culture. This new paradigm enables, for example, a greater *segmentation of content*, a horizontal dissemination, and a more active consumer role in the processes of selection and evaluation. It is the users themselves who decide what, how and when they wish to gain access. They take part in the production (drawing up plans and making suggestions, etc.), are players in the dissemination (re-sending, recommending, etc.), and often become promoters for large communities.

We must accept this epochal change with an open mind and without taking up rigid positions. It is especially necessary that institutions lead this process and lay down foundations so that companies, institutions and creators can implement the changes they will inevitably have to make in order to meet the following challenges:

- The cultural industries need to adapt rapidly to the new digital reality. The various cultural sectors, with the complicity of the public administrations, must be committed to strengthening the *business strategies* (new products, new formats, and new distribution platforms) and adapting to the new requirements of the digital environment.
- *Public cultural agents* have to increasingly develop *digital versions* of their services, activities and contents in order to take advantage of the new formulas for disseminating culture as well as the new models of accessing it.

The programme contracts between the major institutions and the Department of Culture must incorporate the *digital dimension* as a priority objective for disseminating and democratizing culture. Similarly, large producers of cultural content must assume the responsibility for digitizing their collections in order to safeguard their survival and accessibility.

- New digital concepts must be incorporated into policies for supporting the creation, production and dissemination of cultural content. This must be reflected in the bases for subsidies, calls for artist residency programmes, and programmes specifically intended to construct an avant-garde Catalan culture within the framework of the digital paradigm.

- *Exchange programmes and joint ventures* are also needed between the technological and cultural sectors. For the public institutions, digitization must also create a *culture of work via virtual networks*.
- Studies of audiences, strategies to increase audiences, and policies to communicate with audiences have still not fully taken into consideration the fact that the audience has been *diversified and extended thanks to its consumption of culture on the Internet*. The model of consumption has been transformed and the relationships established between those who provide culture and those who consume it are no longer what they were.

Today's audience is not satisfied with being consumers only: they wish to play an active and modulating role in the supply of culture and act as promoters of culture in their digital environment.

- The new generations of consumers are fully immersed in the digital paradigm. This opens up a new arena of opportunities for the culture sector.
- Despite not having the competences directly assigned to it, Catalonia can become a model for the development of proposals to draw up, deploy and monitor the rights of creators on the Internet, proposing lines of agreement with technological operators and copyright management companies to enable this to happen and simultaneously establishing the controls and sanctions needed to ensure compliance.
- While the new digital paradigm provides new opportunities for accessing culture, it also involves a new risk of exclusion. It would be advisable, therefore, to reinforce all existing mechanisms in order to minimise this risk and also ensure that the rights of citizens in the twenty-first century, which include their **cultural rights**, take into account the **digital dimension**.

3. Topics discussed

The main topics discussed were:

- Digital culture.
- Education and technology. Learning with digital technology (both formal and informal contexts).
- Embracing the culture of participation: the evolving role of museums and libraries in a world of changing cultural participation.
- Facilitating collaborative work in education and museums in order to improve assets related to arts, culture and technology.

- Technological advances in communication (channels and the way in which messages are transmitted), content sharing, and cultural expectations regarding access, authority and personalization (Merrit, 2014: 8), which are opening up new horizons to permit and enhance new future scenarios.
- A paradigm shift in the usual way of transmitting knowledge and the way we learn should be promoted. This is because the need to collect, retain and recall data is decreasing because of the role technologies play in the knowledge society. Education, in the broadest possible sense, should facilitate and promote processes that invite divergent thinking (López-Peláez, 2010).
- The difficulty in finding the real and conceptual separation between education and technology. Technology affects both culture and education and it is becoming difficult to separate the two concepts.
- The need to focus the discourse and the story on the person rather than on the content and/or ICT.
- Creating and generating knowledge.
- The history of ideas.
- The Third Culture.
- ICTs as fundamental tools for creating and managing knowledge and expressing ideas.
- Identifying the influence and consequences of the digital world on culture.
- Converting consumers of information into knowledge producers/prosumers. Exchanging, exploring, expressing.
- The importance of training to undertake and investigate. The role and contribution of research projects.

4. Skills in Education, Technology and Culture

Technology has provided new opportunities for promoting a "learning culture" for all by helping people develop the habit of learning throughout their lives (Hodkinson et al., 2005, Delni, 1998, Kukulska-Hulme, 2010). Thanks to digitization and new technology, culture is shifting from being a marginal concept to becoming a central subject at the heart of life (Holden, 2008). The landscape has been transformed by the growth of the creative economy, mass collaboration, a participatory culture, and peer-production.

Informal settings or environments such as museums and cultural centres offer great potential for communicating social, cultural and scientific information, correcting misconceptions, enhancing attitudes and improving cognitive skills. Digital technology is allowing these cultural spaces to become more interactive and innovative. Personalized interface and electronic repositories are allowing learners to do searches based on their own interests. They can also use their mobile devices to explore more information, access related open educational resources or contact social networks with similar interests. Through communities of practices, learners can then share questions, exchange comments, co-create and develop a common understanding (Okada, 2014).

In these informal environments, which include digital spaces, learning culture is voluntary and driven by curiosity, discovery, free exploration and the exchange of experiences with colleague groups, communities and institutions. In the broadest sense, learning in informal environments such as real or virtual museums is a product of the free interaction between visitors and exhibitions or performances. Cultural institutions not only provide unique opportunities for studying how people learn during leisure activities but also alternatives to the formal education system (Screven, 1996; Hawkey, 2004). Innovative teachers have been helping students to integrate their learning beyond schools by creating opportunities for ubiquitous learning. Through mobile technologies, students can develop their critical and creative thinking with teachers at school and interconnect it with informal and non-formal contexts. The idea that education is everywhere is widely accepted today. In this sense, museums, theatres, libraries and cultural centres in general offer a stimulating environment and are an excellent channel for communication and cultural learning. These environments provide communicative and active spaces to encourage individual and group learning. Learning in this context is both individual and collective, as well as public and private and virtual and real. In the specific case of museums, libraries and other cultural centres as important stakeholders in culture, general education programmes promote a communication that is learning-centred. In digital free culture (Lessig, 2004), learners become more engaged as co-creators of experiences and resources. Cultural development and innovation bring benefit not only to the content industry but also to the general public and the creators. Particularly through open or public licenses, individuals and communities can recreate by reusing existing creative material. Museums, libraries and cultural centres should therefore be designed to suit the individual's needs and preferences and promote open content.

Based on learning digital culture, the key skills for educators and professionals in cultural institutions are:

- Investigating cultural, technological, political and economic trends that are important to museums and cultural centres.
- Redefining the role of museums, libraries, archives and other cultural institutions within the learning ecosystem as well as the learning culture.
- Promoting the necessary objectives and outcomes for measuring the impact of learning in museums, archives and libraries through educational face-to-face and online events, activities and cultural projects.

- Enriching education in these cultural institutions as providers and exciting nodes in the learning ecosystem (Prince, 2014).
- Identifying and establishing more opportunities through technology for expanding and innovating learning through interactive interfaces, digital repositories, mobile devices, and online communities.
- Building a map of 21st-century skills and competences in Education, Technology and Culture for all citizens: young, teenage and adult students; the general public in museums; museum professionals; and educators and researchers, etc.
- Creating new opportunities for promoting co-learning (open collaborative learning) through innovative curricula, collaborative open projects, and cultural and scientific partnerships for formal, informal and non-formal education (Okada, 2014).
- Some key skills for learners in formal, informal and non-formal environments as well as virtual and real settings are:
- Exploring the hyper-connected world, which includes real and virtual environments (e.g. museums, libraries and cultural centres).
- Using technology to develop better individual and collective understanding in various educational and cultural settings in and beyond schools.
- Searching constantly for learning opportunities and playing an active and participatory role in groups, networks and society.
- Recreating, sharing and collaborating with innovative knowledge in local and/or global communities.
- Developing technical abilities for continuous learning by keeping up to date and acquiring new skills in real and virtual environments such as: social network interaction, socio-cultural apps, microblogging communities, mobile Internet access, hypermedia and social media, advanced searches, digital curator management, multimedia tagging and production, and location-based activity and services (Okada, 2014).
- Developing creative and critical thinking in order to enjoy life and participate in society through ethical social and cultural citizenship.

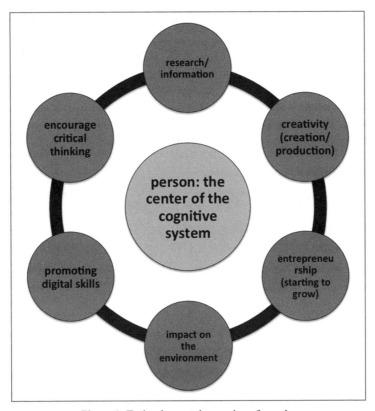

Figure 1. Technology at the service of people.

5. State of the art of digital culture in Catalonia

Line 7 of FIET 2014 was conducted from two perspectives:

(1) The multiple existing viewpoints should be integrated and the challenges existing in key areas should be identified.
(2) The rapid changes taking place in digital technologies mean that a progressive effect should be obtained because the work process to be deployed must be adaptable and sensitive to the passage of time.

We largely incorporate the summary of a specific report by CONCA (Catalan National Council for Culture and the Arts) on the process of digitization. In accordance with our objective, we do not tackle the function of cultural preservation because, as we have mentioned, we mainly focus on cultural creation, production and dissemination.

In this descriptive phase, we conduct an overview of the cultural and creative activities in order to obtain a first impression of the general situation and pinpoint the activities to include in the agenda. This starting point may be subject to development in the future from two complementary perspectives:

a) More specialised investigation by the various sub-sectors of cultural and creative activities (the visual arts, the performing arts, publishing, audiovisual recording, etc.) or cross-disciplinary areas (training, finance, entrepreneurship, etc.).

b) Updates to incorporate new developments or improvements to the work conducted in this first version.

The recommendations with regard to digital culture in Catalonia are:

1) *Increase in the supply of information and the redistribution of attention, also with regard to cultural content*

a) The capacity to produce, store, process and disseminate cultural content, which can be distributed worldwide, is increasing.

b) Increased supply in the digital environment makes the capacity to attract the consumer's attention the most valued element since this can influence both consumer decisions regarding demand for cultural content and consumer loyalty (or engagement).

2) *Diversification and improvement in the types of cultural products and information*

a) Digitization enables new forms of artistic and cultural expression to be developed in all areas, including the face-to-face and online environments, and functional creative areas as well as artistic and cultural ones: digital games, interactive narrations (web-based documentaries), locative media (based on mobile technology), social television, and immersive face-to-face experiences (sound and 3D image).

b) Versions of certain digital cultural content are intended for distribution across numerous media, channels and devices and some cultural works are created with a view to transmedia narration.

3) *The appearance of new forms of communication that are changing the system and institutions that have been involved in cultural distribution.*

a) Mass self-communication is emerging as a new form of communication.

b) The Internet is becoming an environment for communication and exchange where public and private for-profit or not-for-profit cultural initiatives converge and where information is created by users (who are simultaneously both producers and consumers) on an industrial scale.

c) A radical change is taking place in the systems of distribution in place in the culture markets due to the emergence of new intermediaries.

4) *The development of network structures that enable the deployment of new forms of organisation and cultural interaction.*

a) The social networks are a predominant factor when determining the value of cultural and creative activities insofar as the value of a product or service depends on the number of people who use it.

b) Network effects are visible especially in the incorporation of cultural activities within a broad system of technological products, the existence of processes of social contagion, and the new dynamics that are emerging in cultural interme-diation on the Internet (organised in two-sided markets).

5) *Higher productivity and greater importance of knowledge and other intangible assets in the economy*

a) Information and knowledge have an increasingly important role to play in economic development. However, as these products are intangible, they are very difficult to measure.

6) *The emergence of a global culture with greater interaction between the cultures of the world.*

a) The Internet is facilitating greater exchanges of cultural flows on a worldwide scale that will have effects that are difficult to predict: globalisation, homogenisation, or glocalisation?

b) These greater cultural exchanges are largely conditioned by factors such as language, history, the consumption habits of each country, and the economic size of their culture and communication industries, which is largely determined by the size of their internal market.

c) The localisation of a region's cultural and creative activities demonstrates their tendency to concentrate in a few "global cities".

7) *There is a tendency towards de-institutionalisation and an increasingly individualised society.*

a) In the context of the changes in values that are taking place in contemporary societies, authority is recognised socially by conviction.

8) *People need to acquire new basic competences so that they can better adapt to a diverse and changing environment.*

   a) The digital revolution is reinforcing the need to facilitate closer access to the arts, the sciences and technology as a way to boost innovation.
   b) At the same time, the digital revolution is presenting challenges for education that affect society as a whole (teaching centres, families, etc.) because of the need to promote training programmes that focus on quality in the use of ICTs rather than quantity.

9) *New forms of collaboration and opportunities to collaborate are emerging between people and organisations*

   a) The Internet facilitates collaboration between people and organisations with a wide range of purposes, including collective creation, e.g. crowdfunding, and collaborative consumption.
   b) These collaboration opportunities provide new opportunities for the development of products and cultural initiatives that can be taken up by every citizen, company and institution.

10) *Continuous evolution of technological change that requires intense innovation*

   a) With regard to the next few years, many of the technologies that are considered potentially disruptive are associated with the digital world and the Internet.
   b) A fully innovative deployment of the digital revolution requires advanced telecommunications infrastructures with competitive services.
   c) Innovation is required in the financing of cultural and creative activities and specifically for entrepreneurship.
   d) Innovation is also required in the supply of cultural public services in order to define and establish formulas that are coherent with the business models of cultural companies, free competition, and the assurance of quality public services for all.

6. Future Challenges and Trends

Discussions of the importance of technology and the digital revolution and analyses of their transformative effects are not new. However, it is important to make an evaluation that enables us to understand the new future scenarios and make the changes that are needed for adaptation. What will future platforms be like? What communication processes will be in effect? As demand is expected to vary? Trigos (2014) defines two fundamental pillars for meeting the new scenarios for digital technology in the cultural sector: (1) full and easy access to the digital world, in terms of total or unlimited accessibility of space and time (Hawkey, 2004); and (2) the creation of digital spaces for conversation, exchange and interaction between users and businesses.

There is no doubt that technology has brought about a change in content consumption and cultural experiences. The widening range of digital culture available requires us to differentiate and adapt to the demands of the consumer. Institutions must adapt to the public's needs and demands and therefore to consumption patterns regarding cultural content. The strategy revolves around the customer (Trigos, 2014: 56). The aim is to align the entire process of content from its conceptualization to commercialization regarding the needs of users. It is important to retain customers by offering them the cultural content by demand.

In 2002, the DigiCULT Report (of the European Commission) on the future technological landscape emphasized technology, organizational and financial aspects, and operations and services in accordance with demand and the need for a policy framework for the proper management of digital culture and heritage. This report included a series of recommendations for governments, administrations and museums aimed at encouraging greater context, more explanation and clearer interpretation of objects from collections throughout digital resources in order to exploit the opportunities arising from the digital revolution (Mancini 2008). The report also analysed the implementation in the cultural sector of digitization and preservation as a way to obtain greater competitiveness and economic benefit (European Commission, 2003; European Commission, 2004; Alzua & Gil, 2006).

First, a map of skills and expected outcomes on Education, Technology and Culture must be defined.

Second, future trends in emerging technology and problems with using technology must be identified.

To achieve both of these objectives, numerous relevant documents have been consulted, including: the Horizon Report 2013, Trendwatch 2014, MIDEA, UNESCO, LEM, Smithsonian, New Media Consortium, and Rev.Telos (Telefónica Foundation).

As a conclusion, the following working lines have been identified:

1) Emerging technologies:

   a) 3D printing

    b) The Internet of Things

    c) Flipped learning

2) Problems with technology:

    a) Scalability: technology must fit the size of the project

    b) Technology must match our aims

    c) Technology must serve the cause and be a means of fulfilling objectives

    d) Necessary maintenance must be anticipated

    e) Long-term viability must be ensured

    f) Technology must fit the size and needs of each institution

    g) Technology must add value to the user and be a tool for visitor engagement in a participatory culture

3) Recognition of museums and cultural centres as essential partners in educational organization

    a) Research

    b) Engage visitors

    c) Teaching excellence

    d) Facilitating learning at any time, any place, and any age

    e) Promoting critical thinking skills in citizens of any age

    f) Collaborating with other educational organizations

    g) Allowing connection

    h) Creating experiences

    i) Visitors and mobile technology that allow interaction

    j) Viewing additional information of the objects.

7. Challenges and Proposals

1) *Challenges*

    a) Access, broadband and devices to be considered a human right.

    b) Easy dissemination and co-creation of research.

    c) Development of technology for informal and formal education. Flipped classrooms. Schools out of schools.

    d) Legal obstacles to sharing cultural content. Dissemination of culture.

    e) Marginalization and digital or technological exclusion.

    f) Lack of awareness of the digital rights of the community with regard to their cultural heritage.

2) *Proposals*

a) Accessibility and connectivity.
b) Research into open content/open data/openness
c) Approaches to formal and informal education.
d) Digitization of culture in order to guarantee access to it.
e) Policies for promoting inclusion and participation.
f) Policies to guarantee the rights of creators of intellectual property in the open world.

8. Recommendations and proposals

In conclusion, we recommend two major actions:

- An Ideas Lab on education, culture & ICT
- A map of 21st-century skills and expected outcomes on Education, Technology and Culture

Proposal to create an Ideas Lab on education, culture & ICT, which will be designed as a meeting place, i.e. a space for reflection and analysis.

- A digital laboratory for constructing knowledge and thinking with the individual as its focus.
- A laboratory designed as a meeting space for research, analysis and reflection between different disciplines.
- A space for creation, innovation and entrepreneurship.
- A factory of ideas. A bank/repository of ideas.
- A bank/repository to manage research projects (visibility).
- Content repository tools for facilitating knowledge transfer to digital formats that are accessible to students, teachers and families.
- Projects to support project developers. Projects to promote creativity and artistic creativity (technological humanism programme).
- Research for possible models such as City Labs and smart cities, etc.

- Scientific research parks
- Global culture
- Thought
- Creativity
- Economy
- Entrepreneurship
- Innovation
- Incubation of ideas and thoughts
- Future scenarios
- Ethics, education and culture
- Best practices

- Impact on people
- Impact on education

Proposal to construct a map of 21st-century skills and expected outcomes on Education, Technology and Culture.

- Define 21st-century skills in culture, education and technology from the best practices selected.
- Analyse the role of museums, archives and libraries in the learning ecosystem. Think more critically about their role in transforming the landscape of education. How can museums ride the rapid transformation and innovation in education and learning? What kind of strategies must museums develop in order to move from being considered an optional educational resource to playing a more central role? Gangopadhyay identifies three core strategies for gaining more traction and visibility (Gangopadhyay, 2014):
- Be proactive. "We cannot prepare our students to succeed in today's world if we do not change our learning environments, our teaching methodologies, our juxtaposing examples, our tools of engagement and lastly our mindsets" (Gangopadhyay, 2014:22). Learning cannot be shoehorned: it can happen in any way and in any place.
- Be relevant. Rigour is no longer about content but about adaptation and the application of content to real-world scenarios.

  Museums can contribute unique contents and multidimensional problem-solving methodologies and can provide all four A's: Acquisition, Association, Application and Assimilation of knowledge.

  "Blended" and "flipped" classrooms encourage the use of resources outside the classroom and direct learning. Museums should grab this opportunity.

- Be "top of the mind" in education.
  Gamification; Edutainment; the Application of game mechanics in non-entertainment environments. Using resources such as augmented reality, coding, online publications, enriched video, and 3D printing. Using any resource that combines on-off online practices.

Referencies

Building the Future of Education. Museums and the Learning Ecosystem. Center for the Future of Museums, American Alliance of Museums.

DELNI (1998). Lifelong Learning: A New Learning Culture for All. Retrieved July 2014 from http://www.delni.gov.uk/acfbb7f.pdf.

Gangopadhyay, P. (2014). Time for a perfect storm! In *Building the Future of Education: Museums and the Learning Ecosystem.* American Alliance of Museums. p. 2126.

Gere, C. (2002). *Digital culture*, London: Reaktion Books.

Hawkey, R. (2004). *Learning with Digital Technologies in Museums, Science Centres and Galleries.* King's College, London: Futurelab series, Report 9.

Hodkinson, P., Biesta, G., James, D., & Gleeson, D. (2005). Overcoming the climate change in FE: A cultural approach to improving learning. Retrieved in July 2014 from http://www.tlrp.org/dspace/retrieve/3492/hodkinson_outcomes_poster.pdf

Holden, J. (2008) Culture and Learning: Towards a New Agenda Retrieved July 2014 from http://www.cpexposed.com/sites/default/files/documents/CP_DEMOS_CultureLearningPaper_Feb08.pdf

Kukulska-Hulme, A. (2010). Learning Cultures on the Move: Where are we heading? Educational Technology & Society, 13 (4

Lessig, L. (2004) Free Culture: How Big Media Uses Technology and the Law to Lock Down Culture and Control Creativity. New York: Penguin Press. Retrieved July 2014 from http://www.free-culture.cc/freeculture.pdf

López-Peláez, M.P. (2010). El paper de la música y las artes en una educación integral. The role of music and arts in integral education. In *Arte y movimiento, 3* (December 2010), 37-44.

Mancini, F. (2008). *Usability of Virtual Museums and the Diffusion of Cultural Heritage* [online working paper. UOC. (Working Paper Series; WP08-004). http://openaccess.uoc.edu/webapps/o2/handle/10609/1277?mode=full

Merrit, E. (2014). About This Convening. In *Building the Future of Education: Museums and the Learning Ecosystem*. American Alliance of Museums. p. 7-8.

Merrit, E. (2014). Setting the Stage. In *Building the Future of Education: Museums and the Learning Ecosystem*. American Alliance of Museums. p. 9-13.

Prince, K. (2014). Glimpses of the Future of Education. In *Building the future of Education: Museums and the Learning Ecosystem*. American Alliance of Museums. p. 14-20.

Okada, A. (2014). Competencias-chave para coaprender: fundamentos, metodologias e aplicações. Lisbon: DeFato.

Screven, C. G. (1996). Museums and their Visitors. Hoopergreenhill, E. *Museum International, 48*(4), 59-62.

L8. Smart Cities

Albert Sangrà, Mar Camacho i Ronda Zelezny-Green

La tendència actual de la població del segle XXI és la de concentrar-se en centres grans de població. Davant la necessitat actual de la societat de viure i conviure en espais comuns on es pugui treballar, aprendre, gaudir i interactuar, es planteja el repte de poder donar resposta a totes aquestes necessitats en un mateix espai. Per aquesta raó és necessari replantejar el concepte de ciutat i la seva organització, buscant noves idees, conceptes i solucions als nous reptes. Aquestes ciutats són plataformes on les persones treballen i viuen.

En la societat del coneixement les ciutats són realment els motors de desenvolupament econòmic i social del món. És on les empreses creen i desenvolupen els serveis, els llocs estratègics de comunicacions i el lloc idoni per a la recerca de treballadors i talent.

Aquesta tendència de concentrar la població en les ciutats o entorns urbans demana eficiència. La gestió dels recursos, juntament amb un desenvolupament sostenible, hauran de ser línies estratègiques d'aquest model de ciutat.

Les TIC (Tecnologies de la Informació i Comunicació) poden vertebrar els processos de gestió d'aquests entorns urbans amb infraestructures, xarxes i plataformes, que permetin monitoritzar tots els processos i ajudar la sostenibilitat i l'eficiència. Aquestes tecnologies es poden aplicar a qualsevol temàtica i camp, des dels serveis bàsics, com aigua, llum, gas..., el transport tant públic com privat, fins a la cultura, l'educació i la salut, per tal de fer una societat més participativa i democràtica.

La ciutat, amb el suport tecnològic, esdevé un sistema ecològic sostenible on s'entrellacen molts processos que es condicionen els uns als altres. El treball conjunt d'arquitectes, enginyers i sociòlegs és important per donar consistència a aquesta idea de ciutat intel·ligent que serveix millor els seus ciutadans, i que els permet participar amb més intensitat en el seu propi funcionament.

Una *smart city* potencia la interacció del ciutadà amb els diferents elements que formen el seu ecosistema, incloent-hi els àmbits culturals i educatius. No obstant això, en el discurs sobre l'ús es troba a faltar més èmfasi en els aspectes educatius, especialment, si pensem que la intel·ligència és una funció vinculada a l'educació.

El repte que tenim davant nostre és, a hores d'ara, saber conciliar les enormes possibilitats que ens ofereixen les tecnologies a les nostres ciutats amb les necessitats educatives dels nostres conciutadans. Fer que la tecnologia no només faciliti aspectes instrumentals o d'entreteniment, sinó que realment contribueixi a millorar les capacitats d'una ciutat per educar. En resum, no només fer que les ciutats siguin intel·ligents, sinó aconseguir que puguin ser-ho tots els seus ciutadans.

1. Ciutat intel·ligents, ciutats educadores

La idea de ciutat educadora concep, alhora, el medi urbà com a entorn, agent i contingut de l'educació. La ciutat, en una perspectiva educativa, pot ser considerada a partir de tres dimensions diferents però complementàries: com a entorn, context o contenidor d'institucions i esdeveniments educatius (educar o aprendre a la ciutat); com a agent, un vehicle, un instrument, un emissor d'educació (aprendre de la ciutat); i com a objecte de coneixement en si mateix, un objectiu o contingut d'aprenentatge (aprendre la ciutat).

La idea connota molt adequadament la complexitat del fenomen educatiu. L'educació, en el seu sentit ampli, és un fenomen hipercomplex. La metàfora "ciutat educativa" indica molt bé la naturalesa múltiple i diversa del procés educatiu. A la ciutat, hi ha molts rols educatius, versàtils i, de vegades, fins i tot intercanviables (són educadors els mestres i els pares, però també ocasionalment els veïns, els guàrdies urbans, els companys de joc...); les fonts de coneixement són gairebé incomptables (les escoles, biblioteques i museus, però també els aparadors i les tanques publicitàries...); les experiències i les possibles relacions són indefinidament diverses i renovades.

La idea de ciutat educadora acull i interrelaciona processos educatius formals, no formals i informals. La ciutat educativa és un entramat d'institucions i llocs educatius. Els nusos més estables i obvis d'aquesta trama estan constituïts per les institucions formals d'educació (escoles, universitats, etc.). Però hi coexisteixen, d'una banda, tot el conjunt d'intervencions educatives no formals, organitzades a partir d'objectius explícits de formació o ensenyament però fora del sistema de l'ensenyament reglat: educació en el lleure, autoescoles, etc., i, d'altra banda, el difús, ubic i penetrant conjunt de vivències educatives informals (espectacles, publicitat, relacions d'amistat, etc.). Potser el medi urbà sigui precisament el millor exemple de les constants interaccions entre aquestes tres maneres d'educació.

De la mateixa manera, afirma la condició sistèmica de l'educatiu i demana plantejaments integradors. La ciutat educadora es concep no com a una simple agregació o amuntegament d'instàncies educatives, sinó com a un sistema; és a dir, un conjunt d'elements que interactuen. D'aquesta afirmació sistèmica se segueixen diverses conseqüències importants. Una és el caràcter sinèrgic de la seva acció: el resultat de la influència educativa del medi urbà no és conseqüència de la suma o de la simple acumulació dels diversos processos parcials que hi tenen lloc, sinó de la seva acció combinada. L'altra és la necessitat de plantejaments educatius globals i integradors, la qual cosa és el corol·lari directe del caràcter sistèmic i sinèrgic de la ciutat educadora.

Entendre la ciutat educadora com a sistema obliga ara a caracteritzar-la també, com a sistema obert, dinàmic i evolutiu. És un sistema obert, ja que interacciona, es nodreix, aporta i es perllonga en altres sistemes: medi rural, altres ciutats, el seu marc nacional i estatal ... I és dinàmic i evolutiu, perquè pot modificar el seu funcionament i la seva estructura per anar optimitzant la seva capacitat educativa. Si l'educació suposa, per definició, un procés de canvi o transformació dels subjectes que s'eduquen, el medi educatiu -en aquest cas, la ciutat- ha de tenir la capacitat d'anar evolucionant al mateix ritme dels canvis que promou.

A més, pretén abastar totes les dimensions de la idea d'educació integral. Un dels més nobles ideals educatius és el que persegueix una formació que abasti harmoniosament totes les dimensions de la personalitat humana. L'educació integral és formació intel·lectual, física, estètica i moral, formació per al treball i per a l'oci, adquisició de coneixements, de destreses, d'hàbits, d'actituds i de valors. La ciutat conté referents i models de tot això i s'erigeix, per tant, com a agent per a la seva transmissió.

La idea de ciutat educadora es reconeix en el concepte d'educació permanent i al llarg de la vida. A diferència d'altres instàncies educatives, la ciutat no estableix límits temporals a la formació ni discrimina edats per a l'aprenentatge. El primer principi configurador de la ciutat educativa, segons resava l'informe de la UNESCO, deia literalment que *"la idea d'educació permanent és la clau de l'arc de la Ciutat Educativa."*

Parlar de ciutats que eduquen fa referència alhora a realitats i utopies. Fins ara hem barrejat descripcions i desitjos. I és que aquesta confusió entre allò real i allò desitjat forma part de la pròpia polisèmia del significant que ens ocupa. Però serà bo començar a diferenciar la realitat del mite. Dir que la ciutat educa no vol dir acceptar que educa sempre per a bé. I és que la ciutat, cada ciutat, és educativament ambigua i contradictòria. A la ciutat hi ha de tot, de tot el que dins d'un determinat marc valoratiu podem considerar com a positiu i, també, negatiu. La ciutat genera cultura, art, originalitat, civilitat, convivència, però també banalitat, caòtic amuntegament, agressivitat, marginació, indiferència, solitud... Cada ciutat és conseqüència de la seva història i de les relacions de poder que l'han produïda i la segueixen produint i, per tant, reflecteix i transmet les seves pròpies contradiccions. Hi ha, per tant, una ciutat educativa real que no sempre educa per a bé, i per això hi ha d'haver un projecte de ciutat educadora que orienti la seva transformació optimitzant.

La ciutat no és igualment educativa per a tota la ciutadania. Si acabem de dir que la ciutat real no sempre educa per a bé, cal dir a continuació que tampoc educa a tots de la mateixa manera. Qualsevol mitjà educatiu educa diferencialment els seus membres en funció del lloc que n'ocupa cadascú. Factors com la classe social, el grup generacional, el gènere, el rol familiar, el nivell cultural, etc., determinen la incidència educativa de la ciutat sobre cada individu. La ciutat educativa real resulta ser, en aquest sentit, mirall i, alhora, màquina reproductora i, de vegades, amplificadora de les esmentades contradiccions, d'injustícies, de desigualtat d'oportunitats, de discriminacions. Un projecte social i democràtic de ciutat educadora ha de ser un projecte que tendeixi efectivament cap a la igualació real de les oportunitats educatives que ofereix el medi urbà.

2. Experiències rellevants

Sense dubte, cada vegada més municipis esdevenen el que denominem *smart city*, espais on es treballa per ajudar a impulsar la ciutadania a través d'enfocaments educatius innovadors; tanmateix, els resultats continuen sent desiguals. Per exemple, el Perú va impulsar un projecte educatiu que dotava cada infant amb un portàtil (un projecte OLPC, per les sigles angleses One Laptop Per Child, un ordinador per infant), però no tenim encara evidències concloents dels efectes positius o negatius de l'ús intensiu d'aquests dispositius en l'ensenyament i l'aprenentatge.

Com moltes implementacions de tecnologia educativa (EdTech) han demostrat, hi ha poques maneres de garantir l'èxit i milers de possibilitats de cometre errors que poden aturar un projecte abans que comenci. Si s'ha d'aconseguir *smart* cal que els governs municipals considerin no només la tecnologia que introdueixen les institucions educatives, sinó també el sistema complet de components que necessiten per treballar junts per tal d'ajudar les persones a utilitzar aquesta tecnologia i participar en activitats que realment els facin més intel·ligents.

270

En aquest sentit, per exemple, l'objectiu dels programes OLPC sempre ha estat ajudar els infants a aprendre en qualsevol lloc, proporcionant-los accés a un ordinador portàtil, de tal manera que puguin utilitzar-lo per compte propi. Per tal de promoure la inclusió digital, els destinataris preferents d'aquesta intervenció han estat nens procedents de les zones rurals o de les comunitats desfavorides. Els informes indiquen que al Perú s'ha distribuït gairebé un milió d'ordinadors portàtils als alumnes, però els resultats d'un estudi amb control aleatori ha determinat que, mentre l'accés als portàtils va millorar de manera determinant per als infants, no hi va haver un impacte clar d'aquest ús en l'aprenentatge de les matemàtiques o idiomes (Trucano, 2012). Si canviem al context africà, on també s'han desplegat projectes OLPC, Hollow (2010) descriu com l'entusiasme i l'esperança al voltant d'aquestes iniciatives ha estat manipulada pels funcionaris del govern d'Etiòpia i s'ha utilitzat com a moneda de canvi polític per guanyar les eleccions, tot i saber que disposar de llibres de text tradicionals podria ajudar a produir una intervenció més rendible i menys costosa. La mateixa iniciativa a Kenya tampoc va arribar a fructificar a causa de la mala planificació, la manca de la infraestructura necessària, la realització tardana dels costos en alça i els escàndols relacionats amb el procés d'adjudicació del contractes (Okutoyi, 2014).

2.1. De la retòrica a la realitat

De manera global, és fàcil veure que el subministrament d'ordinadors portàtils per a tots els nens no és en si mateix el problema. Per contra, el treball realitzat al voltant de la introducció dels ordinadors portàtils sembla ser més per a l'espectacle en lloc de fer un impacte real en l'educació. La retòrica al voltant d'aquest tipus d'implementacions se centra en les diferències que la tecnologia farà per al cultiu d'una població més educada, però la realitat és que es treballa poc o gens per canviar aquesta visió.

Per tal que els governs de la ciutat vagin més enllà de la retòrica i abordar les realitats sobre el terreny, els components del sistema de les TIC per a l'educació s'han d'articular, incloent-hi els possibles reptes que cal afrontar. D'altra banda, les lliçons apreses d'implementacions anteriors necessiten ser acuradament considerades i tractades, si és possible, perquè la història no es repeteix en un altre desplegament de tecnologia. Des de la perspectiva dels docents i dels alumnes, la visió de tenir accés a ordinadors portàtils personals per si sols no és transformadora. Per contra, tota experiència de l'educació tant dins com fora de les parets de l'aula ha de ser igualment progressiva.

Per exemple, per què serveix el portàtil com un dispositiu mòbil si els estudiants estan lligats a les aules, ja que el dispositiu és només activar Wi-Fi? Com es restringeixen els límits de l'aula, l'habilitat del mestre per planejar i facilitar lliçons que permetin els estudiants pensar literalment fora de la caixa? Si la definició de bogeria és fer el mateix i esperar resultats diferents, per què seguim veient intervencions EdTech on l'únic diferent pot ser la tecnologia adoptada, però l'experiència d'ensenyament i aprenentatge en si no ha canviat? Per tal de resoldre satisfactòriament iniciatives d'*smart cities*, on l'educació hi juga un paper important, la mateixa base del que significa ensenyar i aprendre, amb i sense tecnologia, necessita ser sacsejada. En cas contrari, el fracàs dels projectes EdTech a gran escala continuarà atribuït a l'excessiu enfocament en la tecnologia.

Arribats a aquest punt, resulta evident que cal aprendre dels encerts i dels errors de les millors pràctiques en aquest àmbit per aconseguir que els entorns urbans esdevinguin *smart cities* i que les persones que els habiten puguin respondre l'etiqueta d'*smart people*. En aquesta línia, per exemple, quan Kenya es va plantejar el disseny de la seva pròpia estratègia OLPC, va partir de les recomanacions que es desprenien de l'experiència de Rwanda (Mwaura, 2013). Tot i les ambicions inicials per escalar ràpidament, el govern ruandès aviat va haver de lidiar amb qüestions relacionades amb la preparació dels mestres, i també aspectes de manteniment continu dels dispositius. Per solucionar-ho, es van realitzar esforços concertats per capacitar milers de mestres perquè el desplegament continuat d'ordinadors portàtils seguís el ritme de la capacitat dels mestres per donar suport de manera adequada i eficaç del seu ús per a l'ensenyament i l'aprenentatge. Rwanda, fins i tot, literalment, posa els seus diners darrere de la seva iniciativa OLPC en presentar el seu treball en una de les denominacions monetàries. Mentre que el govern ruandès ha decidit ampliar la seva iniciativa OLPC més lentament del que proposa originalment, en fer-ho, les possibilitats d'èxit durador amb la intervenció s'eleven considerablement. Perquè les *smart cities* facin un progrés seriós cap al desenvolupament de persones intel·ligents que utilitzin la tecnologia com a una eina, potser la millor pràctica no és no fer cas omís dels problemes que puguin sorgir, sinó que cal enfrontar-se a les qüestions difícils i treballar per atendre'ls, fins i tot encara que això signifiqui anar més lent del que estava previst. En aquest cas, és evident com la innovació tecnològica educativa s'ha d'entendre com a una marató, llarga en el temps i exigent quant a la resistència necessària, i no com a una ràpida i explosiva carrera de velocitat; i és, aleshores, quan es pot copsar la considerable quantitat de treball previ i continu que cal que facin els governs municipals si volen arribar airosos a la meta final.

Un altre consell és fer la planificació per EdTech una prioritat i no una consideració passatgera. Quan les coses van malament amb els desplegaments EdTech, la tendència és assenyalar i criticar les possibles fonts d'error, en lloc d'examinar si la planificació darrere del projecte és prou robusta com per començar. La mala planificació pot descarrilar, fins i tot, els millors projectes intencionats. Si bé es pot percebre com a un atac al propi ritme de la innovació, la planificació prèvia contribueix fefaentment a millorar les possibilitats d'èxit de les intervencions EdTech: s'anticipen els problemes d'infraestructura, els costos inesperats, i les necessitats de creació de capacitats de recursos humans.

Una millor pràctica final per aplicar amb aquest tipus d'intervencions és la participació de professors i alumnes en el procés de transformació de l'educació. Encara que la majoria de les intervencions EdTech, indiscutiblement, s'apliquen amb enfocaments de dalt a baix (impulsades des dels nivells superiors de les administracions), finalment els estaments polítics no són els responsables de l'ús diari de la tecnologia, sinó que aquesta responsabilitat recau en els professors i alumnes. Però, una vegada i una altra es veu que en excloure els professors i alumnes d'aquest procés, l'adopció de la tecnologia educativa es veu dificultada o, fins i tot, aturada completament (Winters, 2013). Els grups de discussió amb els alumnes, la capacitació del professorat i la planificació de sessions de desenvolupament professional poden ajudar a generar comentaris i aportacions que orientin d'una millor manera cap a un desplegament EdTech efectiu i contextualitzat, un desplegament que coincideixi amb les necessitats i les realitats d'un context determinat i les enfoqui amb rigor. Si no es produeix aquesta cooperació entre tots els agents implicats, el projecte per a la constitució de l'*smart city*, inevitablement, s'estancarà.

2.2. Com ha de ser una ciutat intel·ligent que també es pretengui educadora

Ja hem vist que ciutat educadora és una expressió que ha anat atresorant una gran varietat de continguts tant descriptius com desideratius, convertint-se per tant, més que en un concepte susceptible de ser definit unívoca i rigorosament, en una mena de lema o d'idea-força. Per la seva banda, l'expressió *smart city* o ciutat intel·ligent, encara que més recent que l'anterior, tampoc resulta ja fàcil d'acotar. En qualsevol cas, sí que sembla clar que entre les dues hi ha coincidències ben notables.

Comparteixen, per exemple, un cert aire de família pel que fa a la seva funció discursiva com idees amb una potència heurística remarcable: inciten a pensar, descobrir i operativitzar nous recursos per a la millora de l'educació i la qualitat de vida a les ciutats. Existeix també un conjunt molt significatiu d'interessos compartits entre ciutat educadora i ciutat intel·ligent. Si passéssim ara revista detallada a cadascun dels aspectes que acabem de resumir sobre la idea de ciutat educadora, veuríem tot el que fefaentment poden aportar a la seva optimització el conjunt de mitjans, instruments i realitzacions que s'aixopluguen sota la capçalera de ciutat intel·ligent. I, també, cal recalcar que la major part de la literatura existent inclou, de manera explícita, l'educació com a un dels serveis o funcions més rellevants que han d'atendre les ciutats intel·ligents: *"Un dels serveis públics per excel·lència [de les smart cities] és el de l'educació. (...) L'ús de les tecnologies de la informació i les comunicacions pot millorar l'eficiència i l'eficàcia de l'educació en tots els seus nivells. D'una banda, millorant la connectivitat i la col·laboració entre els mateixos estudiants i entre els estudiants i els centres, de l'altra, facilitant l'accés als continguts i, en general, proporcionant comunicacions unificades. Es tracta, en definitiva, d'utilitzar les TIC per educar, investigar i disseminar la cultura. En aquest grup es troben, doncs, les eines d'e-learning, però també les de teletreball que, en el cas dels treballadors del coneixement, permeten la realització de les seves tasques diàries des de qualsevol localització gràcies a les noves tecnologies."*

Però ja que hem sobrepassat l'espai requerit, més que estendre'ns en els diferents serveis o funcions educatives de les *smart cities*, volem centrar-nos només en dos dels reptes educatius que plantegen i que ens semblen especialment importants des d'una perspectiva pedagògica.

2.3. Aprendre a usar la ciutat intel·ligent

Les eines tecnològiques que posa en joc la ciutat intel·ligent requereixen l'aprenentatge del seu ús. És cert que per a una part de la ciutadania, la de major nivell educatiu i cultural, i/o la ja familiaritzada amb les noves tecnologies, aquest aprenentatge se sol fer sense més problemes, sobre la marxa, i gairebé sense adonar-se'n. Però per a altres col·lectius no és tan fàcil. Per comprendre l'origen d'aquestes diferències resulta molt adequat l'anomenat efecte educogènic: qui més educació i cultura té, és el que es troba més ben disposat i preparat per seguir accedint a nous béns educatius i culturals. Una de les conseqüències d'aquest efecte multiplicador de l'educació és que els col·lectius que més se solen beneficiar de les prestacions i serveis proporcionats per les *smart cities* són precisament els que ja parteixen de posicions social, econòmica, educativa i culturalment més afavorides. I per contra, els col·lectius que parteixen de situacions de desavantatge en aquest aspecte són els que més dificultats troben per a un ús eficaç dels recursos de l'*smart city*, i això no només en relació al seu propi desenvolupament educatiu i cultural, sinó també per a la millora del seu benestar i qualitat de vida en general. És per això que una ciutat intel·ligent que a més es pretengui socialment justa i igualitària, hauria d'assumir una funció educativa clarament compensatòria. És a dir, atendre de forma preferencial els col·lectius que previsiblement més dificultats troben per accedir i utilitzar eficaçment tots aquells recursos proporcionats per les noves tecnologies.

De tot això se'n deriva un fenomen que es dóna en l'actualitat i que es podria anomenar *inversió educativa generacional*. Tradicionalment, el col·lectiu infantil i juvenil és el que se li ha assignat el paper de educant per excel·lència, mentre que les persones amb més experiència vital (adults i gent gran) són les que han assumit preferentment el paper d'educadors. Però pel que fa a l'aprenentatge de l'ús dels recursos tecnològics de la ciutat intel·ligent es produeix una espècie de permuta en aquests rols: el col·lectiu infantil i juvenil és el que menys dificultats troba per aprendre a usar aquestes eines, atès que ha nascut a la societat digital i les noves tecnologies; en canvi, el col·lectiu de la gent gran és el que li costa més accedir a aquest aprenentatge. Com mostra la quotidianitat, ara solen ser els nens i les nenes els que ajuden i ensinistren els seus avis o àvies en el maneig de les noves tecnologies. Els gestors i agents de les ciutats intel·ligents haurien de reconèixer, estudiar i aprofitar aquest fenomen. Per exemple, cal assumir que un dels grups diana dels manuals d'instruccions dels nous recursos, serveis i eines de l'*smart city* ha de ser justament la gent gran.

2.4. *Aprendre a seleccionar la informació i organitzar el coneixement.*

Com ha escrit Daniel Innerarity, *"el discurs sobre la societat del coneixement és il·limitadament optimista, ja que el saber és un recurs que aparentment mai s'esgota. Ens hem acostumat a celebrar l'accessibilitat de la informació com si això ens fes automàticament savis i passem per alt la nova ignorància a la qual sembla condemnar la complexitat informativa."* I, més endavant, segueix dient: *"Entre les incòmodes desproporcions del nostre món està una ignorància molt pròpia de la societat avançada, que és produïda per l'excés d'informació i que s'ha qualificat amb neologismes com 'infobasura' o 'infoxicació'. (...) En una societat del coneixement l'enemic és l'excés. (...) No està informat qui vaga sense rumb en la xarxa dels mitjans i pren com a informació tot el que llegeix o escolta, sinó que ha après a filtrar d'aquesta marea de dades dels missatges que són rellevants per a la seva situació personal."* És per això que una ciutat intel·ligent no ha de ser només la que s'ocupa de facilitar la disponibilitat i l'accés a la informació (*open data*, wikis...), sinó la que simultàniament es preocupa, també, per facilitar la formació necessària dels seus ciutadans perquè puguin, en primer lloc, orientar-se en aquest magma informatiu; en segon lloc, en seleccionin el que els sigui pertinent segons les seves pròpies necessitats o interessos; i, en tercer lloc, assimilin i integrin allò que hagin seleccionat en el seu propi univers cognitiu i cultural.

De fet, tot això tampoc és del tot nou. Almenys des de la invenció de la impremta, la quantitat de coneixements existents accessibles sempre ha estat molt superior a la que qualsevol persona podria assimilar al llarg de la seva vida: un ésser humà omniscient no ha existit mai. Per això, ja fa molt de temps, Nietzsche afirmava brillantment, cosa que ara resulta encara més actual: *"Moltes coses, quedi dit d'una vegada per totes, vull no saber. La saviesa marca límits també el coneixement."* I un altre savi, Jorge Luís Borges, més proper en el temps que Nietzsche, però que tampoc va poder viure la plenitud de l'actual societat tecnològica de la informació, donava algunes pistes sobre el tipus d'educació que pot facilitar aquest aprendre a orientar-se, a seleccionar i a organitzar el coneixement: *"Evidentment, mestre no és qui ensenya fets aïllats o qui s'aplica a la tasca mnemònica d'aprendre'ls i repetir-los, perquè en aquest cas una enciclopèdia seria millor mestre que un home. Mestre és qui ensenya amb l'exemple una manera de tractar les coses, un estil genèric d'enfrontar amb l'incessant i variat univers."* Per descomptat que no és gens menyspreable poder tenir el més a mà la major quantitat possible d'informació; les enciclopèdies -siguin de paper o, molt millor, virtuals ja que aquestes contenen molt més pesant molt menys- són necessàries però no suficients. La saviesa de la qual parla Nietzsche necessita de mestres com dels que parla Borges. Si les nostres ciutats pretenen ser veritablement intel·ligents i, alhora, educadores, no només han de possibilitar l'accés a la màxima informació disponible, sinó que, per sobre de tot, han de comptar amb mestres, en sentit real o figurat, i amb processos educatius que facilitin a la ciutadania l'adquisició de les competències imprescindibles per seleccionar amb sentit la informació pertinent i ordenar a partir de marcs d'interpretació per tal de comprendre millor l'incessant i divers univers i saber-s'hi orientar.

Encara que la tecnologia educativa per si sola no és la resposta als problemes que afecten els sistemes educatius de la ciutat, usada amb prudència podria estimular una cultura innovadora de l'ensenyament i l'aprenentatge per ajudar a resoldre aquest tipus de problemes. El que continua sent imprescindible és que les ciutats aprenguin del fracàs i utilitzin aquest coneixement per generar activitats que ajudin a produir més èxit educatiu amb la tecnologia com a una eina per donar suport a aquests esforços.

Referències documentals

AA.VV. (2011). *Smart Cities. Un primer paso hacia la Internet de las cosas.* Madrid: Fundación Telefónica y Editorial Ariel.

Borges, J. L. (1975). *Prólogos.* Buenos Aires: Torres Agüero Editor.

Chourabi, H.; Nam, T.; Walker, S.; Gil-Garcia, J.R.; Mellouli, S.; Nahon, K.; Pardo, T. & Scholl, H.J. (2012). "Understanding Smart Cities: An Integrative Framework", *Proceedings of the 45th Hawaii International Conference on System Sciences.* Retrieved June 1, 2014 from http://www.ctg.albany.edu/publications/journals/hicss_2012_smartcities

Faure, E. (1973). *Aprender a ser.* Madrid: Alianza Editorial. (Ed. Orig. 1972)

Hollow, D. (2010). *Evaluating ICT for education in Africa.* Retrieved April 15, 2013, from Royal Holloway, University of London: http://pure.rhul.ac.uk/portal/files/1773319/DavidHollowThesisFinalCopy.pdf

Innerarity, D. (2011). *La democracia del conocimiento. Por una sociedad inteligente.* Barcelona: Espasa Libros.

Mwaura, G. (2013, April 18). *What Kenya could learn from Rwanda on One Laptop per Child.* Retrieved June 3, 2014, from The New Times: http://www.newtimes. co.rw/news/index.php?i=15331&a=66047

Nietzsche, F. (1975). *El crepúsculo de los ídolos.* Madrid: Alianza Editorial.

Okutoyi, E. (2014, March 24). *More controversy for Kenya's foiled laptop tender process.* Retrieved June 3, 2014, from ITWeb Africa: http://www.itwebafrica.com/ict-and-governance/256-kenya/232607-more-controversy-for-kenyas-foiled-laptop-tender-process

Trilla, J. (2007). "La educación no formal y la ciudad educadora", en Casanova, H. & Lozano, C. (coords.), *Educación, universidad y sociedad: el vínculo crítico.* México: Publicaciones de la Universidad Nacional Autónoma de México, *pp. 23-42.*

Trilla, J. (1999). "La ciutat educadora: génesis, usos, significados y propuestas", en AA.VV.: *As cidades e os rostos da exclusao.* Porto: Universidad Portucalense, *pp. 85-120.*

Trilla, J. (1999). "La ciudad educadora. De las retóricas a los proyectos", *Cuadernos de Pedagogía, 278,* 44-50.

Trucano, M. (2012, March 23). *Evaluating One Laptop Per Child (OLPC) in Peru.* Retrieved June 3, 2014, from Edutech: A World Bank Blog on ICT use in Education: http://blogs.worldbank.org/edutech/olpc-peru2

Winters, N. (2013, October 22). *How teachers in Africa are failed by mobile learning.* Retrieved December 11, 2013, from SciDevNet: http://www.scidev.net/global/education/opinion/how-teachers-in-africa-are-failed-by-mobile-learning.html

EIX 3. ÚS RESPONSABLE DE LA TECNOLOGIA

El tercer dels eixos pretén reflexionar sobre la necessitat de garantir i potenciar un ús responsable de la tecnologia i, per això, engloba les qüestions relatives a l'ètica de la tecnologia i la inclusió i la cohesió socials.

Per a la *Línia 9: Ètica i Tecnologia*, la finalitat d'aquest document és oferir una anàlisi global i de síntesi sobre assumptes, qüestions i situacions ètiques emergents a què s'enfronten els educadors en relació amb les tecnologies digitals. En aquest sentit, aquesta línia pretén diagnosticar l'estat de la qüestió sobre l'ús ètic de les tecnologies digitals en contextos educatius, identificar els principals reptes que suposa projectar-se cap al futur i, sobretot, establir les línies i els eixos que els professionals de l'educació han d'impulsar per garantir una societat de la informació on les tecnologies digitals no siguin un problema, sinó part de les solucions.

Els experts parteixen d'un marc centrat al Contínuum Context Ètic (CCE) on la tecnologia, els valors i les persones interactuen entre si i influeixen en el desenvolupament social i cultural, al mateix temps que societat i cultura determinen llurs actuacions. Els valors actuen com a reguladors de les decisions que prenen les persones en relació amb l'ús de les tecnologies en educació, en considerar o obviar els beneficis o els perills potencials que individualment o col·lectiva impliquen aquestes decisions. També aporten una visió actual de la posició en què es troba Catalunya davant del repte de configurar una societat responsable en l'ús de les tecnologies digitals, i s'incideix especialment en la detecció de necessitats i en la identificació de potencialitats. D'aquesta anàlisi, es deriven propostes i línies estratègiques que des de l'acció educativa permetin un ús més crític, més segur i més responsable de la xarxa i de les tecnologies en general, a nivell local i global.

Finalment, s'ofereixen recomanacions per a l'adaptació de les millores pràctiques i lliçons apreses a nivell local, Catalunya, i internacional. Els autors arriben a la conclusió que l'abast i la complexitat dels problemes ètics potencials relacionals amb l'ús de les tecnologies digitals pot incrementar-se en un futur proper. Per això, recomanen desenvolupar urgentment un «codi d'ètica per a l'ús de les tecnologies digitals» en tots els sectors socials de Catalunya, entre altres iniciatives, que permeti avançar cap a una ciutadania exemplar en l'ús responsable de la tecnologia.

I, per una altra banda, segons la *Línia 10: Inclusió i Cohesió Social*, parlar d'inclusió i cohesió socials en relació amb educació i tecnologia ens du a considerar tres dimensions: la primera, l'ús de les TIC en educació formal, informal i no formal d'acord amb llurs potencialitats per reduir la desigualtat social; la segona, l'aplicació de les TIC a àmbits d'educació especials per raons de discapacitat psíquica o física; i, la tercera, l'aplicació de les TIC com a eina d'inserció i integració socials. En aquest sentit, la hipòtesi més general apunta que la societat digital produeix simultàniament fenòmens de més igualtat i major desigualtat i, per tant, de més inclusió i més exclusió socials.

A partir d'aquí, es diagnostica que part dels problemes a què s'enfronta un model educatiu inclusiu *lato sensu* són la manca de mecanismes efectius per compartir el coneixement generat,la manca de criteris d'objectivació dels resultats, l'escassa definició curricular de la competència digital, que pot augmentar l'escletxa digital i, per tant, la social, la baixa accessibilitat als continguts digitals, encara menor en català, i la manca de planificació dels desplegaments TIC en educació formal i no formal.

Com a conclusió, la complementarietat entre inclusió social i cognitiva implica repensar el centre educatiu i les relacions alumne-docent, l'educació inclusiva suposa el reconeixement que tots som especials i, per tant, tots hem de ser atesos amb singularitat. I això, implica les següents consideracions:

- El vincle entre TIC, cohesió i inclusió socials no implica que la inclusió digital comporti la inclusió social.
- Cal assumir una estratègia de disseny per a tots.
- S'ha de buscar que la generalització de les TIC en els processos educatius no sigui l'objectiu en si, sinó una bona generalització.
- Cal aconseguir un equilibri entre homogeneïtat i diversificació curricular per al qual les TIC poden ser un bon aliat.
- No s'ha de descuidar la mirada femenina sobre l'ús de les TIC.
- És imperatiu garantir la competència digital no només de l'alumnat, sinó també del professorat, com a motor de canvi.

Per tant, a aquest eix trobem els següents documents:

- *L9, ética i Tecnologia en Educació: una perspectiva local per a una pràctica global*, per F. Xavier Carrera Farran, Ramon Arnó Torrades, Victòria Camps Cervera i Eugènia Carmona Garcia
- *L9. Ethics, Innovation and Tecnology in Education: from Global Perspectives to Local Practice*, per Don Olcott, Jr., Jim Dratwa, Joanna Parkin, Martin Schmalzried i Josep Maria Duart Montoliu
- *L10. Inclusió i cohesió social*, per Meritxell Estebanell Minguell, José L. Lázaro Cantabrana, Joaquim Fonoll Salvador, Pere Arcas Blanch i Jordi Escoin Homs
- *L10. Inclusión y cohesión social*, per Juan Carlos Tedesco, Meritxell Estebanell Minguell, José L. Lázaro Cantabrana, Carmen Alba Pastor, Emmanuelle Gutiérrez y Restrepo i Renato Operti

L9. Ètica i Tecnologia en Educació: una perspectiva local per a una pràctica global

F. Xavier Carrera Farran, Ramon Arnó Torrades,
Victòria Camps Cervera i Eugènia Carmona Garcia

Com accedeixen els infants a la xarxa? Quin acompanyament fan els pares als seus fills en la descoberta d'Internet? Promouen orfes digitals? Estan més preocupats per controlar l'ús que fan de les tecnologies o vetllen perquè adquireixin bons hàbits d'ús? Tenen els ciutadans consciència de la seva identitat digital? I de la seva reputació en línia? Defineixen una identitat híbrida sense saber-ho o configuren una presència auto-regulada a la xarxa? Fan un ús segur d'Internet? Gestionen amb cura la seva privacitat i la dels altres a la xarxa? Són respectuosos en les seves interaccions virtuals? Les persones comparteixen el coneixement propi a la xarxa de manera altruista o sols veuen Internet com a una oportunitat de negoci? Les polítiques i mesures d'inclusió fan que minvi l'exclusió digital o s'accentua? La formació en TIC a les escoles està basada en els valors? Promou l'escola eines i estratègies per a un ús crític i responsable de la xarxa? Ajuda els infants a configurar una personalitat digital equilibrada? És curós l'estudiant universitari amb l'ús de la informació que extreu de la xarxa? La cita de manera acurada o hi troba una font inesgotable de plagi? Els joves són conscients de l'impacte que poden tenir les imatges, els vídeos i els missatges que hi bolquen? Troba aquest collectiu un espai per a la relació, comunicació i col·laboració a les xarxes o una via per a l'assetjament? Fan un ús raonable de la tecnologia o són addictes patològics?

Aquestes són preguntes que porten a reflexionar sobre quina és la presència i quin és el paper de l'ètica en la confluència de la tecnologia amb l'educació des d'un vessant més social, moral i humà centrat en els valors. La necessitat de donar-hi resposta justifica i fa imprescindible que l'ús responsable de la tecnologia esdevingui un eix fonamental de la presència que la tecnologia té i ha de tenir en l'educació. I aquest ús responsable sols és possible si educació i tecnologia ubiquen l'ètica com a referent de les seves actuacions.

Una bona manera de contribuir-hi individualment és reformulant aquestes qüestions, totes expressades en tercera persona, i plantejar-se-les personalment. Només des de la introspecció i la reflexió crítica pot prendre cadascú consciència de quines són les seves conductes, les seves preferències o els seus valors dominants quan utilitza les tecnologies. Sense aquest treball personal previ res del que es proposi des de la línia d'Ètica i Tecnologia d'aquest Fòrum podrà, segurament, assolir-se.

A les pàgines següents s'hi trobaran arguments per copsar què cal d'aquest compromís ferm i d'una actuació modèlica, tant a nivell individual com col·lectiu. També s'aporta una visió actual de la posició on es troba Catalunya en el repte de configurar una societat responsable en l'ús de les tecnologies, i incidir especialment en la detecció de necessitats i la identificació de potencialitats que es tenen com a país. D'aquesta anàlisi se'n deriven propostes i línies estratègiques que han de permetre, des de l'acció educativa, fer un ús local i global més crític i responsable de la xarxa i de les tecnologies en general.

1. L'ètica i l'educació, bases de l'ús responsable de la tecnologia

La tecnologia entesa com la resposta, mitjançant solucions útils i funcionals, que dóna l'home als problemes i les necessitats amb què es troba és molt més que el conjunt de coneixements associats a la tècnica. Tant és així que al llarg de la història ha esdevingut un factor determinant de l'evolució humana i ha millorat substancialment la seva qualitat de vida, alhora que ha transformat radicalment el seu hàbitat i mode de vida; tant pel que fa a la seva interacció amb el medi i les relacions interpersonals com la seva forma d'actuar i pensar. Liz expressa l'abast d'aquesta transformació i afirma que *"hubo un tiempo en el que conocíamos, actuábamos y reflexionábamos sobre nuestro conocimiento y acción a través de la religión, la magia, la poesía, la técnica, la filosofía o la ciencia. Hoy día debemos también aprender a conocer y a actuar a través de la tecnología"* (Liz, 1995, p. 25).

Però la pràctica de la tecnologia no sols ve determinada pel pensament orientat a la resolució de problemes i necessitats[1] i per l'acció que se'n deriva. També està condicionada per les creences, les ideologies, els objectius, els interessos, les actituds... que la mouen, i per les normes, els codis i la legislació que regulen -quan ho fan- la seva activitat. Són, doncs, els valors i l'ètica els que, directament o indirecta, de manera

---

1. El nivell d'evolució tecnològica assolida i la seva dependència del poder econòmic és de tal magnitud que, en l'actualitat, sovint la tecnologia va pel davant dels esdeveniments, fins al punt que més que respondre a necessitats el que fa és generar noves necessitats en les persones.

explícita o només implícita, porten a les persones a prioritzar la innovació tecnològica en una o altra direcció.

I són les persones, els agents de la tecnologia, en qualsevol de les seves facetes -com a productors i gestors, o com a receptors i usuaris- qui despleguen conductes exemplars i exemplificants o altres de reprovables, irresponsables o delictives. La seva capacitat d'anàlisi, de reflexió, de fer-se preguntes de manera permanent juntament amb la seva imaginació, el seu enginy i creativitat –capacitats a les quals cal sumar-hi la inquietud, l'actitud i la voluntat- són elements motrius que l'impulsen, individualment i col·lectivament, a l'acció.

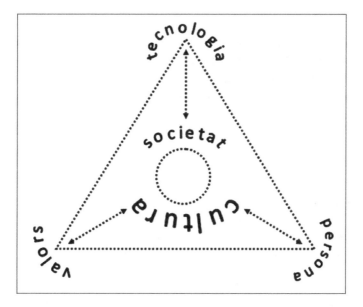

Aquests tres components: valors, persones i tecnologia que representem en el gràfic configuren i determinen l'actual societat que tendeix a generar una cultura (essencialment tecnològica) cada cop més dominant, universal i uniformitzadora.

En el seu assaig sobre una ètica per a la civilització tecnològica Hans Jonas defensà el 1979 que sols el principi de responsabilitat pot garantir la sostenibilitat del planeta. Compartim amb l'autor que la responsabilitat ha ser principi rector de l'acció tecnològica independentment de l'àmbit i especialitat en què tingui lloc. Els supòsits, proposicions, tesis i axiomes de Jonas (1995) justifiquen el perquè hi ha necessitat de fer un ús responsable de la tecnologia i ens afecten a tots. Individus, famílies, polítics, organizacions, empreses... han de modular l'ús de la tecnologia tenint en compte que: a) el sentiment de responsabilitat personal va més enllà de la responsabilitat formal i legal i enllaça amb altres valors i principis morals, b) un és responsable del seus actes i de les seves conseqüències i c) abans d'actuar, un sempre s'ha d'avançar i preveure els efectes de les accions que es volen dur a terme.

No existeix, doncs, una tecnologia neutra (Buchanan, 1965; Pacey, 1983) sinó que els seus efectes arranquen en el moment en què es prioritzen unes iniciatives per sobre d'unes altres, es tria una determinada solució i se'n descarten altres d'acord amb uns criteris preestablerts (que també són portadors de valors), s'incrementen quan es decideix fer-ne una producció, distribució i comercialització determinada i s'amplifiquen quan els objectes, productes i serveis tecnològics cauen en mans dels usuaris, consumidors, finals.

Esquirol (2006) aproxima l'ètica de l'era de la tecnologia i de la ciència i situa el respecte com a tesi central de la seva proposta, en l'intent de distanciar-se d'una cosmovisió tecnocientífica que considera cada cop més hegemònica. Afirma que el respecte *"es una actitud ética que nos vincula directamente con las cosas, con el mundo."* (Esquirol, 2006, p. 10), que *"es algo más que el reconocimiento: si bien el respeto presupone el reconocimiento, no necesariamente el reconocimiento presupone respeto"* (Esquirol, 2006, p. 13), i situa l'essència del respecte en la mirada atenta com a via d'aproximació i comprensió de la complexa societat actual.

Tant el principi de responsabilitat com el de no neutralitat i el del respecte són aplicables i han d'estar omnipresents en la utilització de les tecnologies de la informació i la comunicació, però molt especialment en totes aquelles temàtiques i aspectes on l'ètica té una presència més intensa. En aquest Fòrum hem delimitat les següents.

La identitat digital. Un dels efectes més silenciosos d'Internet en aquest quart de segle d'existència ha estat el d'anar construint una segona personalitat de tots els individus que hi tenen presència ocasional o són residents permanents. La identitat digital pot ser definida *"como el conjunto de la información sobre un individuo o una organización expuesta en Internet (datos personales, imágenes, registros, noticias, comentarios, etc.) que conforma una descripción de dicha persona en el plano digital"* INTECO (2012, p.5). Però aquesta traça d'informació, que guanya volum amb el pas del temps i de la presència a la xarxa, no sols configura la identitat digital d'una persona, col·lectiu o organització sinó que facilita que altres la utilitzin per construir-ne una opinió, social i compartida, a mode de reputació en línia. La reputació a la xarxa suposa una atribució de reconeixement o de desprestigi que pot tenir conseqüències personals, familiars, professionals o socials favorables o desfavorables en el cas dels individus i econòmiques en el cas de les organitzacions.

La delimitació d'espais real i digital de l'ésser humà: llindars i invasions. Lévy (1999) analitza com es produeix el traspàs entre l'actual (allò que és real) i el virtual (allò que té presència a la xarxa) i ho descriu com a una transformació d'un mode de ser a un altre. Per a Lévy allò que és virtual no suposa falsedat, il·lusió o ficció. Tanmateix afirma que tampoc és contrari o oposat a allò que és real sinó que concep la virtualització com a una nova forma de ser que afavoreix processos de creació més enllà del que permet la presencialitat física. No hi ha més fronteres ni barreres entre el real i el virtual que les que un mateix s'imposa. I, fins i tot, aquestes tendeixen a esvair-se com posa en evidència la tendència, tornant al concepte d'identitat digital, a la construcció d'una identitat híbrida sorgida de la convergència entre l'analògica i la digital (INTECO, 2012).

La seguretat a la xarxa. L'existència d'aquest espai virtual-real únic és una mostra de la liquiditat de la societat actual, tal com la perfila Bauman, i on la seguretat individual i col·lectiva, d'organitzacions i d'administracions esdevé un factor que determina l'estabilitat i el bon funcionament del propi sistema. Tot i que s'aprecia una major sensibilitat i preocupació per fer un ús segur de la xarxa (AIMC, 2014), el desconeixement, la desinformació i/o la despreocupació dels usuaris fa que estiguin exposats a riscos diversos que van des de la pèrdua de dades fins a la suplantació de la identitat digital. Es posa de manifest la necessitat d'accions formatives que capgirin la situació i derivin en bons hàbits d'ús de les tecnologies i les xarxes.

Els delictes al món digital. Mercats negres a internet, duplicat de targetes de crèdits i ús il·legítim en transaccions electròniques, atacs massius a adreces de correu o servidors, ciberextorsions, ciberprostitució, ciberterrorisme, guerres cibernètiques, violació del correu electrònic, introducció de dades falses, dominis paràsits, espionatge domèstic, venda de títols universitaris, falsificacions virtuals, pirateig i difusió d'estrenes cinematogràfiques... són algunes de les activitats il·lícites i/o nocives que tenen lloc a internet. Com també són contràries a la normativa o suposen un mal ús de la xarxa tècniques fraudulentes com l'adware, smishing, hijacking, phising, scavenging, network mobbing o spoofing, entre altres. Però és el ciberassetjament qui mereix una atenció especial per l'impacte que pot tenir en infants i joves.

L'assetjament virtual dins i fora del context escolar. L'assetjament escolar ha trobat en les tecnologies una nova via d'atac que transcendeix l'espai del centre educatiu i facilita la intrusió permanent en la privacitat de l'infant o jove assetjat. El ciberassetjament s'entén com el dany continuat i intencionat ocasionat amb mitjans electrònics com mòbils o internet (correu electrònic, xarxes...) fet per un grup o un individu contra la víctima que no es pot defensar per si mateixa (Patchin & Hinduja, 2006). Els escolars són objecte també d'altres modalitats d'assetjament virtual (*sexting, trolling, happy slapping...*), ja sigui com a receptors o actors –es coneix com assetjament entre iguals– que traspassen el context escolar i que trasbalsen el seu desenvolupament psicològic i personal. Especialment preocupants són les pràctiques en línia -conegudes com a *grooming*- de certs adults que mitjançant l'engany i la persuasió busquen guanyar-se la confiança d'un/a menor fingint empatia, tendresa, simpatia, etc., amb l'objectiu d'obtenir imatges eròtiques o pornogràfiques i/o preparar-ne una trobada sexual.

Les patologies i les dependències associades a la tecnologia. Els assetjadors que practiquen el *grooming* responen a una de les múltiples patologies associades a l'ús de les xarxes. Tot i que l'addicció a Internet o dispositius electrònics no està recollida a la darrera edició del DSM-5 (APA, 2013) sí que els professionals de la psicologia i la psiquiatria diagnostiquen i despleguen teràpies per tal de reconduir conductes que per un ús desmesurat, problemàtic i/o patològic de les tecnologies modifiquen hàbits, relacions i esdevenen estils de vida poc saludables. A més de les addiccions cibersexuals s'identifiquen altres dependències igualment malaltisses com poden ser el joc i les apostes o subhastes en línia, les compres compulsives o els jocs de rol, entre altres.

L'ús i l'abús de les TIC als contextos escolars i familiars. En altres casos no s'arriba a la tecnoaddicció però sí que es despleguen conductes que suposen un ús anòmal, per excessiu, de la tecnologia, Charlton i Danforth (2007). Són un exemple d'aquest comportament abusiu la connexió permanent a les xarxes, acabar i començar el dia amb l'accés a pantalles, la consulta obsessiva del correu electrònic, incrementar el temps d'ús de qualsevol dispositiu pel fet de sentir-se bé, evadir-se d'obligacions o responsabilitats o perdre la noció del temps quan s'estan utilitzant. L'ús no autoregulat pot arribar a afectar i condicionar les relacions i interaccions personals especialment en joves, per la necessitat de sentir-se permanentment connectats (Cuesta i Gaspar, 2013) o la por de sentir-se desconnectats dels altres (Przybylski, Murayama, Dehaan i Gladwell, 2013).

El consum i l'ús crític i raonable de la tecnologia. Com a resposta a aquest ús excessiu es planteja una educació dirigida a promoure hàbits d'ús saludable de les tecnologies pel que fa al seu consum temporal, on és l'usuari qui gestiona de manera eficient l'accés regulat i autogestionat de l'ordinador, del telèfon, de la presència a les xarxes socials i/o de les aplicacions. Des d'una altra perspectiva aquest ús crític ens situa en l'alfabetització mediàtica derivada de la confluència a Internet de tots els mitjans de comunicació tradicionals. Una formació necessària per crear usuaris capaços de fer una anàlisi crítica dels mitjans i dels missatges que reben i capaços, també, de fer una producció crítica de missatges i comunicacions (Gutiérrez i Tyner, 2012).

El plagi en contextos de formació. L'ús en un entorn acadèmic de les idees, paraules i obres d'altres com si fossin propis es reconeix com a plagi acadèmic, tot i que no sempre és intencional i maliciós sinó que, de vegades, és inconscient i conseqüència d'una manca de formació prèvia. Agud (2014) constata que els universitaris reconeixen haver comès plagi i altres formes de frau acadèmic (còpia en exàmens, presentació de dades falses, informes ficticis...) i adverteix que d'aquestes males praxis poden ser preludi de frau posteriors en l'exercici de la pràctica professional.

La legislació, els codis deontològics i les bones pràctiques. Internet és un exemple paradigmàtic de com la innovació tecnològica va per davant de la legislació al ser incapaç d'avançar-se als canvis i les transformacions provocats per la tecnologia, tot i que la recent cimera NETmundial 2014 impulsada per Brasil evidencia la preocupació dels països per la seva regulació i el control. A l'estat espanyol lleis com la 15/1999, 34/2002, 11/2007, 25/2007, 56/2007, 7/2010, 3/2013 o la 9/2014 vetllen per la regulació de l'espai digital i la protecció de la ciutadania. D'altra banda els codis deontològics desplegats per col·legis professionals i la ingent difusió de bones pràctiques en l'ús d'Internet fet per associacions, administracions públiques i organitzacions socials tenen com a objectiu que els propis usuaris siguin capaços de fer un ús autoregulat, crític i responsable de les tecnologies.

La propietat intel·lectual al context digital. L'informe del COIT (2014) corrobora que l'explosió de la tecnologia digital ha permès un accés massiu a l'emmagatzematge, gravació, reproducció i difusió que fa més complex l'encaix dels drets d'autor i d'explotació comercial de les obres i produccions digitals. Davant la protecció comercial tradicional feta a través del copyright que garanteix el benefici econòmic, la proliferació de llicències copyleft a la xarxa i per a les obres digitals -especialment les Creative Commons- denota la tensió entre la visió mercantilista i la social de l'ús i explotació d'Internet. Aquest tipus de llicències garanteixen als seus autors la lliure distribució de còpies i versions modificades de les obres originals i exigeix la mateixa preservació de drets en l'obra derivada i/o distribuïda.

La difusió de la informació i compartir coneixement a la xarxa. Tot i la persistència dels principals mites (abundància, transparència, ubiqüitat, instantaneïtat i interactivitat) que envolten les tecnologies de la informació (Díaz, 1996), la societat xarxa ha posat la informació a l'abast de la ciutadania com mai abans havia estat possible. La difusió universal d'informació no garanteix ni la qualitat ni la veracitat però permet avançar en la configuració de persones més crítiques i autònomes alhora que dificulta la impunitat dels governs i dels poders econòmics i mediàtics. El model de comunicació unidireccional dels mitjans tradicionals ha donat pas, a Internet, a models més oberts i participatius on persones anònimes comparteixen, en infinitat d'espais i xarxes, informació i coneixement amb altres de manera altruista i fan possible el treball col·laboratiu i la creació col·lectiva de coneixement.

En la temàtica d'*inclusió i exclusió digital* trobem un espai de contingut comú amb la línia d'Inclusió i cohesió social d'aquest Fòrum. Les iniciatives que tenen com a objectiu reduir l'esquerda tecnològica motivada per barreres tècniques, comercials, educatives o psicològiques (Collado, 2006), o bé culturals, se sustenten en la convicció que innovació i progrés tecnològic han de repercutir per un igual en tota la població. Sota aquest principi d'igualtat, les tecnologies han de ser un factor de reequilibri social i no un focus de noves desigualtats.

Ambdues línies, Ètica i tecnologia (L9) i Inclusió i cohesió social (L10) configuren l'eix que accentua com l'educació ha de contribuir a promoure un ús responsable de les tecnologies i no sols el seu ús. És per això que el tractament ètic de la tecnologia en l'àmbit educatiu no queda reduït a una intervenció puntual i esporàdica sinó que esdevé un factor clau que recorre transversalment i interdisciplinàriament a la resta d'eixos i línies que estructuren aquest Fòrum. Les polítiques educatives, els nous models de construcció de coneixement, el desenvolupament de les competències clau, la formació del professorat i dels educadors, la configuració de nous escenaris d'aprenentatge, la innovació tecnològica i l'impuls de les ciutats intel·ligents, la cibercultura i la participació ciutadana a través de les xarxes responen, també, a principis ètics i valors de manera que les seves propostes contribueixen a la millora del conjunt de la ciutadania, i de cada ciutadà en particular, i al desenvolupament d'una societat més justa i equitativa.

En definitiva, la capacitació en totes aquestes temàtiques justifiquen, i fan imprescindible, que l'ús responsable de la tecnologia esdevingui un eix fonamental de la presència que la tecnologia té i ha de tenir en l'educació. Aquest ús responsable sols és possible si educació i tecnologia ubiquen l'ètica com a referent de les propostes formatives.

2. Usuaris responsables a partir d'una educació ètica en tecnologies: detecció de necessitats

Les problemàtiques identificades en l'apartat anterior no són exclusives d'un país, àmbit o col·lectiu específic sinó que són universals, tot i que la seva presència i intensitat no els afecta per igual. També reben una atenció desigual per part dels diferents agents que hi tenen una vinculació i responsabilitat directes (administracions públiques, polítics i governs, centres educatius, empreses, col·legis professionals, patronals i associacions empresarials, organitzacions socials, mitjans de comunicació). En el cas de Catalunya els nivells d'atenció que reben per part d'aquests agents socials és molt desigual i, en la majoria dels casos, no és possible assegurar que s'hi despleguin iniciatives capdavanteres que permetin posicionar el país com a referent d'altres territoris. Per tal d'avançar envers aquest objectiu es descriuen a continuació algunes de les necessitats que, al nostre entendre, requereixen adoptar mesures de caire estratègic perquè l'educació ètica en les tecnologies sigui una realitat.

En primer lloc cal situar com a destinataris de les iniciatives d'educació ètica en tecnologies a tota la població. Si bé són imprescindibles les accions pensades exclusivament per als escolars i universitaris també han de ser prioritàries les adreçades a la resta de població, i molt especialment aquelles que suposin una intervenció directa amb els col·lectius socials més desfavorits (gent gran, treballadors i aturats no qualificats, immigrants, discapacitats, minories ètniques, pobres, habitants de barris marginals...), especialment quan es trobin en una situació d'exclusió digital manifesta. La desatenció de sectors específics de població només pot accentuar i consolidar l'esquerda digital i incrementar els desequilibris socials. L'objectiu, com a país, ha de ser vetllar perquè tota la ciutadania disposi de les mateixes oportunitats reals, de desenvolupar-se personalment i professionalment en la societat digital.

La formació ètica en tecnologies no sols ha de recaure en el sistema educatiu sinó que es tracta d'una comesa compartida que s'ha de fer conjuntament amb la família i de la qual també són coresponsables altres agents socials, però especialment les empreses que despleguen la seva activitat a Internet i els mitjans de comunicació. Sense la seva implicació convençuda existeix el risc que, com ja ha passat en l'educació mediàtica, la tasca desplegada a l'escola sigui estèril o tingui una incidència mínima en la població.

També es fa necessari superar el dualisme cultural que l'any 1959 ja denunciava Snow i que encara és present a la societat actual. La confrontació entre la cultura científica, on cal situar el desenvolupament tecnològic, i la humanística esdevé un fre que impedeix una aproximació més integral i global als problemes macro de la societat actual i els micro problemes que afecten a cada ciutadà en la seva vida quotidiana. Una confrontació que enllaça, a la vegada, amb dues visions de la filosofia de la tecnologia: la desplegada des de les enginyeries i l'elaborada pels filòsofs des de les humanitats (Mitcham, 1989). La resposta a aquesta confrontació entre tecnociència i humanisme passa per adoptar una postura més integradora i interdisciplinar que faciliti l'anàlisi i la comprensió dels problemes de manera global en lloc de fer-hi front amb una mirada parcial i des d'un àmbit particular. Riera (1994) aposta per fugir de l'especialització prematura a l'ensenyament, i la deixa per a la universitat; per establir ponts entre les carreres tècniques i les humanístiques que donin peu a universitaris amb una formació integral i per incidir en la societat civil promovent la participació de tota la ciutadania, fins i tot dels ciutadans sense una formació tecnològica especialitzada.

Es fa difícil assolir un ús responsable de les tecnologies sense una formació ètica a l'escola. Una formació centrada en els valors i en els deures (Camps, 1993; Pérez, 2010) que doti la persona d'eines per a ser autònoma i amb capacitat crítica per prendre les seves decisions de manera responsable. Sembla impensable, com afirma Duart, que sense valors hi hagi educació, ja que *"si hay educación hay educación en valores, ya que no es posible educar sin valores"* (Duart, 2003, p. 7). Però la presència dels valors per si sola no és suficient. Pensem que els valors han de formar part de l'ideari educatiu del centre, han de ser explícits i compartits per tota la comunitat educativa i han d'envair i impregnar tota l'activitat que es desplega a l'escola, de manera que alumnes i mestres siguin conscients de l'aprenentatge que es fa dels valors.

Associada a aquesta necessitat cal assegurar que la formació, inicial i continua, que reben el professorat i els educadors respongui a aquest mateix ideari d'educació feta des dels valors i centrada en els valors. També ha de vetllar perquè els docents incrementin les seves competències digitals (Carrera i Coiduras, 2012) per tal de: (a) minvar la distància de separació que hi ha entre alumnat i professorat o entre usuaris i formadors-educadors en l'ús de les tecnologies, (b) capacitar els docents i educadors perquè facin un ús habitual i adequat dels recursos tecnològics i (c) promoure que aquest ús de les tecnologies en la formació es faci des de i amb valors.

En l'anomenada per Castells *Societat xarxa* es fa imprescindible que l'escola es configuri com un espai en xarxa i de xarxes obert a l'exterior. Són, en aquest sentit, moltes les experiències reeixides però malauradament encara no formen part de manera generalitzada de l'organització i la pràctica pedagògica habituals que es du a terme a les nostres escoles. Aquesta configuració multixarxa social i educativa a què apel·lem respon a la formulada per Tiffin i Rajasingham on *"los profesores y los alumnos son los nodos de las redes del aula, que están conectadas a las redes de la escuela, a las redes del distrito escolar, a las redes regionales educativas, a las redes nacionales educativas. Cada uno de los aprendices y profesores son nodos en otras redes, como las redes familiares, religiosas y políticas. La actividad en red en el aula está en realidad conectada con las actividades de la red en una compleja cadena de redes"* (1997: 56-57). I afecta, per tant, el professorat pel que fa al seu exercici professional, l'alumnat en relació al seu aprenentatge i la resta de comunitat en la seva relació amb l'escola. Les propostes de treball col·laboratiu mediades per ordinador són una estratègia metodològica que fa possible la creació de xarxes reals d'aprenentatge amb un recorregut temporalment efímer, escàs, dilatat o permanent segons convingui i on s'interactua amb grups d'iguals d'altres centres, entre alumnat del mateix centre i/o amb tercers aliens al centre (Harris, 1998; Crook, 1998; Harasim, Hiltz, Ruroff i Teles, 2000; Barkley, Cross i Major, 2007).

En relació al contingut propi de l'educació ètica de les tecnologies, dins i fora del sistema educatiu, es fan paleses les següents necessitats.

- Prioritzar una formació essencialment pràctica i vivencial orientada al desenvolupament de competències digitals que capacitin a qualsevol persona per: fer un ús segur i crític de les tecnologies, de les aplicacions i de les xarxes socials; gestionar de manera encertada la pròpia presència a la xarxa i fer-la compatible amb l'activitat desplegada fora d'ella; construir-se una identitat digital i una reputació en línia consistent; autoregular de manera eficient, des de les pròpies necessitats i interessos, el consum de tecnologies; actuar de manera respectuosa i responsable en les interaccions i comunicacions a través de les xarxes; disposar d'estratègies per respondre assertivament davant d'assetjaments i/o pràctiques il·lícites derivades de l'ús de les tecnologies; estar en disposició de sol·licitar ajuda davant de qualsevol afectació negativa que es derivi d'aquest ús; participar activament en la construcció d'una Internet oberta i democràtica a través d'activitats col·laboratives i de la creació col·lectiva de coneixement.

- Dur a terme aquesta formació des d'un model educatiu sustentat en els valors, com hem argumentat més amunt, i en metodologies actives i participatives poden, fins a cert punt, esvair o fer més difusa la frontera existent entre l'aprenentatge formal i l'informal. En aquesta línia Tão Rocha proposa menys escola i més educació, és a dir, que no importa tant l'establiment com el contingut educatiu. Així és possible generar situacions i vivències d'aprenentatge dinàmiques i interdisciplinàries de complexitat regulada, similars o idèntiques a les que la persona es pot trobar fora del context educatiu. Les estratègies didàctiques de treball telecol·laboratiu a què ens acabem de referir responen a aquest tipus de metodologies i són especialment idònies per promoure un aprenentatge més autònom, responsable i autoregulat.

En el cas del professorat d'educació primària, secundària, formació professional i universitat es detecta la necessitat de dur a terme accions de sensibilització i formació específiques que derivin en hàbits d'ús lícit de la informació i defugin conductes poc apropiades o fraudulentes. El desafiament està, en aquest cas, en evitar que aquestes pràctiques esdevinguin habituals i acabin per ser acceptades a partir d'una tolerància mal entesa, ja sigui per desídia o per negligència del professorat.

3. Usuaris responsables a partir d'una educació ètica en tecnologies: identificació de potencialitats

Tot i que els reptes són importants, Catalunya disposa d'experiències i iniciatives valuoses -reeixides i consolidades en alguns casos i tot just iniciades en altres- que, sumades a altres factors endògens i exògens, la posicionen com a un territori amb una sensibilitat i un potencial elevat per avançar en l'ús ètic i responsable de les tecnologies en els processos educatius. Començarem perfilant el potencial genèric que suposen – pel que fa als valors, les pròpies tecnologies,- i després mostrarem algunes evidències desplegades al territori que el posen de manifest.

Una de les fortaleses més consistents rau en els valors que les tecnologies aporten a l'educació. Podem diferenciar entre aquells valors inherents que les tecnologies de la informació i de la comunicació tenen en si mateixes i els valors que les tecnologies impulsen en l'educació quan les incorpora a la seva activitat.

Entre els primers se situa el valor de la innovació. Malgrat que la innovació tecnològica està vinculada al model social i productiu basat en el consum, també és cert que té la capacitat d'imaginar-se el futur i treballar per fer-lo possible. La creació tecnològica en l'àmbit de les TIC ens ofereix avui en dia eines i espais que de retruc, obren noves possibilitats a l'educació pel que fa a vies, estratègies i modalitats d'aprenentatge. Un altre valor és el de la informació. Per sobre dels riscos de manipulació i intoxicació informativa, les tecnologies han fet arribar la informació arreu del planeta i s'ha incrementat notablement la transparència informativa. La comunicació és el tercer valor que aporten en si mateixes les TIC quan ofereixen la possibilitat a qualsevol ciutadà, amb connexió a Internet i un mínim de competència digital i habilitat comunicativa, d'esdevenir un comunicador universal.

Els valors que les tecnologies impulsen a l'educació s'han d'entendre com aquells que fan possible que es duguin a terme intervencions valuoses i d'èxit en l'aprenentatge alhora que promouen valors individuals i col·lectius, quan s'utilitzen en un context educatiu. Així destaquem: la cooperació i la col·laboració, la socialització, la personalització, el canvi metodològic, l'autonomia i la iniciativa, la creativitat i la motivació. Si abans hem constatat la necessitat de donar un major protagonisme al treball col·laboratiu també sostenim que aquest treball col·lectiu, cooperatiu és possible per la facilitat amb què els usuaris poden crear, gestionar i reconfigurar les seves xarxes personals. Aquesta connectivitat que ofereixen les xarxes esdevé també un factor determinant perquè l'educació obri portes a noves formes i possibilitats de socialització que van molt més enllà de les que ofereix la interacció personal en un context físic presencial. En l'altre extrem, les tecnologies també permeten una atenció individualitzada d'acord amb les necessitats de cada persona. En contextos formatius concrets això fa possible articular propostes educatives específiques pensant en cadascun dels destinataris i no en un únic destinatari estàndard. Els professionals de l'educació són conscients que les tecnologies no són una finalitat en si mateixes sinó un mitjà més per a l'aprenentatge i el desenvolupament, i que la transformació real que puguin fer a l'educació no ve donada per la seva incorporació sinó com s'utilitzen. En aquest sentit les tecnologies modifiquen i amplien les estratègies de treball a l'aula i promouen el canvi metodològic. La societat actual reconeix com a valor l'autonomia i la iniciativa. Ambdós formen part, a més, de les competències bàsiques que l'alumnat ha de desenvolupar durant l'educació obligatòria. Les tecnologies proporcionen escenaris per desplegar iniciatives individuals i col·lectives en contextos educatius formals i no formals, de manera que s'incrementi la capacitat de treball autònom. Vinculat a aquests valors en trobem un altre, cabdal al nostre entendre per configurar la societat del futur, com és la creativitat. Les tecnologies estimulen –a poca que sigui la inquietud i receptivitat de la persona- la curiositat, la imaginació, l'originalitat, la ideació..., per tal de conèixer, d'indagar i de resoldre problemes per un mateix o juntament amb altres. I un darrer valor que les tecnologies impulsen en l'educació és el de la motivació, entès com a valor personal que impulsa i estimula l'acció. La força d'atracció, de captivació que les tecnologies solen tenir en els infants i joves, com també en adults, fan que sovint actuïn com a incitador a l'activitat i l'aprenentatge.

Són moltes i molt diverses les iniciatives i actuacions desplegades al territori que treballen per fer possible una ciutadania responsable en l'ús de les tecnologies. Algunes abasten tot el país, altres es despleguen en una demarcació territorial més limitada d'àmbit comarcal o local i, en altres casos, el seu camp d'actuació se circumscriu a col·lectius i grups reduïts que pertanyen a entitats socials. Majoritàriament es porten a terme des d'institucions i administracions públiques tot i que també hi ha iniciatives impulsades per l'extens i divers teixit associatiu català. Independentment del seu impacte i continuïtat cal reconèixer la seva sensibilitat i enaltir la seva voluntat, dedicació i esforç per millorar les competències digitals de la ciutadania.

De totes, posem de relleu les activitats de formació i informació que associacions, agrupacions, organitzacions civils i d'ajuda social, entitats de lleure, centres cívics... organitzen ocasionalment o sistemàticament en forma de cursos breus, serveis d'assessoria, campanyes de sensibilització..., generalment focalitzats a una capacitació digital bàsica. En ocasions la seva tasca promou també els bons hàbits d'ús de les tecnologies, però no sempre és així atès que es prioritzen els continguts més instrumentals.

Cal destacar també l'activitat feta des dels centres de salut que tenen professionals que tracten dependències i addiccions patològiques originades en un ús abusiu i anòmal de les tecnologies. O la que realitzen algunes biblioteques que potencien de manera activa l'ús legal i lícit que els seus usuaris -especialment en l'àmbit acadèmic- fan del seu fons bibliogràfic i documental i de les obres digitals. També la dels col·legis professionals (enginyers, advocats, educadors, metges...), que regulen i estimulen, en el seus manuals de bones pràctiques i codis deontològics, el tractament ètic de la informació i l'ús responsable de les tecnologies.

Una iniciativa reeixida, i especialment valuosa, és la *Xarxa Òmnia*[2] que, impulsada el 1999 pel Govern de la Generalitat, agrupa en l'actualitat a més d'un centenar de *Punts Òmnia* distribuïts per tot el territori català. Cada *Punt Òmnia* és un telecentre que impulsa l'aprenentatge dels seus usuaris en les tecnologies, potencia la integració social de les persones en risc d'exclusió social i promou el treball comunitari en xarxa.

---

2. http://xarxa-omnia.org

Una altra de més recent és *la Fundació Mobile World Capital Barcelona*[3] que pot esdevenir estratègica si assoleix el seu objectiu de contribuir a la transformació mobile que es preveu ha de viure la ciutadania en els propers anys. Entre tots els seus programes destaquem *mSchools*, un programa específic que fomenta l'ús de les tecnologies mòbils a les aules de secundària i *m4all* destinat a promoure eines i solucions que millorin la qualitat de vida de les persones.

Una de les actuacions que té més impacte al territori, especialment en la població infantil i juvenil, és el *Pla d'Acció Internet Segura*[4] que la Policia de la Generalitat-Mossos d'Esquadra porta realitzant per tot Catalunya des del 2008. Aquest Pla d'acció és una iniciativa que s'ha integrat dins el *Safer Internet Programme* de la Comissió Europea que a Catalunya té com a organisme responsable el CESICAT. Els principals objectius del programa són: (a) fer una tasca preventiva orientada a un ús segur i responsable d'Internet, dels dispositius i de les aplicacions (b) posar a disposició de joves, famílies i professorat recursos i materials en aquesta direcció. La realització l'any 2013 de 3.547 xerrades dins el *Pla d'Acció Internet Segura* de la Policia de la Generalitat- Mossos d'Esquadra amb 109.568 assistents (entre infants, joves, docents i pares i mares) a centres educatius de tot Catalunya (Mossos d'Esquadra, 2014) evidencia la intensa tasca de prevenció duta a terme. Destacar també el projecte pilot *"Internet Segura de tu a tu"* que el Cos de Mossos d'Esquadra ha endegat aquest curs acadèmic i que preveu ampliar el curs 2014-15. En aquesta iniciativa els joves de centres de secundària esdevenen, després de rebre una formació específica, referents i assessors per a tots els alumnes del centre durant el curs escolar. El Departament d'Ensenyament disposa també d'un espai web *"Internet Segura"*[5] on ofereix enllaços a recursos i documentació específica per al professorat i, a joves i infants, accés a jocs i espais específics.

Pel que fa a les potencialitats que denota el sistema educatiu català s'ha de destacar que consideri les TIC com a Tecnologies per a l'Aprenentatge i el Coneixement (TAC), enteses com a tecnologies que faciliten l'aprenentatge individual i col·lectiu i el desenvolupament i creixement personal com a ciutadans digitalment competents. Aquesta visió de les TIC com a TAC queda reflectida, essencialment: (a) la pròpia estructura organitzativa del Departament d'Ensenyament, on hi figura l'Àrea de Tecnologies per a l'Aprenentatge i el Coneixement i (b) promoció des d'aquesta àrea d'iniciatives d'impuls de les tecnologies a l'aula orientades a la millora dels resultats escolars i l'excel·lència dels aprenentatges.

---

3. http://mobileworldcapital.com
4. http://www.internetsegura.cat/index.php
5. http://www.edu365.com/internetsegura/index.htm

Vinculats als valors de canvi metodològic, de creativitat, motivació, iniciativa i autonomia, el Departament d'Ensenyament de la Generalitat de Catalunya posa a disposició de professorat, alumnat, famílies i la resta de la comunitat múltiples espais i repositoris de recursos educatius digitals, entre els quals destaquem: *CREA*[6] (un recull seleccionat d'eines web 2.0 que faciliten l'expressió i la comunicació multimèdia, la creació i el treball col·laboratiu o la realització de projectes), *Alexandria*[7] (un servei web de difusió de materials educatius elaborats per ser emprats fent ús de tecnologies digitals) i *Edu3.cat*[8] (portal de ràdio i televisió educatives pioner a l'estat espanyol i referent a Europa, amb milers de recursos audiovisuals al servei del professorat i professionals de l'àmbit educatiu).

L'existència de dos documents curriculars sobre les competències bàsiques de l'àmbit digital (Departament d'Ensenyament, 2013a; 2013b) que concreten i orienten els aprenentatges vinculats a les tecnologies digitals durant l'educació obligatòria són un element clau perquè infants i joves esdevinguin ciutadans amb una competència digital elevada. El potencial d'aquestes orientacions curriculars rau en l'existència d'una dimensió específica de competències digitals centrada en: (a) l'ús segur, saludable i responsable de les tecnologies; (b) el desenvolupament de bons hàbits digitals i de la pròpia identitat digital i (c) la participació cívica i ciutadana a través de les tecnologies, segons recollim en la taula següent.

Educació Primària	Educació Secundària Obligatòria
Dimensió 4. Hàbits, civisme i identitat digital	**Dimensió 4. Ciutadania, hàbits, civisme i identitat digital**
Competència 9. Desenvolupar hàbits d'ús saludable de la tecnologia.	Competència 9. Realitzar accions de ciutadania i de desenvolupament personal, tot utilitzant els recursos digitals propis de la societat actual.
Competència 10. Actuar de forma crítica, prudent i responsable en l'ús de les TIC, considerant aspectes ètics, legals, de seguretat, de sostenibilitat i d'identitat digital.	Competència 10. Fomentar hàbits d'ús saludable de les TIC vinculats a l'ergonomia per a la prevenció de riscos. Competència 11. Actuar de forma crítica i responsable en l'ús de les TIC, tot considerant aspectes ètics, legals, de seguretat, de sostenibilitat i d'identitat digital.

6. http://www.edu365.cat/crea/
7. http://alexandria.xtec.cat/
8. http://www.edu3.cat/

També s'estableix una competència, en ambdues etapes, centrada en la configuració i ús del propi Entorn Personal d'Aprenentatge (EPA) com a espai on situar-hi les produccions digitals que l'alumne elabora en l'activitat escolar. Es pretén, doncs, que cada alumna i alumne creï, organitzi i gestioni el seu EPA fent ús d'aplicacions i espais digitals específics i doni visibilitat pública i/o restringida al seu contingut. Aquesta competència no només enllaça amb l'articulat de la Llei d'Educació de Catalunya "*El dossier personal d'aprenentatge emmagatzema en suport digital i fa accessibles, d'acord amb el que el Departament estableix i per reglament, els documents i els objectes digitals que resulten de la producció intel·lectual de cada alumne o alumna durant el procés d'aprenentatge, des del darrer cicle de l'educació primària fins als ensenyaments postobligatoris.*" (LEC, 2009: 44) i promou els principis d'educació al llarg de la vida i d'habilitació per a l'aprenentatge permanent que s'estableixen en aquesta mateixa llei, sinó que també, comporta la formació sistemàtica -i d'autonomia progressiva- en els hàbits d'ús segur, responsable i respectuós a la xarxa i la configuració de la pròpia identitat digital.

Una altra iniciativa meritòria del Departament d'Ensenyament de la Generalitat de Catalunya és el protocol de prevenció, detecció, valoració i intervenció enfront l'assetjament entre iguals. S'hi estableix el procediment a seguir amb els alumnes implicats, les famílies i el grup classe en cas de detectar situacions d'assetjament que poden ser identificades a partir d'indicadors de diferent tipologia. El protocol incideix molt especialment en les actuacions educatives de caire preventiu i, en els casos en què es constata l'assetjament, a més de contemplar mesures educatives, terapèutiques o disciplinàries també s'impulsa la revisió i millora del propi protocol.

4. Conclusions en forma de premisses i propostes d'acció

L'anàlisi anterior permet extreure una sèrie de conclusions respecte a quin pot ser l'escenari desitjable per al nostre país pel que fa a la incorporació de la perspectiva ètica en l'adopció i ús de les tecnologies i sobre com avançar-hi des del vessant educatiu. Les presentem a continuació en forma de premisses i de propostes d'acció específiques. Les premisses, enteses com a principis valuosos que han de guiar l'acció, haurien de contemplar-se en tota presa de decisions relacionada amb la utilització de les TIC en els àmbits educatiu i social, independentment de qui les dugui a terme (governs, empreses, organitzacions, tècnics, polítics, professorat, educadors...o ciutadans particulars). Les propostes d'acció específiques suggereixen possibles actuacions orientades a impulsar i incrementar l'ús responsable de les tecnologies en qualsevol sector i àmbit social amb l'objectiu que la societat catalana esdevingui un referent internacional.

- *Premissa 1. La formació en l'ús responsable, segur i ètic de les tecnologies ha d'arribar al conjunt de la ciutadania.*
  Totes les persones han de ser objecte d'una formació de qualitat d'acord amb les seves necessitats, interessos, capacitats i competència de manera que els esforços no vagin dirigits, majoritàriament o de manera exclusiva, als escolars. Requereixen una atenció especial els col·lectius socials més desfavorits que es trobin en situació d'exclusió digital manifesta, mentre aquesta perduri.
- *Premissa 2. L'educació se sustenta en valors i s'educa en, amb i des dels valors.*
  L'educació en l'ús ètic, responsable i segur de les tecnologies no és viable si els valors no tenen una presència permanent i explícita en qualsevol iniciativa educativa que es porti a terme. Només des de la construcció de valors individuals i col·lectius en cadascuna i cadascun dels infants, adolescents i joves del país és possible assolir una societat madura èticament. Aquesta formació en valors es fa extensiva a tot el cicle vital de la persona.
- *Premissa 3. Cal fer un ús adequat -crític i respectuós- de les tecnologies i no sols fer-ne ús.*
  La utilització adequada de les tecnologies respon a criteris de sostenibilitat, consum regulat, respecte a les persones i els seus drets, satisfacció de necessitats bàsiques (educació, comunicació i participació social, entre altres) i benestar personal i col·lectiu; i defuig d'un ús, gestió o desenvolupament desmesurat, inapropiat i perjudicial que afecti negativament les persones de manera immediata o en el futur.
- *Premissa 4.El compromís individual i col·lectiu determinen l'ús responsable i modèlic de les tecnologies.*
  Aquest compromís: (a) es fonamenta en valors i deures, (b) exigeix ser conscient de l'ús que es fa de les tecnologies i de les conseqüències que tenen les decisions que es prenen i les accions que hom porta a terme i (c) s'integra quan un individu o col·lectiu sistemàticament decideix sobre les tecnologies i en fa ús, valora la resposta que dóna a qüestions com: en què em fa millor? com millora les meves actuacions? en què beneficia i en què perjudica els altres? com ajuda els altres? i què aporta a la societat?

Pel que fa a les propostes d'acció es plantegen les següents sense que l'ordre respongui a un criteri de prioritat preestablert, ja que totes són d'interès i poden contribuir de la mateixa manera a avançar en l'ús responsable de les tecnologies.

- Proposta 1. Identificar els centres educatius tecnològicament responsables. Reconèixer socialment la seva tasca i fer extensiu aquest reconeixement a qualsevol altra entitat, organització o col·lectiu que es distingeixi per fer un ús responsable de les TIC.

- Proposta 2. Impulsar -proporcionant l'ajut i l'orientació necessaris en cada cas- que els centres educatius, les empreses i qualsevol entitat social esdevinguin un centre responsable en l'ús de les tecnologies digitals.
- Proposta 3. Elaborar i difondre un "codi ètic per a l'ús responsable de les tecnologies digitals" en tots els sectors socials de Catalunya.
- Proposta 4. Capacitar amb un nivell de competència digital òptima tots els professionals que participen en programes de formació, prevenció i intervenció orientats al bon ús de les tecnologies digitals. Incloure en tots els casos la dimensió ètica d'aquesta competència d'acord amb les funcions i responsabilitats de cada professional.
- Proposta 5. Promoure programes destinats a tots aquells col·lectius i sectors socials amb mancances, dèficits i problemàtiques específiques en l'ús segur i responsable de les tecnologies digitals.
- Proposta 6. Desplegar programes destinats a famílies i professionals que impulsin estratègies de regulació interna respecte al consum i ús segur i responsable de les tecnologies.
- Proposta 7. Desplegar programes específics dirigits a eradicar el plagi i el frau acadèmic en els centres educatius.
- Proposta 8. Crear un observatori sobre l'ús responsable de les tecnologies a Catalunya que dugui a terme alguna de les propostes anteriors o bé altres d'específiques, com: l'elaboració d'un mapa exhaustiu de bones pràctiques existents al territori en l'ús responsable de les tecnologies, el recull i difusió de recursos específics en línia orientats a aquesta finalitat o la realització d'accions de sensibilització adreçades a tota la ciutadania.

Referències documentals

Agud, J. L. (2014). Fraude y plagio en la carrera y en la profesión. *Revista Clínica Española*, (7), 410–414. doi:10.1016/j.rce.2014.03.007

Asociacion para la Investigacion de Medios de Comunicación (AIMC). (2014). *16ª encuesta AIMC a usuarios de Internet* (p. 183). Madrid: Author. Recuperat a http://download.aimc.es/aimc/J5d8yq/macro2013.pdf

American Psychiatric Publishing (APA). (2013). *Diagnostic and Statistical Manual of Mental Disorders* (5th Ed.). Arlington, VA: Author.

Barkley, E. F., Cross, K. P., & Major,C. H. (2007). *Técnicas de aprendizaje colaborativo*. Madrid: Morata.

Buchanan, R. A. (1965). *Technology and Social Progress*. Oxford: Pergamon Press.

Camps, V. (1993). *Los valores en educación*. Madrid: Anaya/Alauda.

Carrera, F. X., & Coiduras, J. L. (2012). Identificación de la competencia digital del profesor universitario: Un estudio exploratorio en el ámbito de las ciencias sociales. *REDU. Revista de Docencia Universitaria, 10*(2), 273–298.

Charlton, J. P., & Danforth, I. D. W. (2007). Distinguishing addiction and high engagement in the context of online game playing. *Computers in Human Behavior, 23*(3), 1531–1548. doi:10.1016/j.chb.2005.07.002

Colegio Oficial de Ingenieros de Telecomunicación (COIT). (2014). *La gestión de derechos de propiedad intelectual en el entorno TIC* (p. Reporte Ejecutivo). Madrid: Author. Recuperat a http://www.coit.es/descargar.php?idfichero=9442

Collado, A. J. (2006). Contextos d'exclusió digital i agents d'alfabetització digital. En E. Ortoll (Ed.), *L'alfabetització digital en els processos d'inclusió social* (pp. 65–151). Barcelona: UOC.

Crook, C. (1998). *Ordenadores y aprendizaje colaborativo*. Madrid: Morata.

Cuesta, U., & Gaspar, S. (2013). Análisis motivacional del uso del smartphone entre jóvenes: Una investigación cualitativa. *Historia y Comunicación Social, 18*, 435–447.

Departament d'Ensenyament (2013a). *Competències bàsiques de l'àmbit digital. Identificació i desplegament a l'educació primària*. Barcelona: Generalitat de Catalunya. Recuperat a http://www20.gencat.cat/docs/Educacio/Home/Departament/Publicacions/Col_leccions/Competencies_basiques/competencies_digital_primaria.pdf

Departament d'Ensenyament (2013b). *Competències bàsiques de l'àmbit digital. Identificació i desplegament a l'educació secundària obligatòria*. Barcelona: Generalitat de Catalunya. Recuperat a http://www20.gencat.cat/docs/Educacio/Home/Departament/Publicacions/Col_leccions/Competencies_basiques/competencies_digital_secundaria.pdf

Díaz Nosty, B. (1996). El mito tecnológico y la sociedad democrática avanzada. En E. Dennis, M. Dertouzos, B. Díaz Nosty, R. Nozick, & A. Smith (Eds.), *La Sociedad de la Información. Amenazas y oportunidades* (pp. 47–70). Madrid: Editorial Complutense.

Duart, J. M. (2003, Marzo). Educar en valores en entornos virtuales de aprendizaje: realidades y mitos. Barcelona. Recuperat a http://www.uoc.edu/dt/20173/

Esquirol, J.M. (2006). *El respeto o la mirada atenta. Una ética para la era de la ciencia y la tecnología*. Barcelona: Gedisa

Gutiérrez, A., & Tyner, K. (2012). Alfabetización mediática en contextos múltiples. *Comunicar, 19*(38), 10–12. doi:10.3916/C38-2012-02-00

Harasim, L., Hiltz, S. R., Turoff, M., & Teles, L. (2000). *Redes de aprendizaje. Guía para la enseñanza y el aprendizaje en red*. Barcelona: Gedisa – EDIUOC

Harris, J. (1998). *Virtual Architecture: Designing and Directing Curriculum-Based Telecomputing*. Eugene: ISTE

Instituto Nacional de Tecnologías de la Comunicación (INTECO). (2012). *Guía para usuarios: identidad digital y reputación online*. Madrid: Author. Recuperat a http://www.inteco.es/guias_estudios/guias/Guia_Identidad_Reputacion_usuarios

Jonas, H. (1995). *El principio de responsabilidad. Ensayo de una ética para la civilización tecnológica*. Barcelona: Herder.

LEC (2009, 16 de juliol). Llei d'Educació de Catalunya. En Diari Oficial de la Generalitat de Catalunya, N°. 5422. Recuperat a http://portaldogc.gencat.cat/utilsEADOP/PDF/5422/950599.pdf

Lévy, P. (1999). *¿Qué es lo virtual?* Barcelona: Paidós.

Liz, M. (1995). Conocer y actuar a través de la tecnología. En Broncano, F. (Ed.), *Nuevas meditaciones sobre la técnica*. Madrid: Trotta.

Mitcham, C. (1989). *¿Qué es la filosofía de la tecnología?* Barcelona: Anthropos.

Mossos d'Esquadra (2014). Mossos d'Esquadra ofereixen 3.547 xerrades sobre internet segura al llarg del 2013 amb més de 109.500 assistents [nota de premsa]. Recuperat a http://premsa.gencat.cat/pres_fsvp/AppJava/notapremsavw/detall.do?id=246874

Pacey, A. (1983). *La cultura de la tecnología*. México: Fondo de Cultura Económica.

Patchin, J. W., Hinduja, S. (2006). Bullies move beyond the schoolyard: A preliminary look at cyberbullying. *Youth Violence and Juvenile Justice, 4*(2), 148–169. doi:10.1177/1541204006286288

Pérez, Á. M. del R. (2010). Filosofía y educación: ¿para qué hablar hoy de valores? Entrevista a Victoria Camps. *Contribuciones Desde Coatepec*, (19), 113–127.

Przybylski, A. K., Murayama, K., DeHaan, C. R., & Gladwell, V. (2013). Motivational, emotional, and behavioral correlates of fear of missing out. *Computers in Human Behavior, 29*(4), 1841–1848. doi:10.1016/j.chb.2013.02.014

Riera, S. (1994). *Més enllà de la cultura tecnocientífica*. Barcelona: Edicions 62.

Tiffin,J., & Rajasingham, L. (1997). *En busca de la clase virtual. La educación en la sociedad de la información*. Barcelona: Paidós.

L9. Ethics, Innovation and Technology in Education: From Global Perspectives to Local Practice

Don Olcott, Jr., Jim Dratwa, Joanna Parkin,
Martin Schmalzried and Josep Maria Duart Montoliu

'I have become death . . . the destroyer of worlds.'

J. Robert Oppenheimer's reference to this ancient Hindu text was made immediately after the first test of the atomic bomb in Alamogordo, New Mexico, on 16 July 1945. Until that fateful morning, the pursuit of scientific discovery, the quest for new knowledge, and the justifiable belief in patriotism had driven the scientists' 'top secret' work at Los Alamos. The axiom of 'technology equals progress' had once more blinded educated men to the ethical and moral dimensions of their work *ex-post facto*. Olcott (1997), writing about advances in information and communication technologies, stated:

> Today we embrace technology as the inevitable evolution of modern science. And yet, our preoccupation with pushing back the 'technological' frontiers of knowledge has created an ostensible delusion that technology is synonymous with progress. We embark upon each new endeavour with the illusion that technology can expurgate any problem… efficiently, economically, and without impending social consequences. (p. 22)

Was the development of the atomic bomb unethical? Was it immoral? Many scientists who had worked on the a-bomb at Los Alamos were contemplating these questions even before the test. Although many later signed a petition not to use the bomb directly on Japan, the petition was disregarded. A few weeks later, U.S. President Harry S. Truman, counselled by his most trusted political and military advisors, took the decisions to drop the atomic bombs on Hiroshima and Nagasaki. Were these decisions ethical? Truman's own response provides the perfect lead into our discussion about ethics and technology – 'I did what I thought was right.'

Educators who work with ICTs and conduct scientific research are not confronted with ethical questions about whether to use an atomic bomb. Moreover, many ethical questions, situations and issues surrounding the use of ICTs cannot be resolved with simple right or wrong answers. Many of these questions, situations and issues are contextual. They are also influenced by social norms, cultural differences, and legal definitions and how the situation, issue or question is interpreted (applied ethics) (Anderson & Simpson, 2007). The European Group on Ethics in Science and New Technologies to the European Commission (2012) captures this changing landscape in education created by digital technologies:

> In the domain of education, e-learning tools need to be carefully assessed in the way they transform European traditional face-to-face communication between teachers and students. The style of learning and communicating information seems to be changing through the influence of ICT, especially web-based information and educational tools. Searching rather than reading becomes the method of choice for building up literacy skills.
>
> Educational regimes and institutions will have to improve access to information on the one hand and, on the other hand, build a literate identity for individuals but also for communities and for organisations. It seems clear that we are facing profound transformations in our patterns of processing information and shaping our educational infrastructure (Opinion 26, p. 51).

1. Ethics, Technology and Education Linked Together

At a time when headlines in all major news sources rightfully talk about a revolution in ICTs, following the fast-paced innovation and new possibilities provided by technology, there is growing divide between enthusiasts and sceptics. In the field of education, it would seem that we should either wholly embrace the use of ICTs in school or lock ICTs away during school hours. Research so far has underlined both the positive and negative effects of technology in education, thus justifying the need for recommendations to maximize its benefits. However, before we can examine ethics more closely, we must first clarify what ethics, technology and education mean together.

Ethics in technology cover a wide range of topics, including privacy, neutrality, the digital divide, cybercrime, and transparency. However, looking at ethics and technology in education calls for a new set of issues.

Education is key to ensuring that a democratic society can function. All the great political thinkers, beginning with Greek philosophers such as Aristotle and Plato and continuing with Renaissance figures such as Rousseau, have stressed the need for and importance of a quality *public* education, mainly to ensure that citizens are *educated* enough to take decisions in a democratic political system that will benefit not just themselves but society as a whole. This is argued especially by Rousseau in his concept of "volonté générale", whereby every individual should think about what is good for society as a whole rather than what is good for him or herself.

Education therefore enables citizens in a democratic society to take decisions that will benefit everyone not just themselves. Education is also a precondition for the exercise of liberty and freedom. During times of monarchic, dictatorial or autocratic governments, liberty and freedom took on a *physical* form, namely a movement free from restraint. With democratic governments, on the other hand, they mean the ability to take collective decisions that may limit the freedom of individuals but secure freedom for all (Barber, 2007).

The political scientist Benjamin Barber illustrates this idea of liberty and freedom with numerous examples. For instance, in a democratic society freedom does not mean that one is *free* to choose from over a thousand different smartphone models but that one is *free* to influence the very smartphones that are on offer by setting conditions that address public interest questions such as recycling, the use of rare earths, pollution, reparability, upgradability, and standardization, etc.

In short, a quality *public* education is essential for ensuring that citizens are fully capable of taking collective decisions in the interest of all and for protecting *public collective* freedom and liberty (as opposed to *private individual* liberty and freedom). Guaranteeing a quality *public* education system is therefore one of the most important dimensions of ethics in education to ensure that, throughout their education, both children and adults develop key competences such as critical thinking, judgment, and citizenship that allow them to function in a democratic society.

1.1. Defining Ethics and Ethical Choices

How do we define ethics? Rhodes (1986) defined them as 'the systematic exploration of questions about how we should act in relation to others» (p. 21). Such questions become more evident where the actions of others can cause harm. A related concept is ethical sensitivity, which refers to an individual's (and, by extension, an organization's) awareness that his, her (or its) actions can affect the welfare of others (Bebeau, Rest, & Yamoor, 1985). Decisions or behaviour related to the use of technological choices (ICTs, open and distance learning, data security, etc.) that may have an adverse effect on others fall within this ethical domain, especially with regard to student welfare.

According to Rest (1982), this concept of ethics suggests that one must first determine whether technological choices adversely affect another person directly or indirectly. Secondly, an ideal course of action must be developed. Thirdly, the important values associated with the situation must be identified. And finally, a solution or course of action must be implemented, monitored and evaluated.

For example, would selling student data by MOOC providers to potential employers be an ethically appropriate decision? Major MOOC providers are in fact considering this option as one of their revenue-generating strategies despite the rhetoric that MOOCs are essentially free. Is accepting all students onto open university courses even if they are not prepared to study at rigorous levels ethically sound (Kelly & Mills, 2007)? Is requiring students to actively participate in conference discussions in online courses ethically proper or does it compromise a student's freedom of choice?

These are all examples of ethical choices many answers to which lie in the 'grey zone.' This grey zone is context, and the ethical implications of a situation, issue or question often lie along an ethical context continuum. If MOOC providers obtain informed consent from students to sell student data to potential employers, does this eliminate the potential harm to students and make it ethically right? Open universities traditionally opened their doors to expand access to higher education to those who historically were kept out. Students choose to enrol in open university courses but is the university setting up unprepared students to fail? Is this ethically proper (Kelly & Mills, 2007)? Finally, student participation in discussions in online courses is predicated on sound pedagogical principles, most importantly that interaction (student-to-student, student-to-tutor, and student-to-content) is an integral feature of effective teaching and learning. How can requiring student participation be considered unethical? Like most complex issues in society, however, ethical choices are no different. Where one stands is often influenced by where one sits – student, faculty member, tutor, parent, politician, employer or other. In this paper we define ethical choices as:

> value decisions made within a particular culture by people, society, and/or organizations that are using digital innovations that potentially may have positive and/or negative benefits and impacts on others. (International-Catalan Groups, 2014)

1.2. Conceptual Approach: Ethical Context Continuum and Ethical Choices

The focus of this paper is to explore ethical choices in the education sector related to the use of digital technologies and innovations. The conceptual approach for this definition of ethical choices is illustrated in Figure 1.

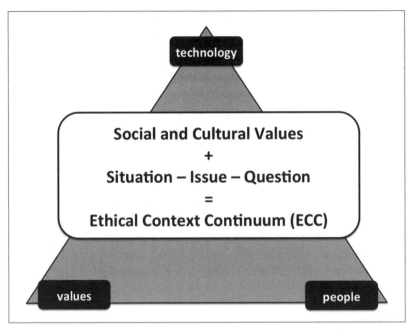

Figure 1. Ethical Context Continuum and Ethical Choices in Education

Figure 1 suggests that ethical choices emerge along an *Ethical Context Continuum* (ECC) and are inherently influenced by the societal and cultural norms that exist where they occur and by the values of the people in that society and culture. Moreover, the situations, issues or questions with regard to digital technologies either strongly support people's social and ethical norms, are neutral, or are indirectly or directly perceived as threatening or opposed to normative social culture. It is in this final category that ethical concerns for educators emerge around the situation, issue or question (digital technologies) that are neither black nor white but exist along the Ethical Context Continuum. Considering the key role that perceived 'harm' to others plays in our definition of ethics, the ECC becomes an assessment of whether the situation, issue or question is perceived by people as potentially harmful to others, neutral or potentially positive for others. These perceptions may also reflect perceptions of potential harm and potential benefits – with regard to digital technologies, for instance.

For example, online learning is ubiquitous in most developed western nations and many developing countries. Online learning is synonymous with intellectual freedom (and individual freedom) to make choices about how to access higher education. In China, on the other hand, the political landscape influenced the development of TV universities (Shanghai TV University). Why did this occur? Without pursuing a political analysis, which is beyond the scope of this paper, televised instruction can be controlled and scripted by the government. The control of knowledge and information is not a new form of censorship and existed for decades in other Communist countries. Some analysts would even argue that this form of censorship is also prevalent in democratic societies, albeit in more subtle ways.

The point is that societal values, culture and, by extension, political and social norms impact how ethical situations, issues, and questions manifest themselves in a particular environment and require ethical consideration in response. The Ethical Context Continuum (ECC) recognizes that the consistency of these issues with normative culture and values contributes to how society responds in its ethical views and choices. If we return to our example, by inference the control of knowledge implicitly suggests that it can be used in harmful ways against other people. Most western societies would view the control of online learning as unethical educational practice. Conversely, knowledge as a global public good is increasingly becoming accepted as a positive development for all societies in which knowledge (content) should be openly and freely accessible by the masses (Marginson, 2010).

1.3. Purpose and Scope

In this paper we provide a global analysis and synthesis of emerging ethical issues and choices confronting educators who use digital technologies. We aim to synthesize these issues and questions in collaboration with the Catalan Group and create a practical and applied framework that can be adapted across all sectors of education in Catalonia. In the summary we discuss future opportunities and challenges for the ethical uses of digital innovations, analyse potential implications for policy makers and leaders, and present a framework for creating a Code of Ethics for Using Digital Technologies that is intended for future discussion, adaptation, application and integration across all sectors of Catalan society.

2. The Global Landscape and Context for Ethics and Technology

2.1. The Global Digital Landscape: The Factors

The world is indeed flat (Friedman, 2005). Today, thanks to rapid globalization, digital integration, and the exponential movement towards knowledge as a global public good, the adoption and use of digital technologies is ubiquitous across the globe (Marginson, 2009, 2010; Olcott, 2009, 2012). In conjunction with these transformations comes accelerated change, which creates new challenges and opportunities for educators along the *ethical context continuum*. The continuum is expanding and creating a whole range of potential ethical concerns among educators. Below is a succinct summary of the critical forces that are driving these changes in the global context.

Globalization.

Globalization may be viewed as the worldwide flow of people, technology, economy, ideas, knowledge and culture. Internationalization may be viewed *as a component of globalization* because of its focus on relations between nations, people, and culture (Knight, 2005). Internationalization, viewed as a major response to globalization, evolves in business, government, public schools, colleges and universities in diverse ways and for various institutional reasons. Knight also found that internationalization at the national, sector and institutional levels is defined as the process of integrating an international, intercultural, or global dimension into the purpose, functions and/or delivery of post-secondary education.

Driving this global transformation are diverse and complex forces including economic advances in technology, English as the global language of commerce, employee mobility, workforce development, multiculturalism, emerging markets, and global migration (McBurnie & Ziguras, 2007). Education leaders are redefining the international dimensions of their institutions in response to globalization. Globalization is expanding the issues along the ethical context continuum and raising new questions and situations for educators.

Within the broader context of globalization, other major factors are magnified and are driving change across all societal sectors. *Digitization*, characterized by accelerated advances in communications technologies, provides the rapid, efficient, and anytime-anywhere exchange of knowledge and information. This expansion of the cyber highway, however, is concurrently creating increased *complexity* across societal institutions in the political, economic, social, cultural, and educational spheres. Divergent approaches to business, education, trade, and government relations are taking on new dimensions in both the practical and ethical contexts.

Competition is intensifying and, in the educator sector, new for-profit providers are entering the market place and challenging the traditional roles, missions, and delivery strategies of schools, colleges and universities.

Public-private partnerships are growing in direct response to this new global marketplace and the *Open Content Movement (OERs, MOOCs, etc.)* is gaining momentum towards the acceptance of knowledge as a global public good that should be readily and freely accessible to everyone. Access to this content is being driven by the digital technology cyberspace – the World Wide Web and the Internet.

At first glance, these developments suggest that we are truly headed for a brave new world. Of course, things are never the way they appear. Once again, the technology-equals-progress axiom is driving the pace and complexity of these transformations at such a rate that unanticipated negative consequences have been ignored. The *Digital Divide* is growing, and those with access to technology are enjoying the benefits of that technology. Conversely, those who live in developing nations are falling further behind in their ability to access the latest technological advances that can improve education, healthcare and the social services and provide other potential benefits.

Educational quality is front and centre due to the massive influx of new providers, particularly those who use digital technologies for distance and e-learning, while national regulatory agencies and accrediting bodies are actively policing 'degree mills' and the questionable educational practices conducted by these new providers.

In summary, these factors have collectively created an educational landscape that provides opportunities and presents challenges along the ethical context continuum. Moreover, our traditional values, attitudes and ethical perceptions are being challenged by this flat world and causing us to question our traditional values and beliefs about education.

In the past, education had to combat ethical issues such as inequalities in access to quality education and propaganda in education (notably in the context of the two World Wars). Some of these are still a concern. Besides the "traditional" ethical challenges faced by education, the addition of the "technology" factor raises new questions and issues regarding ethics in education. Below we discuss some of these issues.

3. The Global Issues

3.1. The Quality of eLearning Materials

The first issue concerns the quality of e-learning material and the potential for commercial interests to trump the aims of *public* education. Many governments have struggled for decades and continue to struggle to ensure that educational material, especially material used in schools, is free from *private* interest. In France, for instance, advertising and private commercial messages have been forbidden since 1936. This principle has been called into question and has been the object of much criticism since 2001 when "partnerships" between teachers and companies were allowed, thus opening the Pandora's box of exposing children to advertising (Fournier, 1999). The dangers of a consumerist society have been well explained by Benjamin Barber and so ensuring that technology in education is not a new "Trojan horse" that wishes to feed children and adults commercially biased material and messages is of the utmost importance.

With the growing pressure to modernize education systems, whether for children in schools, students at university, or adults on lifelong learning programmes, the use of technology in education is increasingly seen as a new market that is worth billions.

Making profit from educating people is not new. Publishers who sell school textbooks, for instance, make billions. Some countries, such as Hungary, have even decided to nationalise and centralise the publishing of school textbooks to cut down on spending while perhaps also gaining greater control over textbook contents (Adamowski, 2014). In France, the textbook market is dominated by six publishing houses that represent 12% of total profits, or €336 million.

However, textbooks have existed for over a century and much has been done to ensure that their content is pedagogically sound, accurate, in line with national education programmes, and reviewed by experts, etc. UNESCO, for example, has published several documents with guidelines on how to ensure school textbook quality. This does not mean that questionable content is not found in textbooks but much has been done since the turn of the 20th century when textbooks were filled with propaganda.

While some of the existing knowledge on ensuring textbook quality is relevant to e-learning and the technology used in education, we are still at the early stages when it comes to securing positive educational outcomes from e-learning and developing quality-control mechanisms and standards.

Concern is increasing especially about whether commercial endeavours in the field of education can deliver quality learning experiences. Some academics, for example, question the use of commercial social media for educational purposes because their primary objective is profitability, which has an influence on the content and design of the service (Lowe & Friesen, 2011). Advertising, for instance, has a major impact on shaping the content, thus potentially undermining the educational objectives. The underlying logic is the same as for television: "the sponsorship of programs by advertisers has an effect beyond the separable announcement and recommendation of a brand name. It is, as a formula of communication, an intrinsic setting of priorities: a partisan indication of real social sources" (Williams, 2003, p. 66).

Some even argue that the massive uptake of ICTs has undermined teachers in their educational role: "teachers are now expected to compete in the 'attention economy' against almost insurmountable odds – entire corporations devoted to trapping the attention of all people but particularly the young. The distractions offered by mobile apps, which are constantly available, simply cannot be topped by any instructional method" (Kramer & Brown, 2013, p. 5). The emblematic example given by the same authors is that of the disillusion faced by high school students when they discover that their "dream job" of being a game designer or programmer actually requires "intense focus and lack of distraction", unlike the experience they had when playing and enjoying the games.

At the same time, many studies have shown that technology can actually be used to increase users' attention span and concentration level, but not without some degree of control over the design and use of the technology (content, software and hardware) (Bester & Brand, 2013).

3.2. Assumptions About How People Learn

A second issue touches on the assumptions about how people learn through technology. We are at the very early stages regarding the use of e-learning and evidence is still scarce about how to ensure that educational goals are achieved. Too many enthusiasts encourage the massive use of ICT but provide little evidence to back up their recommendations. Again, with regard to education, it is a core responsibility of the government to ensure that both children and adults have access to a quality education that helps shape responsible citizens. With regard to the use of technology in education, this translates into policies and recommendations that: take into account more than just the *enthusiasts'* point of view on e-learning; strike the right balance between the use of technology and traditional educational material and methods; and help shape the use of technology in education.

When developing e-learning tools, it is essential to have a clear picture of the educational goals, to know how to achieve these goals, and especially to understand the target audience. As the latter requirement is far from self-evident, it is important to bust a few myths.

First let us bust the myth about "digital natives" vs. "digital immigrants". Many academics have shown that there is actually very little difference between the so-called digital natives and digital immigrants in their use or knowledge of technology (Helsper & Eynon, 2010). Other important nuances are the difference between use and *responsible* use and the difference between knowing how to use the internet and knowing how the internet actually works. With the appearance of ever more *user friendly* interfaces, there is a growing gap between people who *use* software and services and people who actually *understand and program* them.

This has been shown, for instance, in the latest EU Kids Online report, which shows that children's digital skills have declined overall in the last few years (Livingstone, 2014). Another study on internet skills shows that "[...] an inability to navigate around the internet or make educated judgments about internet use may have the opposite effect, exacerbating such inequalities. Unfortunately, current research indicates those already in more privileged positions are the ones who may be more likely to reap the benefits from the internet, such as networking and applying for jobs, while avoiding associated losses and risks, like becoming victims of online scams and accidently oversharing private information" (Litt, 2013, p. 626). This points to the enduring reality of a digital divide that needs to be addressed if we are to use technology in education.

This has major implications for educational strategies and curriculums, especially with the growing demand from the IT sector for a qualified workforce. Instead of assuming that young people can use technology perfectly and that we can simply go ahead and introduce technology in education, we need to think about how to organize lessons on the use of technology as such, making sure that both children and adults *understand* how technology works, at least at a basic level.

Secondly, let us look at emerging trends in e-learning, especially MOOCs (Massive Open Online Courses) and SGs (Serious Games). The potential of both of these tools is enormous but much remains to be done to ensure that they reach their educational objectives.

MOOCs are growing fast. Platforms such as Coursera, Udacity and edX are just a few examples of this trend. One enduring problem of MOOCs, however, are the *completion rates*, which have been quite low since MOOCs first began (Parr, 2013). One of the most effective strategies for curbing this phenomenon is to make people pay for a class in order to secure their interest and involvement. MOOCs have yet to adapt to the realities of the demand: adults seek out learning experiences only when they see a need for a new or different skill or type of knowledge (Brooks, 2010). They therefore have precise expectations about what they want to learn, how they want to learn it and how much detail they need. This means that the traditional "general ex-cathedra" university-type classes may not be their preferred learning approach or are for only a selective part of a course. In parallel with MOOCs, motivated individuals have volunteered to offer highly targeted online courses on specific subjects, sometimes reaching similar levels of popularity to MOOC classes.

SGs have displayed great potential for learning by combining the entertainment provided by gaming with educational goals. However, as with MOOCs, how to secure their educational potential is still unclear, especially when it comes to keeping children "entertained". "The risk that seems to be the most common for educational games is that they often fail to be engaging. Research has shown that many educational games are just barely preferred to standard classroom instruction" (Hvidsten & Sverdvik, 2013, p. 54). Moreover, the risk with regard to games that are "engaging" is that they do not fulfil their educational objectives. It is a delicate balance to strike and we have yet to find it.

Guidance is another challenge for SGs: "Most new generation SGs and Virtual Environments (VEs) adopt a discovery and inquiry-based learning strategy: they are open environments where students should learn basically by exploring contents and solving problems. This approach, however, is problematic. Although unguided or minimally guided instructional approaches are popular and intuitively appealing, there is evidence from empirical studies that minimally guided instruction is less effective and efficient than instructional approaches that rely on strong student guidance. The advantage of guidance begins to recede only when learners have sufficient knowledge to provide 'internal' guidance" (Bellotti, Ott, Arnab, Berta, de Freitas, Fiili & Gloria, 2011).

Finally, a key point that applies to both SGs and "traditional" video games is the danger of *boredom* (Baker, D'Mello, Rodrigo, & Graesser, 2010) and permanent gratification rather than *failure* (Juul, 2013). Research on both these phenomena has shown that there is a great danger for children's development that undermines any potential for education and even has detrimental effects on learning in general.

With regard to boredom, researchers have recognised that this cognitive-affective state is one of the most "non-transitory" moods: once one is bored, it is very difficult to move out of this state. With video games, whether these are SGs or regular games, boredom significantly reduces learning.

With regard to failure, too many video games are afraid of scaring players away by setting a level of difficulty that is too steep and causes repeated failure by the player. This results in video games that are far too easy and fail to develop key areas of competence. Quitting a game because of failure is actually much more common when the failure is due to a "computer glitch" or a "bug" in the program than when it is due to a lack of skill or strategy. "The paradox of failure reappears in the psychology of failure: we are self-serving creatures inclined to evade responsibility for failure, but in order to improve our skills, we have to accept that a failure is our fault. [...] Once we accept responsibility, failure also concretely pushes us to search for new strategies and learning opportunities in a game. Failure reveals strategic depth to us, and players of single-player games in particular often *need* to be pushed towards experience" (Juul, 2013, p. 116).

Because of commercial imperatives, the "big players" in game development increasingly rely on franchises (Lee, 2013). Developing a high-quality video game requires a massive investment and game studios that are willing to "innovate" and run the risk of suffering a commercial "flop" are rare. Creating a "challenging" game play where players face frequent failure is often also not an option.

In opposition to games that are "too easy to play", we have seen the development and increasing popularity of extremely challenging games. This trend should be encouraged and supported.

4.   The Digital Divide: Gateway to the Ethical Context Continuum

From a practical standpoint, the digital divide and the disparity of access to digital technologies, particularly Internet technologies, is the starting point for the ethical context continuum. Indeed, if one does not have access to a computer or to knowledge, the ethical issues are minimized. Of course, the dichotomy is that access, in and of itself, is a *global ethical issue* (EGE, 2012). The disparity between the 'haves' and the 'have nots' is growing, and this digital divide is exacerbating the ethical dimensions for preserving open access to knowledge, human rights, and lifelong learning opportunities for economically disadvantaged social and ethnic populations, particularly in developing countries. The European Group on Ethics in Science and New Technologies to the European Commission (EGE, 2012) highlights some promising best practices for reducing the digital divide.

A wide range of initiatives has been conducted in numerous countries that are aimed at closing the digital divide existing between different sectors of society due, for example, to age, socioeconomic status, geographic location, and disability. Some of these initiatives have been successful in minimizing the digital divide.

South Korea, for example, has emerged as one of the leading countries in alleviating problems associated with the digital divide. It has introduced the Digital Opportunity Index, which measures the degree of balance within the information society, and has been ranked first among countries of the Organization for Economic Cooperation and Development (OECD) for the last three years. It began an assertive, highly focused and ultimately successful approach to dealing with this issue in the late 1990s with the establishment of a specific body, the Korean Agency for Digital Opportunity and Promotion (KADO), to carry out the task.

KADO's role was to provide easy and affordable access to ICT services (e.g. IT education, the Internet and email) for individuals with disabilities, the elderly, those in low-income families, and those in rural communities. Since its inception, KADO has provided these services to over 10 million Koreans. The Korean government also introduced specific legislation [i.e. the Digital Divide Act (2001)] and produced two comprehensive 'Master Plans' (in 2001 and 2005, respectively) for bridging the digital divide. Given the success of its initiatives at the national level, South Korea has shifted focus to provide more support for global informatization and for bridging the digital divide internationally, particularly in developing countries. As part of this change, KADO has merged with the National Information Society Agency (NIA). The NIA now runs numerous initiatives with other countries, e.g. the IT and Policy Assistance Programme and Korea IT Volunteers, to provide expertise, experience, training, technical assistance and best practice as part of national IT developments in these partner countries.

The One Laptop per Child project, which began in the United States in 2007, aimed to provide children in low-income countries with the opportunity and resources to facilitate their 'self-empowered' education. So far, laptops have been supplied to over 2.5 million children and teachers in 42 countries, predominantly through government-led programmes. The success of this programme lies with the specific design and utility of the laptops themselves (i.e. XO laptops), especially given the practical issues associated with ICT services in developing countries, which include unreliable or non-existent electricity supplies and poor Internet connectivity. The XO laptops are inexpensive, powerful, robust, solar-chargeable and low-power, can interconnect wirelessly to create local networks, and use free and open-source software.

In an effort to improve IT literacy in elderly people in Ireland, the 'Log On, Learn Programme', a collaborative project involving Intel, Microsoft and An Post (Ireland's national postal service), began in 2008. The project involves secondary school students acting as mentors ('buddies') for older members of their local community and teaching them basic IT skills (e.g. how to use a computer and word processing and Internet applications). The students benefit by developing their research, marketing and teaching skills as well as being involved in interpersonal interactions that foster intergenerational solidarity. So far, more than 165 schools have provided one-to-one mentoring to over 3,000 individuals. With further roll out, however, it is envisaged that the programme has the capacity to train up to 30,000 individuals.

In Australia a digital divide has been identified between rural and metropolitan areas. One initiative that attempts to address the digital divide in rural Victoria is the access@ schools programme. This programme provides people in remote and rural areas with free or affordable access to the Internet and ICT facilities through local schools outside school hours. The programme was launched in 2001 and provided ICT access for 12,000 citizens through 145 schools. The success of this pilot project led to the provision of further funding from the Commonwealth Government to expand the programme.

In an effort to create a digitally inclusive society, the Society for the Physically Disabled was set up in Singapore as an innovative training facility for individuals with physical, sensory and developmental disabilities. It provides industry-relevant ICT training and IT-related apprenticeships as well as a library for assistive technology with a view to improving the independence and employability of those with disabilities.

What these projects illustrate is the importance of having access as well as the knowledge, skills and supportive organisational and societal structures to achieve digital inclusion for all (pp. 49-50).

4.1. The European Group on Ethics (EGE) Report

The EGE Report on the ethics of information and communication technologies (2012) provides a reference point for guiding the *Digital Agenda for Europe,* the EU's strategy for enabling digital technologies including the internet to deliver sustainable economic growth. The report focuses its recommendations on a range of ICT areas that potentially emerge as ethical issues along the Ethical Context Continuum (ECC). The EGE Report targets specific areas without stating any particular issue that necessarily causes ethical dilemmas. The EGE Report recognizes that the complexity of the digital revolution and the rapid changes that accompany the globalization of digital ICTs do not create clear distinctions of whether an ethical issue exists. Like the conceptual framework of this paper on the Ethical Context Continuum (ECC), many of these issues have 'ethical overtones'. How they evolve will influence ethical perceptions, individual and public intensity, and compatibility with normative social and cultural values across the globe. It will also determine whether they are perceived as potentially harmful and/or beneficial by a particular society. The EGE Report is predicated on the core values of the EU, which are: 1) respect and the protection of human dignity; 2) respect for freedom; 3) respect for democracy, citizenship and participation; 4) respect for privacy; 5) respect for autonomy and informed consent; 6) justice; and 7) solidarity (EGE Reports, p. 60).

Key ethical areas addressed by the EGE Report include:

- Reducing the *Digital Divide* between the 'haves' and the 'have nots' and facilitating universal access to technology, knowledge and education. Recognizing that 'disadvantaged and marginalized groups may require different designs, contents and applications to suit their specific requirements. To this end, the EGE recommends that measures centred around direction provision, subsidies and regulation should be examined by the EU to ensure that such groups are not excluded from playing a full and active role in the digital society' (EGE Report, 2012, p. 62).
- Protecting *personal identity data and privacy* and clarifying the 'characteristics that qualify data as personal data' (EGE Report, 2012, p. 61).

- Monitoring *data mining* in public institutions and as a component of corporate social responsibility.
- Ensuring *transparency* where individuals have control over their personal data.
- Ensuring individuals provide *informed consent* for the use of their personal data and that they may *withdraw that consent* at any time.
- Requiring that *social media* (Facebook, MySpace, Twitter, etc.) disclose to the user how individual data may be used and disseminated.
- Paying particular attention to how personal data are collected from *children and vulnerable adults*.
- Developing educational programmes that promote open access, responsible use, safeguards for children and adolescents, research that addresses the psychological impact of ICTs and personality development, and monitoring research on technology 'addiction'.
- Maintaining the Internet as a free and neutral space; protecting freedom of expression (speech) from censorship; and assuring that the deliberation of EU policymakers from Member States and key stakeholders ensures that a 'transparent and participatory model is appropriately incorporated into the decision-making processes. This applies to all regulatory initiatives on ICT' (EGE Report, 2012, p. 63).
- In order to support the **responsible use** of ICT technologies envisaged by the European Digital Agenda, supporting the development of educational tools aimed at creating and developing 'social literacy' among users, including supporting the personal responsibility that should be exercised. Programmes should aim to foster respect, tolerance and sensitivity when communicating digitally. (EGE Report, p. 60)

The importance of individual responsibility and awareness is reinforced by the EGE in its opinion, issued in May 2014, on the ethics of security and surveillance technologies. Noting that personal data from citizens' daily activities and communications are today tracked and stored on an unprecedented scale, the EGE identifies the need for greater education and awareness among the wider public. Individuals should be equipped with the tools to protect their data and privacy. Citizens have a responsibility to be alert, judicious and informed and to be aware of the consequences when they sign privacy waivers or share their data. However, education should also facilitate a wider societal debate on the implications of new technologies for concepts of privacy, autonomy and freedom. The report draws attention to the need for individuals to reflect more deeply on what they consider to be private, into what areas the government or commercial players should not intrude, and what individuals are willing to divulge. Notwithstanding the need for regulatory frameworks and more transparency on the part of governments and service providers, education that encourages deeper knowledge and reflection on the practical and moral dimension of these issues needs to be part of every curriculum in the EU.

The ethical areas identified by the EGE Report are consistent with the challenges brought by the digital revolution to the global educational landscape. Although, as this paper has demonstrated through the Ethical Context Continuum (ECC), the issues manifest themselves differently across cultures, social norms and the broader economic, political, and ethnic spheres, the ethical 'overtones' emerge in the global education sector.

Indeed, other issues have reflected and will continue to reflect ethical concerns among educators globally. A few of these are listed here:

- The use of digital media to promote hate speech, engage in sexual harassment, and implement discriminatory practices towards targeted societal groups.
- Copyright infringement and the illegal copying and distribution of software, music, art, and other protected resources.
- The intentional sabotage of digital systems, servers, and personal computers that causes direct harm to an individual, group or organization.
- Truth and honesty in digital advertising and marketing.
- Posting and/or distributing obscene or other inappropriate material via the Internet.
- The fabrication, falsification, misrepresentation, misappropriation or plagiarism of research result or proposals.
- Failure to communicate ethical standards of conduct through instruction and example.
- Ensuring proper recognition and citing of Open Educational Resources (OERs) and MOOCs and complying with specific Creative Commons Licensing requirements for the OER and/or MOOC.

More educational institutions are also developing a Code of Conduct for Online Students and/or a Code of Ethics for the Use of Digital Technologies. These documents are important and can be valuable tools for communicating potential areas with ethical overtones with regard to individual and group behaviours.

5. Conclusion: The Road Ahead for Ethics, Technology and Education

The range and complexity of potential ethical issues that require careful analysis and choices is likely to expand in the future. The current movement towards content and knowledge as a global public good will exponentially extend the access and openness of education and with it the emergence of many ethical issues, situations and questions we have not yet even contemplated. Despite our preoccupation with the technology-equals-progress axiom, these innovations do in fact bring many positive opportunities to our lives and communities.

Below is a list of preliminary recommendations for policymakers and educators to move forward in this ever-evolving technoethics landscape:

- Integrate global perspectives, best practices, and lessons learned with regard to the ethical uses of digital technologies that align with the cultural, social and ethnic norms of the community and broader national society.
- Adapt and apply the European Group on Ethics (EGE) report recommendations at the local level in public dialogue, educational policy, and government oversight functions.
- Facilitate the adoption and use of the Ethical Context Continuum (ECC) presented in this paper to facilitate dialogue and engagement with potential ethical issues between local educators, businesses and community professionals, parents, and government leaders.
- Develop and distribute a Code of Conduct and/or a Code of Technoethics for Using Digital Technologies that involves broader community representation from education, business, government, service organizations, and even religious entities.
- Help to define specific standards that mirror those developed for ensuring the quality of textbooks.
- Involve teachers and educational experts in the development of educational technology (too often developers and engineers work behind closed doors when designing their products).
- Revise teacher training to include the positive use of technology in education.
- Directly fund and support the development of technology for education to ensure that it is free from commercial interests.
- Clearly define the scope for the use of technology in education, identifying where it has an added value and where it does not, with particular focus on ensuring that children and vulnerable adults are protected from unethical practices that use technology.
- Ensure that technology is not just *used* in education but that specific lessons are given to *understand* technology and use it *responsibly*. Classes on the protection of personal data, awareness, the notion of privacy, and the tools available for safeguarding data in a digital environment should be integrated into school curricula.

The power and potential of digital technologies are only exceeded by the power and potential of human beings. Ethical choices are made by people, communities, governments, businesses, universities and societies. We have yet to see a computer, smartphone, I-Pad, laptop or I-Pod make critical ethical choices. We all have a collective responsibility to ensure that the benefits derived from these truly empowering innovations are balanced by the elimination and management of abuses and negative uses. Education leaders and teachers play a critical role in educating children about the suitable uses of these innovations. Indeed, in Catalonia and in communities across the globe, it truly is a brave new *technoethic* world.

References

Adamowski, J., (2014). Can textbook nationalization curb profiteering publishers? *Publishing Perspectives*, http://publishingperspectives.com/2014/02/can-textbook-nationalization-curb-profiteering-publishers/ Accessed 25 April 2014.

Anderson, B. & Simpson, M. (2007). Ethical issues in online education. *Open Learning, 22,* (2), 129-138.

Baker, R., D'Mello, S., Rodrigo, M., Graesser, A. (2010). Better to be frustrated than bored: The incidence, persistence, and impact of learners' cognitive–affective states during interactions with three different computer-based learning environments. *International Journal of Human-Computer Studies, 68-4,* 223-241.

Barber, B. (2007). *Consumed: how markets corrupt children, infantilize adults and swallow citizens whole*. New York: W. W. Norton.

Bebeau, M. J., Rest, J.R., & Yamoor, C. M. (1985). Measuring dental students ethical sensitivity. *Journal of Dental Education, 49,* (4), 225-235.

Bellotti, F., Ott, M., Arnab, S., Berta, R., de Freitas, S., Kiili, K., & Gloria, A. (2011). Designing serious games for education: from pedagogical principles to game mechanisms. *Proceedings of the European Conference on Games Based Learning.*

Bester, G., Brand, L. (2013). The effect of technology on learner attention and achievement in the classroom. *South African Journal of Education,* vol. 33-2.

Brooks, R. (2010). The development of a code of ethics: An online classroom approach to making connections between ethical foundations and the challenges presented by information technology. *American Journal of Business Education, 3-10,* 8.

E-learning Industry blog, http://elearningindustry.com/top-10-e-learning-statistics-for-2014-you-need-to-know Accessed 25 April 2014.

European Group on Ethics in Science and New Technologies to the European Commission. (2012). *Ethics of information and communication technologies*, opinion 26, p. 51. http://ec.europa.eu/bepa/european-group-ethics/docs/publications/ict_final_22_february-adopted.pdf Accessed 25 April 2014.

European Group on Ethics in Science and New Technologies to the European Commission. (2014). *Ethics of security and surveillance technologies*, opinion 28 (forthcoming).

Fournier, P. (1999), « La publicité s'installe à l'école… », http://instits.org/outils/pub_ecole.pdf, Accessed 25 April 2014.

Friedman, T. (2005). The world is flat. New York : Farrar, Straus and Giroux

Helsper, E., Eynon, R. (2010). Digital natives: where is the evidence? *British*

Educational Research Journal, 36- 3, 503 – 520.

Hvidsten, N., Sverdvik, S. (2013). Gamifying Schools: Utilising game concepts to enhance learning", *Norwegian University of Science and Technology*, 63-70. http://www.diva-portal.org/smash/get/diva2:690218/FULLTEXT01.pdf, Accessed 25 April 2014.

Juul, J. (2013). The art of failure: An essay on the pain of playing video games. *MIT Press.*

Kelly, P. & Mills, R. (2007). The ethical dimensions of learner support. *Open Learning, 22,* (2), 149-157.

Knight, J. (2005). *Borderless, offshore, transnational and cross-border education: Definition and data dilemmas*. London, UK: The Observatory on Borderless Higher Education.

Kramer, C. & Brown, D. (2013). Educational technology: Teaching and learning with its negative potential. In R. McBride & M. Searson (Eds.), *Proceedings of Society for Information Technology & Teacher Education International Conference 2013* (pp. 2184-2189).

Le Monde Diplomatique, (2013) « Manuels scolaires, le soupçon : Chiffres, extraits, citations », http://www.monde-diplomatique.fr/2013/09/A/49608, Accessed 25 April 2014.

Lee, R. (2013. Business models and strategies in the video game industry: An analysis of activision-blizzard and electronic arts. *Massachusetts Institute of Technology,* p. 18.

Litt, E. (2013). Measuring users' internet skills: A review of past assessments and a look toward the future. *New Media Society,15-4,* 626.

Livingstone, S. (2014). *New evidence, new challenges.* http://www.lse.ac.uk/media@ lse/research/EUKidsOnline/EU%20Kids%20III/PDFs/ICT-coalition-EU-Kids-Online-NCGM-110414.pdf, Accessed 25 April 2014.

Lowe, S., Friesen, N. (2011). The questionable promise of social media for education: connective learning and the commercial imperative. *Journal of Computer Assisted Learning, 28-3,* 183-194.

Marginson, S. (2009). The limits of market reform in higher education. Presented at *Research Institute for Higher Education,* Hiroshima University, Japan. August 2009. Retrieved from.http://www.cshe.unimelb.edu.au/people/marginson_docs/RIHE_17Aug09_paper.pd

Marginson, S. (2010). *Creating global public goods.* Speech at the University of Virginia, 14 November 2010.

McBurnie, G., & Ziguras, C. (2007). *Transnational education: Issues and trends in offshore higher education.* London, UK: Routledge.

Olcott, D. J. (1997). Where are you George Orwell? We got the year . . . missed the message. *Open Praxis,2,* 22-24.

Olcott, D. J. (2009). Going global: Trends in cross border higher education for ODL. *China Journal of Open Education Research, 15*(4): 4–9. JOER authorized the English translation to be published by The Observatory on Borderless Higher Education.

Olcott, D. (2012). OER perspectives: Emerging issues for universities, *Distance Education, 33*(2), 283–290. Published by the Open and Distance Learning Association of Australia (ODLAA). http://dx.doi.org/10.1080/01587919.2012.700561

Parr, C. (2013). *MOOC completion rates 'below 7%.* http://www.timeshighereducation. co.uk/news/mooc-completion-rates-below-7/2003710.article, Accessed 25 April 2014.

Rest, J. R. (1982). A psychologist looks at the teaching of ethics. *The Hasting Center Report, 12* (1), 29-36.

Rhodes, R. (1986). *The making of the atomic bomb.* New York: Simon and Schuster.

Seguin, R. (1989). The elaboration of school textbooks: Methodological guide. *UNESCO, Division of Educational Sciences, Contents and Methods of Education.* http://www.unesco.org/education/information/pdf/55_16.pdf#page=1&zoom=auto,0,595, Accessed 25 April 2014.

Williams, R. (2003). Television: Technology and cultural form. Psychology Press.

L10. Inclusió i cohesió social

Meritxell Estebanell Minguell, José L. Lázaro Cantabrana,
Joaquim Fonoll Salvador, Pere Arcas Blanch i Jordi Escoin Homs

Tot i que hi pugui haver alguns indicis de recuperació econòmica, el paisatge que està deixant la crisi mostra un creixement de les desigualtats socials i de renda, la qual cosa posa en perill les polítiques socials que conformen el model d'inclusió. Moltes d'aquestes decisions polítiques tenen a veure amb l'educació. En els propers anys, no només caldrà estar atents en la constatació dels efectes de les TIC (Tecnologies de la informació i la comunicació) a l'educació, sinó que tant o més important que això serà comprovar que la tecnologia arribi a tota la ciutadania, sense excepcions.

La casuística en matèria de desigualtats és molt diversa i difícil de sistematitzar.

Un aspecte que cal analitzar és l'ús de les TIC a l'educació formal, no formal i informal. El debat sobre l'ús de les TIC en l'ensenyament a les aules s'ha vinculat sovint a aspectes metodològics i molt menys a les possibilitats que s'obren per a la reducció dels marges en les desigualtats gràcies a la telemàtica, el suport digital o altres avantatges que ofereixen les TIC a la nostra vida quotidiana.

Un altre àmbit de debat se centra en l'aplicació de les TIC en àmbits d'educació especial per raons de discapacitats físiques i/o psíquiques. En aquest camp, a Catalunya hi ha exemples de bones pràctiques que cal analitzar per tal de poder implementar-los en altres indrets del país, prèvia adaptació al context que es plantegi en cada cas.

El darrer aspecte que es proposa considerar és el de l'aplicació de les TIC com a eina d'inserció i integració social. En aquest àmbit caldrà escoltar amb molt d'interès les experiències de proximitat que es poden donar des dels municipis, els quals són més propers a aquesta realitat. En aquesta matèria les TIC poden tenir una incidència fonamental en l'acompliment de l'aplicació de la mesura número 24 del Pacte Nacional per a la Immigració on es preveu:

> *Desenvolupar un servei d'acollida universal, sistematitzat i homogeni a tot el territori, i en els països d'origen si escau, adreçat a la normalització i l'autonomia de les persones immigrades, que redueixi la incertesa, informi sobre l'entorn social i cultural, els drets i deures existents, l'accés als serveis bàsics i contribueixi a millorar el nivell de formació de les persones que arriben a Catalunya.* [1]

Encara que no forma part de l'eix principal d'estudi, cal també reflexionar sobre el servei que poden fer les TIC en altres aspectes socialment cohesionadors com poden ser la conciliació temporal en àmbits socials essencials, com ara el laboral i el familiar, l'accés a l'administració, els mitjans de comunicació a l'educació i molts altres aspectes de la vida quotidiana. No es pot ignorar el fet que l'educació és un procés vital de creixement personal que es desenvolupa al llarg de tota la vida i que la tecnologia actual posa a l'abast de les persones grans possibilitats de formació.

1. Contextualització

L'escletxa digital és un concepte nascut als anys 90 (Hoffman et al, 2001), oposat al d'inclusió digital, per expressar l'exclusió social que es podia produir per la manca d'accés als recursos digitals. En la nova societat que es dibuixava, les persones que per qualsevol motiu no poguessin accedir als recursos digitals estarien en desavantatge en relació amb la resta de societat i podrien quedar excloses de serveis i prestacions[2].

La Declaració del Mil·lenni de l'ONU[3], sota el principi de la igualtat dels éssers humans, va proposar com a primer objectiu eradicar la pobresa extrema adoptant com a estratègia reduir l'escletxa digital perquè tothom pogués aprofitar els beneficis de les noves tecnologies de la informació.

D'aquest compromís s'han derivat accions polítiques com l'Estratègia de Lisboa 2000, a Europa, i el "Plan Info XXI"[4] i el "Plan Avanza"[5], a l'Estat espanyol.

---

1. Pacte Nacional per a la Immigració, signat el 19 de desembre del 2008 pel Govern i diversos agents econòmics i socials. <http://www20.gencat.cat/portal/site/bsf/menuitem.c7a2fef9da184241e42a63a7b0c0 e1a0/?vgnextoid=2c492b274c5a4210VgnVCM1000008d0c1e0aRCRD&vgnextchannel=2c492b274c5a4 210VgnVCM1000008d0c1e0aRCRD>

2. <http://www.labrechadigital.org/labrecha/LaBrechaDigital_MitosyRealidades.pdf>

3. Nacions Unides. A/RES/52/2. Declaració del Mil·lenni. Resolució aprovada por l'Assemblea General, 13-09-2000. Disponible en línia <http://www.un.org/spanish/milenio/ares552.pdf>.

4. Info XXI: La Sociedad de la Información para todos: Iniciativa del Gobierno para el desarrollo de la Sociedad de la Información. Madrid: Comisión Interministerial de la Sociedad de la Información y de las Nuevas Tecnologías, 2000.

5. <https://www.planavanza.es>

L'escletxa digital és una reproducció dins l'univers digital de les escletxes socials, la geopolítica, la generacional, l'econòmica, la professional o les produïdes per la discapacitat o altres estigmes socials, que aprofundeixen les diferències dins d'una societat i també entre països[6].

Així, es pot veure que les persones amb més capacitat econòmica utilitzen dispositius més cars i connexions més ràpides, mentre que les de menys han de compartir dispositius i connexió en equipaments públics. També es poden observar diferències entre els usos de la gent gran (ràdio, televisió, telèfon de veu), els adults i la gent jove, així com en els continguts consultats pels homes i les dones[7].

Una part de l'exclusió digital té el seu origen en aspectes tècnics que, tal com fan les barreres arquitectòniques en els edificis, dificulten o impedeixen l'ús de serveis digitals. És especialment significatiu l'incompliment de les normatives existents pel que fa als drets dels usuaris, la responsabilitat de les empreses, en especial, en referència a l'accessibilitat[8]. Aquesta normativa és poc clara i poc coneguda pels tècnics i responsables i, a diferència d'altres normatives, com la de protecció de la propietat intel·lectual a Internet, no incorpora elements sancionadors.

Les empreses prestatàries de serveis, i les administracions en especial, haurien de garantir de manera eficaç la igualtat dels ciutadans en accedir als dispositius digitals i als serveis de la Xarxa.

També en les eines de producció i publicació, i en els propis continguts, es produeixen barreres que desincentiven l'ús d'algunes tecnologies digitals. Els continguts digitals estan esbiaixats per a determinats perfils i alguns col·lectius socials no s'hi troben representats, ni hi troben continguts del seu interès[9].

Tot i que els sistemes operatius, tant dels ordinadors com d'altres dispositius com els *smartphones* i les tauletes, tendeixen a una estandardització i una simplificació d'ús en entorns cada cop més amigables, usables i accessibles, la navegació per Internet és encara un context sense acabar d'estructurar i, a més, en constant evolució, la qual cosa fa que l'aprenentatge adquirit en la navegació de determinats portals, pàgines, serveis i

---

6. <https://es.groups.yahoo.com/neo/groups/educacionlibre/conversations/topics/43>

7. <http://www.e-igualdad.net/estadisticas-estudios-igualdad-ucm>

8. <http://www.discapnet.es/Castellano/areastematicas/Accesibilidad/Observatorio_infoaccesibilidad/ informesInfoaccesibilidad/Paginas/default.aspx><http://www.cermi.es/es-ES/ColeccionesCermi/Cermi. es/Lists/Coleccion/Attachments/92/El%20Estado%20Actual%20Accesibilidad.pdf>

9. <http://www.internetworldstats.com/stats7.htm>

plataformes no serveixi per generalitzar a d'altres i comporti un constant aprenentatge o requereixi una habilitat no menyspreable per moure's amb facilitat en nous entorns.

Incloure la competència digital en el currículum obligatori, juntament amb la disponibilitat d'equipaments públics d'accés lliure, és una manera de garantir la igualtat d'oportunitats en la societat digital. La competència digital, com abans va ser l'alfabetització, és el que ha de possibilitar la ciutadania digital i garantir a totes les persones el dret d'accés amb autonomia als serveis i la participació social.

Per a les persones amb discapacitat, la competència digital implica assolir el màxim d'autonomia amb els recursos digitals que utilitzen, i alguns seran específics i generaran continguts propis, com la línia Braille per als cecs o la configuració dels plafons de comunicació per a altres persones amb dificultats en la comunicació.

La disponibilitat d'equipaments digitals públics i gratuïts, com les xarxes de biblioteques, la xarxa de telecentres, els centres de formació d'adults o les zones Wi-Fi gratuïtes, és garantia d'un mínim accés per a tothom.

L'existència de centres socials i culturals al voltant de les tecnologies que ofereixen formació i espais de treball lliure sense requisits acadèmics, com el Citilab de Cornellà[10] o MediaTIC – Cibernàrium a Barcelona[11] i d'altres, permet un desenvolupament personal en l'àmbit tecnològic més enllà de les restriccions acadèmiques.

Les experiències històriques de les colònies i casals d'estiu de l'Ajuntament de Barcelona o el de Santa Coloma[12] o les més modernes de la fundació Pere Tarrés, colònies de vacances[13] i esplais digitals[14] posen a l'abast, de manera transversal, recursos, continguts i activitats no sempre disponibles als centres escolars.

Les xarxes socials, els continguts publicats a Internet, especialment en format vídeo, els MOOC i altres cursos en línia són formes alternatives d'accedir a la cultura digital fora dels àmbits institucionals[15].

---

10. <http://www.citilab.eu/>
11. <http://w144.bcn.cat/>
12. <http://redined.mecd.gob.es/xmlui/bitstream/handle/11162/16272/0720051000042.pdf?sequence=1>
13. <http://www.peretarres.org/wps/wcm/connect/peretarres_ca/peretarres/home/familia/colonies_estiu/colonies_game_designer>
14. <http://www.peretarres.org/wps/wcm/connect/peretarres_ca/peretarres/webs/mcecc/extres/esplai_digital/inici/inici/cnt_inici>
15. <http://einclusion.esplai.org/>

2. Estat de l'art a Catalunya

L'ús de les TIC en l'educació ha estat, en les darreres dècades, un dels temes principals sobre el qual s'ha publicat i produït material. Entre les temàtiques més recurrents es poden destacar:

* la integració de les TIC als centres educatius,
* la formació del professorat,
* l'ús didàctic d'eines i recursos,
* la competència digital de l'alumnat i del professorat.

En aquest apartat es presenten les iniciatives que s'han considerat destacades, a Catalunya, al voltant d'un tema que no sempre és un dels eixos prioritaris pel que fa a les TIC: la inclusió digital, el desenvolupament de la competència digital com a via d'inclusió social.

Atès que l'educació, en qualsevol dels seus àmbits, formal, no formal i informal, està directament relacionada i vinculada a les polítiques educatives de base, si es parla d'inclusió, i més concretament d'inclusió digital, es considera que pot resultar interessant tenir en compte i destacar alguns dels referents legals que acoten aquest tema.

La LOE (2006), al seu preàmbul, recull els principis de la UE i les recomanacions de la UNESCO al voltant de garantir l'accés de tothom a les TIC. Als seus principis, el d'inclusió educativa i al títol II, un apartat sobre l'equitat en educació. Als posteriors decrets que desenvolupa la LOE, sobre el desplegament normatiu del currículum escolar de les diferents etapes educatives, recollit en els decrets 142/2007, 143/2007, i 142/2008, existeixen referències concretes al desenvolupament de la competència digital, com a competència metodològica que han d'assolir tots els alumnes, així com l'ús responsable i ètic que han de fer els alumnes de la tecnologia com a part dels coneixements que han d'assolir per poder participar de la societat del s. XXI: una societat digital.

A partir d'aquests referents normatius i d'altres que se n'han derivat, durant la darrera dècada, s'han implantat mesures que afavoreixen la individualització de l'ensenyament i, per tant, el tractament inclusiu de l'alumnat als centres educatius. Aquest fet, que es destaca com una de les millores estructurals del sistema educatiu (informe anual de la fundació Jaume Bofill, 2013[16]), juntament amb la concepció d'un currículum per competències que afavoreix el desenvolupament de les competències metodològiques,

---

16. <http://www.fbofill.cat/intra/fbofill/documents/publicacions/582.pdf>

com la competència digital, fa que es pugui subratllar la millora, durant els darrers anys, en la trajectòria inclusiva del sistema educatiu català.

Per altra banda, des de l'òptica de l'educació no formal, la LEC (2009) reconeix el paper dels ajuntaments com a administració educativa, i ofereix una possibilitat d'acostar les polítiques educatives als àmbits i necessitats locals. A nivell d'inclusió digital, s'han pogut comprovar algunes iniciatives locals, en l'àmbit de l'educació no formal, orientades a afavorir l'accés a la tecnologia de col·lectius amb dificultats. Les accions promogudes pels ens locals acostumen a anar dirigides a promoure l'equitat, les quals tenen com a objectiu l'alfabetització tecnològica i la compensació de l'escletxa digital de col·lectius susceptibles d'exclusió social en la societat digital: gent gran, dones en franges d'edat avançada amb una situació socioeconòmica amb dificultat d'accés als recursos tecnològics, aturats únicament amb formació primària...

Es considera oportú destacar que l'educació, en el seu sentit i abast més ampli, ha d'actuar com a mecanisme d'igualació i compensació social i ha de prendre l'equitat com un factor d'excel·lència, d'aquesta manera la inclusió digital es converteix en un factor clau per al desenvolupament de la societat del s. XXI.

Des del punt de vista de l'educació informal, el paper del coneixement compartit esdevé un element clau a la Xarxa. El paper de l'usuari s'ha transformat de consumidor de coneixements a *prosumidor* (productor i consumidor) a partir d'una nova manera d'emmagatzemar, editar, gestionar, publicar i compartir continguts en línia, de forma cada cop més fàcil, a partir dels nous dispositius. És en aquest sentit on els usuaris, des del punt de vista del coneixement compartit, esdevenen cada cop més protagonistes dels seus aprenentatges i on la competència digital és una competència clau i imprescindible per al ciutadà de la societat actual.

2.1. Discapacitats, tecnologies i aprenentatges

Per abordar aquest apartat cal plantejar-se quines haurien de ser les funcions principals de la tecnologia vers les persones amb discapacitat, entre les quals en destaquen tres que, a dia d'avui, estan presents en els diferents àmbits de l'educació (formal, no formal i informal):

- Paper compensador de les dificultats. Les persones amb discapacitat sovint necessiten de recursos tecnològics que els permetin realitzar determinades tasques, sense els quals, o no poden o els suposa una dificultat afegida al seu handicap. Es poden citar com a exemple, les potencialitats dels recursos TIC per a les persones que necessiten un sistema augmentatiu o alternatiu de comunicació (ARASAAC[17]).

- Paper facilitador dels processos d'accés als aprenentatges. Els recursos TIC suposen, en alguns casos, quelcom imprescindible en termes d'accés al currículum en l'etapa escolar i, al coneixement en general, en qualsevol etapa del desenvolupament personal. Es referencia, com a exemple, la funció que realitzen les eines d'accessibilitat pròpies dels sistemes operatius o algun programari específic per a persones amb discapacitat sensorial i motriu com el desenvolupat pel *Projecte Fressa* i la publicació «Suports digitals per repensar l'educació especial» Sancho (2001).
- Paper facilitador dels processos d'inclusió social. En aquest sentit es destaca la possibilitat d'accedir i fer un bon ús de les xarxes socials per a les persones que estan en risc d'exclusió social. Alhora, s'assenyala el risc de marginalitat i d'exclusió que pot suposar el no tenir accés a un dispositiu mòbil, que permeti la comunicació i participació social, en determinades "edats joves" on el seu ús està molt instaurat i generalitzat (Edu 365[18], Internet Segura[19]).

2.2. Propostes orientades a l'ús de les tecnologies al servei de l'educació

L'ús de la tecnologia, des d'un plantejament inclusiu de l'educació, hauria de vetllar per compensar les conseqüències d'allò que anomenem escletxa digital. La fractura d'avui en dia no es troba entre els "connectats" i "no connectats", com podia haver estat en els seus orígens, sinó els que són capaços de fer un bon ús de les TIC i els que no, entre els que les utilitzen per produir coneixement i compartir-lo i els que no, així com els que participen en la "societat digital" actual utilitzant les eines i els espais que posa al seu abast, tot valorant, de forma crítica, la seva idoneïtat i funció.

2.3. Experiències més rellevants desenvolupades i en desenvolupament

Fent una visió cronològica dels darrers cinc anys, crida l'atenció, que les experiències que s'han trobat al voltant de la inclusió digital són menys de les que s'esperaven. S'observa que sorgeixen d'iniciatives particulars, fruit de l'associacionisme professional o promogudes per les administracions o entitats públiques.

Com a model d'iniciativa pública se cita l'organització de la Jornada d'inclusió digital durant els anys 2013 i 2014 (Departament d'Ensenyament, 2014). En aquesta jorna-

---

17. <http://arasaac.org/>
18. < http://www.edu365.cat/>
19. <http://www.internetsegura.cat/>

da es duen a terme activitats de reflexió i d'intercanvi d'idees d'experts i es fa difusió d'experiències de caire local.

Com a espai de referència el portal ARASAAC (Portal Aragonès de la Comunicació Augmentativa i Alternativa), promogut per diverses administracions públiques, completament en català, ha esdevingut els darrers anys un recurs de referència per a professionals de l'educació per l'accessibilitat, facilitat d'ús i potencialitats i pels sistemes de comunicació augmentatius i alternatius.

Amb el suport de dues fundacions i la Universitat de València es destaca el contingut del "Proyecto Azahar"[20], on es pot trobar força software específic per a persones amb trastorn de l'espectre autista i amb dificultats en la comunicació.

Com a iniciativa depenent de la Universitat de Barcelona, es troba l'activitat que es du a terme des d'UTAC (Unitat de tècniques Augmentatives de Comunicació)[21]. I com a iniciativa totalment pública es destaca el que oferien els SEEM (Serveis Educatius Específics per alumnat amb discapacitat Motriu). Ambdós serveis adreçats a l'alumnat amb discapacitat motriu que requereix formes augmentatives i alternatives de comunicació i d'accés a l'ordinador, joc adaptat i mobilitat assistida.

Per finalitzar, es recull l'activitat promoguda des del portal "La mosqueta". Es tracta d'una iniciativa privada, en concret de La Fundació El Maresme[22], on, des de 1999, s'han esforçat per desenvolupar recursos didàctics digitals per atendre les persones amb discapacitat cognitiva i, en conseqüència, han esdevingut un espai de referència per a molts docents.

2.4. Recerques destacables i conclusions rellevants

No resulta fàcil trobar ressenyes concretes i actuals, dels darrers cinc anys, sobre recerques al voltant de la inclusió digital. Es troba a faltar la seva promoció des de les diferents administracions educatives que aportin una visió amb validesa i fiabilitat de la situació a Catalunya i que permetin comentar l'estat actual de la inclusió digital en aquest territori.

Pel que fa a les experiències al voltant de les TIC, on la inclusió hi és present de manera explícita, es troben nombroses referències fruit d'iniciatives individuals o de col·lectius docents. Algunes estan recollides i referenciades en webs com la de l'XTEC del Departament d'Ensenyament o l'Associació Espiral.

---

20. <http://www.proyectoazahar.org/>
21. <http://www.utac.cat/>
22. <http://www.lamosqueta.cat/>

Com a conclusió, es destaca la necessitat de promocionar recerques específiques sobre el tema que ens ocupa, les referències que apareixen resulten anecdòtiques i insuficients, ja que formen part d'estudis més amplis.

2.5. *Prospectiva i accions de futur*

Si observem l'escenari actual, es poden detectar algunes situacions que es preveuen com a possibles obstacles per a l'ús de la tecnologia al servei de la inclusió social en l'àmbit de l'educació:

- Hi ha una mancança de mecanismes efectius per compartir tota la informació generada per les bones pràctiques en matèria de tecnologia aplicada a la inclusió social en l'àmbit educatiu. La falta de comunicació entre institucions, entitats i persones a títol personal fa que no sigui possible sumar esforços.
- No existeixen criteris consensuats d'objectivació dels resultats dels projectes, la qual cosa fa que sigui molt difícil extrapolar les experiències a altres entorns i deixa els projectes en casos aïllats de bones pràctiques.
- Les competències digitals no tenen un espai massa definit en el desplegament curricular escolar, tant pel que fa al vessant tècnic (ús dels recursos, desenvolupament de codi font) com a la de creació de continguts (educació mediàtica). El treball sobre aquestes competències depèn sovint del criteri de cada centre educatiu, amb el perill d'obrir una escletxa social entre els que dominen i els que no ho fan. Caldrà seguir de prop aquest fenomen per tal d'evitar problemes evidents de desigualtats socials.
- Pel que fa a l'accessibilitat dels continguts digitals, es detecta una oferta menor en català que en altres llengües pel que fa a programari especialitzat (lectura fàcil, pas de veu a text, pas de text a veu). Aquests tipus de recursos són bàsics per al desenvolupament personal i social de les persones amb discapacitats. També són eines útils per a la integració lingüística de les persones que no coneixen la nostra llengua.
- Pel que fa a la dotació TIC no hi ha un pla estructurat i amb temporització que englobi manteniment, instal·lació de xarxes, amortització d'equipament obsolet i restitució, etc., cosa que comporta un ús molt diferenciat segons l'autonomia de cada centre escolar per abordar aquestes qüestions més de caràcter logístic. A més a més, tot i estar reconeguda la figura del coordinador TIC, la dedicació horària de treball és clarament deficitària, un dels principals obstacles a l'hora d'abordar nous reptes, atès que la majoria d'esforços es concentren en resoldre les incidències del dia a dia.

En general, podríem dir que cal elaborar, validar i consensuar models teòrics, protocols d'intervenció, pràctiques professionals que utilitzin de manera raonable els productes digitals en allò que siguin eficaços de manera coordinada amb altres recursos de més tradició. Tot seguit es proposen algunes accions que tenen com a objectiu superar alguns dels possibles obstacles que s'han exposat anteriorment:

Àmbit: Centre educatiu: Organització escolar i atenció a la diversitat.

Repte: Promoció de la inclusió digital.

Acció: Identificació i coneixement compartit de bones pràctiques al voltant de la inclusió digital relacionades amb les mesures organitzatives a nivell de centre i d'aula.

Àmbit: Centre educatiu: Organització curricular per competències.

Repte: Desenvolupament de la competència digital.

Acció: Promoure accions formatives que permetin al professorat desenvolupar la seva competència digital docent per garantir el treball de la competència digital amb l'alumnat i, més concretament, les accions necessàries per afavorir la inclusió digital.

Àmbit: Institucions educatives d'àmbit formal, no formal i informal: formació al llarg de la vida.

Repte: Combatre l'escletxa digital.

Acció: Promoure accions orientades a l'alfabetització digital de col·lectius en situació de risc d'exclusió social.

Àmbit: Universitats i professionals del disseny, la informàtica i la producció de continguts.

Repte: Entorns digitals accessibles.

Acció: Conèixer i aplicar la legislació, normes i criteris d'accessibilitat als dispositius i continguts digitals.

Àmbit: Centres i professorat que atenen alumnat amb NEE.

Repte: Que l'alumnat amb NEE assoleixi la competència digital.

Acció: Definir continguts i elaborar estratègies perquè l'alumnat amb diversitat funcional assoleixi la competència digital i sigui el màxim autònom amb les tecnologies específiques que utilitza.

Àmbit: Departament d'Ensenyament de la Generalitat, centres escolars i docents.

Repte: Ús de la xarxa i la tecnologia digital per l'atenció de les NEE.

Acció: Promoure modalitats d'atenció educativa que aprofitin la xarxa, i altres prestacions de les tecnologies digitals, per atendre les necessitats individuals dels estudiants i possibilitar la inclusió educativa.

Àmbit: Serveis socials, Associacions d'usuaris, ONG.
Repte: Utilitzar la xarxa per oferir suport i serveis a les persones en risc d'exclusió social.
Acció: Elaborar estratègies d'intervenció i muntar serveis en plataformes digitals que aprofitin les facilitats de comunicació i la ubiqüitat de la xarxa per millorar l'atenció persones de les persones en risc d'exclusió social.

Àmbit: Centres de recerca en lingüística computacional, Institut Estudis Catalans, Departament de Cultura de la Generalitat.
Repte: Millorar les prestacions lingüístiques en català dels programes.
Acció: Desenvolupar i alliberar recursos digitals lingüístics en català que facilitin la creació d'ajudes i altres serveis en aquesta llengua.

Àmbit: Dissenyadors industrials, empreses productores d'aparells tecnològics, Departament d'Indústria de la Generalitat.
Repte: Accessibilitat dels punts d'informació, venda i altres serveis automatitzats.
Acció: Creació d'un estàndard per accedir a sistemes automatitzats, ascensors, semàfors, portes automàtiques, terminals bancaris, punts de venda, etc., a partir dels dispositius mòbils personals (telèfons, tauletes, ordinador).

Àmbit: Desenvolupadors d'aplicacions, centres de recerca en lingüística computacional, Institut Estudis Catalans, Departament de Benestar i Família de la Generalitat.
Repte: Conversió del text a lectura fàcil, llengua de signes, altres llenguatges i SAC (sistemes augmentatius de comunicació).
Acció: Creació d'aplicacions que converteixin un text en català als estàndards de la lectura fàcil, base per altres conversions, tradueixin a llengua de signes catalana i/o a altres recursos que en facilitin la comprensió.

Àmbit: Universitats, associacions i col·legis professionals.
Repte: Consensuar models teòrics i pràctiques professionals sobre l'ús de les TIC per a la inclusió.
Acció: Elaborar, validar i consensuar models teòrics i pràctiques professionals que utilitzin de manera raonable els productes digitals en allò que siguin eficaços de manera coordinada amb altres recursos de més tradició.

3. Anàlisi de la situació en termes de necessitats

El món social on vivim no és el món natural sinó que l'ésser humà l'ha transformat adaptant-lo segons les necessitats, els recursos i les tradicions culturals de cada moment. Aquesta transformació no sempre abasta tota la població i són les persones en risc d'exclusió social la principal conseqüència marginal.

Els models culturals de la discapacitat, la pobresa o la immigració condicionen els drets d'aquestes persones (Palacios i Romañach, 2007).

- En el model de la prescindència o negativista, amb fonament religiós o Darwinisme social, la persona és responsable de la seva situació com a càstig diví.
- El model tècnic, mèdic o econòmic, considera la discapacitat, la pobresa o l'exclusió, com a una anomalia individual i proposa actuacions sobre la persona per resoldre-ho, ja sigui rehabilitacions, suports, formació...
- El model social afronta l'exclusió com a un problema de la societat, no de l'individu. Així la pobresa és el resultat d'una determinada distribució dels guanys econòmics i calen polítiques de redistribució de la riquesa. En el cas de les persones amb discapacitat el problema no és tant les limitacions de la persona com un entorn sociocultural mal dissenyat, que les ha ignorat al llarg de la història, i els ha negat allò que disposa la resta de ciutadans: productes i serveis que cobreixin les seves necessitats bàsiques respectant llur autonomia i àmbits de decisió.

Parlar d'inclusió és invertir la càrrega de la prova i posar el focus d'atenció sobre la víctima exclosa enlloc de posar-lo sobre la societat excloent. Els models d'anàlisi funcional de l'OMS[23] posen èmfasi, per igual, en les capacitats de les persones i les barreres de l'entorn.

La societat digital ha trastocat els usos tradicionals adoptant noves formes socials en el treball, l'oci, el consum, l'educació, en multitud d'aspectes de la vida quotidiana i també en l'art i altres formes d'expressió cultural.

Aquest reinventar-se permet adoptar noves solucions on la societat tradicional havia fracassat i ha generat el que coneixem com a marginació o exclusió social.

La tecnologia digital no sols aconsegueix una major eficàcia en la producció, difusió i tractament de la informació i una millora en la prestació dels serveis per la seva ubiqüitat i disponibilitat, sinó que aporta prestacions fins ara inexistents que fan possibles solucions innovadores a les necessitats socials.

---

23. OMS- La Clasificación Internacional del Funcionamiento, de la Discapacidad y de la Salud (CIF).

3.1. *Noves formes d'atenció a les persones*

La societat en xarxa fa reformular les institucions i els serveis. Això dóna l'oportunitat de pensar en noves formes de subvenir les necessitats específiques d'algunes persones i millorar-les aprofitant les prestacions de la xarxa i les eines digitals:

- Participació, a l'aula o altres activitats socials, amb eines digitals de comunicació a distància quan no és possible assistir-hi de manera presencial: hospitalització i convalescència, viatges, dificultats en els desplaçaments. Es pot destacar l'experiència de les Aules Hospitalàries i els ordinadors en préstec per a l'atenció domiciliària en la convalescència o el seguiment escolar a distància dels atletes del CAR (Centre d'Alt Rendiment esportiu) en les competicions i, també, en altres centres d'atenció preferent a la pràctica esportiva com l'IES Ferran Tallada.
- Escolarització compartida en aules ordinàries però amb continguts específics gestionats a distància per especialistes, que permet la interacció social entre iguals i l'atenció especialitzada quan calgui (alguns continguts en el Moodle del Centre de Recursos per a la Discapacitat Visual de Barcelona o dels Centres de Recursos Educatius per als Deficients Auditius, CREDA, s'ajusten a aquest model).
- Flexibilització curricular i presencialitat a l'aula. Els materials publicats en forma digital, les propostes educatives a la xarxa poden modificar-se amb facilitat per organitzar-los i presentar-los, segons les característiques dels estudiants. Els estudis a distància o semipresencials a les universitats o l'IOC (Institut Obert de Catalunya) són models que es poden generalitzar quan les circumstàncies ho requereixen. Moltes persones que per raons de discapacitat, d'estar interns a la presó o altres institucions o per raons de feina, no es poden desplaçar, poden realitzar d'aquesta manera els seus estudis.
- Grups d'ajuda mútua entre iguals aprofitant les xarxes socials. El suport i acompanyament que ofereixen aquests grups es poden perllongar més enllà de les reunions presencials i plantejar neguits i necessitats des de la intimitat de la llar. Serveis com el telèfon de l'esperança, SIAD - Servei d'Informació i Atenció a les Dones o la plataforma "Personas que conviven con el Alzheimer"[24], poden ser un precedent a considerar.
- Participació social a través de les xarxes. Quan la presencialitat no és possible, com sol ser el cas de les persones que viuen en l'exclusió, la xarxa pot ser una forma de participació social, en grups normalitzats, o donar veu i presencialitat

---

24. <http://www.personasque.es/alzheimer>

a grups invisibilitzats, com ha fet l'Antonio Abad, projecte Zexe[25] amb persones d'ètnia gitana, prostitutes i altres col·lectius potencialment exclosos.

- Accés als serveis. Per algunes persones el desplaçament a centres de l'administració per sol·licitar prestacions, o les gestions associades, poden ser una barrera difícil de superar. Els portals oberts de l'administració faciliten fer aquestes gestions des de casa, ja sigui per si mateix o amb assistència de terceres persones de confiança. Cal evitar crear noves barreres amb aquestes noves opcions tenint cura estricta de l'accessibilitat i mantenint altres vies d'accés com la presencial i la telefònica. També cal preservar el dret a escollir i evitar que una persona en risc d'exclusió social es vegi abocada al model a distància com a conseqüència de les barreres físiques o socials inacceptables que l'impedeixen accedir-hi presencialment.

3.2. Suports digitals personals

A la societat digital es poden generalitzar formes de suport tecnològic personal que poden suplir, en alguns casos, les persones de suport en tasques educatives, d'autonomia personal o de comunicació.

Aquests suports personals digitals, malgrat ser menys flexibles que les persones de suport, tenen avantatges en els costos, disponibilitat i autonomia personal. Potenciar-los, quan són avantatjosos, facilita generalitzar uns serveis que d'altra manera, pels seus costos elevats, caldria administrar-los amb restricció:

- Suports a la comunicació pictogràfica, persones que no fan servir la llengua oral ni la de signes, utilitzen tauletes, telèfons mòbils o ordinadors. La comunicació pictogràfica fins ara s'ha fet amb plafons de comunicació, comunicadors electrònics o digitals, amb text, veu o pictogrames. La possibilitat d'utilitzar dispositius estàndards com ordinadors, tauletes o telèfons mòbils redueix costos, n'amplia les prestacions i elimina l'estigma negatiu d'utilitzar aparells específics.
- Suport a l'accés a la informació, i producció escrita, en àmbits escolars, laborals i de participació social. Eines com la síntesi de veu, el lector de pantalles, els traductors, els conversos a pictogrames faciliten l'accés a la informació textual a persones que no tenen assolida aquesta competència, a persones amb discapacitat visual o a qualsevol ciutadà quan no pot llegir el contingut de la pantalla. Les eines de subtitulació automàtica, la conversió de text a veu o els avatars signants faciliten l'accés als continguts orals dels vídeos a les persones sordes. Els sistemes amb text predictiu, reconeixement de veu, les eines de correcció, els traductors...

---

25. <http://www.zexe.net/site/index>

faciliten la producció de textos escrits més enllà del que es pot aconseguir sense aquests ajuts.

- El català, com a llengua minoritària, té un menor desenvolupament d'eines lingüístiques digitals, cosa que suposa una barrera afegida en l'ús d'una tecnologia amb un substrat textual.
- És important desenvolupar aquests recursos lingüístics (diccionaris, gramàtiques, analitzadors, conversors) que són un suport per al desenvolupament de prestacions avançades en les aplicacions i potenciar la seva presència en els productes comercials.
- Millora de la visió de les pantalles d'informació pública, les PDI a l'aula, l'audició del que diu el professorat, els companys, dels mitjans audiovisuals (cinema, televisió...) o altres dispositius (caixers, vending...) i transmetre les imatges o el so als equips personals de l'alumnat o dels usuaris.
- Accés alternatiu a dispositius o serveis com marcatge telefònic, màquines de venda automàtica, punts d'informació, terminals bancaris i serveis d'emergència a persones amb dificultats per escriure.
- Accés alternatiu a les eines de maquinari i programari més habituals, com els teclats i els ratolins: teclats virtuals (en pantalla), microteclats, teclats expandits, *joysticks*, *tracballs*, *trackpads*, pantalles tàctils, sistemes d'escaneig automàtic o seqüencial, etc.

3.3. *Suports personals a través de la xarxa*

Les eines de comunicació de la societat en xarxa permeten reformular els serveis d'atenció a les persones, també els adreçats a la inclusió i diversitat funcional. Destinar una part dels recursos a oferir serveis a través de la xarxa, sense perdre el contacte personal, de vegades imprescindible, augmenta les hores i formes d'atenció, redueix costos i allibera recursos per estendre el servei o intensificar l'atenció personal quan calgui.

- Serveis a distància de videotraducció en llengua de signes que no requereixen la presencialitat del traductor, com podia ser SIGTHOS o SVISUAL[26], millora l'atenció de les persones sordes quan accedeixen a serveis que no disposen d'intèrpret de llengua de signes, com bancs, comerços, administració, etc. En l'àmbit escolar podria evitar les agrupacions d'alumnat sord, ara necessàries per optimitzar els recursos i serveis, alhora que evitaria el marcatge social que representa el traductor.

---

26. < http://www.svisual.org>

- Suports educatius a distància, dins l'aula o a casa, amb serveis específics de suport. Els suports educatius escolars sempre solen requerir la presencialitat d'un professional que, inevitablement, és un recurs limitat i que interfereix en les relacions socials de l'estudiant. Els serveis de comunicació instantània, àudio, videoconferència, textual o diferida, com el correu o fòrums permeten implementar aquests suports. Algunes experiències es varen fer a l'inici de l'aparició del portal Edu365.cat, en el qual professors responien a preguntes d'alumnes a partir d'exercicis del portal o d'activitats de classe. De manera més quotidiana es fa a través de Moodle, Edmodo o altres EVEA.
- Els sistemes mòbils de telefonia o d'accés a la xarxa poden facilitar mantenir un cert contacte humà i familiar a persones aïllades a casa seva, itinerants o sense domicili fixe. Els serveis de teleassistència poden ampliar i millorar llurs prestacions utilitzant sistemes de videoconferència. Als serveis d'emergència actuals es podrien incorporar activitats d'animació cultural o de xarxa social, adreçades a persones que no poden sortir del seu domicili. El telèfon mòbil pot ser un recurs per mantenir el contacte amb persones marginades o sense sostre.

3.4. Suport a les tasques dels professionals

L'atenció a les necessitats individuals, especialment de les persones amb diversitat funcional és una tasca complexa, on intervenen molts agents i es gestiona un gran volum d'informació sensible. Bona part de l'horari dels professionals s'inverteixen en entrevistes, informes i reunions. Aquí la tecnologia pot ser de gran ajut per tal de gestionar la informació complexa, unificar processos, reduir desplaçaments i presencialitat i compartir la feina feta la qual cosa esdevé més rendible.

- Formació a distància que pot guanyar en personalització i es pot fer des del lloc de treball, a casa o des d'altres llocs, reduint els costos personals en temps i desplaçaments.
- Treball en xarxa rendibilitzant el treball propi, compartint-lo i aprofitant les aportacions d'altres professionals, col·lectius o institucions. En són un exemple els portals repositoris de recursos, com el racó del Clic[27], l'Alexandria[28] a Catalunya o Arasaac i Agrega[29], a l'estat espanyol. També els Tallers de Creació de materials per alumnat amb NEE[30] que, a partir de necessitats de l'aula compartides a la xarxa, reuneix a professionals interessats per resoldre-les.

---

27. < http://clic.xtec.cat>
28. <http://alexandria.xtec.cat/>
29. <http://www.agrega2.es>
30. <http://www.xtec.cat/web/recursos/dnee/tallers>

- Els nous recursos i formes de suport amb eines digitals ha de fer replantejar la distribució del temps i assignació de responsabilitats.
- Sessions de treball, avaluació i seguiment i coordinació a distància, per tal de reduir els costos i augmentar la freqüència, cosa que redunda en la millora de l'atenció. És especialment interessant el projecte "Miradas de Apoyo"[31] basat en la metodologia d'atenció centrada en la persona, utilitza conceptes propers a les xarxes socials per coordinar els diversos agents que intervenen al voltant d'un cas (familiar, educadors, metges, veïns, etc.).
- Els aplicatius que recopilen les dades i fan seguiment dels casos, homogeneïtzen els protocols, ajuden a planificar i donar una resposta ajustada a les necessitats. Cal, però, que estiguin desenvolupats pensant sempre en l'usuari final (professional o alumne) més que en la comoditat del gestor o l'administrador.

3.5. Reptes i barreres TIC que cal superar

Les persones amb discapacitat, com la resta de ciutadans, necessiten productes adaptats a les seves necessitats i característiques. Mentre els productes generals no resolguin, en la seva totalitat, les necessitats de les persones amb discapacitat caldrà conviure amb els productes específics (dissenyats especialment tenint present les característiques d'un col·lectiu).

El disseny per a tothom proposa evitar errors coneguts que limiten l'ús dels productes.

La perspectiva digital permet una major flexibilitat i modularitat dels productes fent-los més personalitzats. El disseny personalitzat permet configurar les prestacions per resoldre les necessitats d'una persona concreta i arriba allà on el disseny per a tothom no pot arribar.

La generalització de l'ús dels productes digitals posa a l'abast de les persones amb discapacitat recursos que en altres moments eren d'ús molt restringit i suposaven un cost elevat, com perifèrics, programes de síntesi de veu o teclats virtuals. Aquesta ha estat, d'alguna manera, una forma de socialitzar els costos.

L'accessibilitat és un principi ètic que vol garantir el dret dels ciutadans a utilitzar productes i serveis en estat d'igualtat.

Les normes d'accessibilitat, per exemple AENOR i WAI, són estàndards tècnics que garanteixen l'homogeneïtat de procediments i el funcionament dels productes de su-

---

31. <http://www.miradasdeapoyo.org>

port. Cal millorar el seu coneixement i compliment entre professionals, empreses i l'administració.

També cal un compromís ètic per resoldre els conflictes que les normes encara no preveuen.

És significativa l'estratègia dels EEUU en la Secció 508 de la Llei de Rehabilitació[32], que sense obligar legalment a les empreses, impulsa l'accessibilitat restringint les compres de l'administració a aquells recursos que compleixin determinats estàndards.

La majoria de les solucions d'accessibilitat per a col·lectius en risc d'exclusió redunden en una major funcionalitat i comoditat per a la resta de persones. Contribueixen, doncs, a la millora de les prestacions per a tota la societat.

Cal promoure el compliment del lema *"el que es fa per nosaltres, amb nosaltres"* impulsat pel moviment internacional de vida independent, i que promou donar veu i participació directa al col·lectiu per al qual estem treballant, en el disseny de projectes, programes d'actuació, productes...

3.6. *Desenvolupament i acceptació de nous models d'atenció social i personal d'acord amb la societat digital*

El ràpid desenvolupament de les tecnologies digitals ha fet que ni els professionals, ni les institucions, ni els centres de decisió hagin pogut assumir ni les seves potencialitats ni l'obligatorietat.

Professionals, experts i polítics, tots ells adults de certa edat, no s'escapen de l'esquerda generacional i malgrat els seus esforços són immigrants digitals que adopten una determinada perspectiva. Els professionals que treballen amb els col·lectius en perill d'exclusió són refractaris perquè valoren fortament les relacions interpersonals i sovint interpreten que introduir una màquina els deshumanitza.

Tant els marcs de referència, com els protocols professionalment acceptats són anteriors al desenvolupament de les tecnologies digitals. Tampoc els estudis científics han arribat a demostrar l'eficàcia de les noves eines, segurament perquè s'utilitzen en tasques o perspectives poc adequades. Possiblement per això la presència dels recursos digitals en la formació inicial és insuficient o s'imparteix en un context separat (una conferència puntual, una visita, un taller o una assignatura específica).

---

32. <http://www.section508.gov/>

Difícilment els usos metodològics de les tecnologies digitals es plantegen en el mateix context i intensitat que els altres coneixements, procediment o tècniques dels graus. Fins i tot, aquells professionals que els han adoptat, fent-ne un ús raonable, sovint utilitzen criteris de valoració diferents als que apliquen a la resta de recursos utilitzats.

Qui lidera la promoció dels productes digitals en els àmbits de treball social, l'educació o la sanitat, són les empreses tecnològiques, mentre que professionals i polítics van a remolc. Aquestes empreses n'han fet de la moda un mecanisme de venda i, sovint, fascinen els clients amb nous productes que la majoria de vegades seran efímers. Estem immersos en un terreny mutant que, com si ens haguéssim pres l'elixir de l'eterna joventut, patim una efervescència adolescent sense aturador. Tot és possible, però difícilment es concreta en el dia a dia.

Tot i això, cal reconèixer l'esforç que determinades empreses fan des dels seus orígens per tal de facilitar l'accés als seus productes, com per exemple, les divisions d'accessibilitat d'Apple i de Microsoft.

Cal elaborar, validar i consensuar models teòrics, protocols d'intervenció, pràctiques professionals que utilitzin de manera raonable els productes digitals en allò que siguin eficaços de manera coordinada amb altres recursos de més tradició.

4. Anàlisi de potencialitats

Deixant a banda debats estèrils sobre les incompatibilitats de la tecnologia digital amb la tradició, aquest punt pretén apuntar aquells aspectes de la tecnologia que poden aportar valor positiu en possibles accions per a la inclusió social en l'àmbit educatiu.

La tecnologia proporciona entorns d'aprenentatge imprescindibles per a l'educació especial, com és el cas de les persones amb discapacitats. En molts casos, la tecnologia s'ha convertit en el canal de comunicació d'aquestes persones amb el seu entorn.

Alguns dispositius tecnològics possibiliten l'accés a la formació, la comunicació i l'autonomia personal a persones amb discapacitat que, sense ells, no hi tindrien accés.

El món tecnològic fa possible la connexió global entre territoris i, en conseqüència, aporta proximitat entre les persones. Aquest és un altre aspecte que caldria tenir molt present en el desenvolupament de propostes educatives vinculades a la inclusió social. Alhora, cal destacar el paper inclusiu de les TIC per acostar la formació a persones que, per qüestions de distàncies geogràfiques, sense els EVEA, no hi podien tenir accés. La gran capacitat per gestionar informació fa que sigui possible ser més eficaços en el tractament individualitzat. Aquest aspecte és important en qualsevol mètode educatiu que tingui com a objectiu potenciar les capacitats competencials dels seus estudiants. Aquesta mateixa capacitat de gestionar grans volums de dades pot fer possible, amb interfícies adequades, la sistematització temàtica dels continguts per tal de facilitar l'accés a la informació.

En l'àmbit de la conciliació laboral, la tecnologia digital pot ser una eina molt útil per planificar el temps a l'hora de compatibilitzar els moments de treball amb els familiars i els de formació individual.

El treball per competències a l'ensenyament potencia el desenvolupament de la competència digital i resulta un aspecte d'inclusió social, pensant en termes de participació.

5. Conclusió

L'educació inclusiva implica conjugar la inclusió digital i cognitiva en una proposta educativa, curricular i pedagògica unitària i sòlida. L'aspecte central de la qüestió sembla residir en quin sentit se li dóna i com fem servir la inclusió digital en el marc d'una proposta educativa que permeti atendre la diversitat de condicions i estils d'aprenentatge dels estudiants, personalitzant la proposta educativa (combinant recursos i continguts digitals i no digitals), en el ben entès que l'aprenentatge és un procés social i interactiu. Personalitzar no és aïllar l'estudiant de l'entorn col·lectiu d'aprenentatge sinó més aviat comprometre'l amb els seus propis aprenentatges afavorint el treball entre iguals. Hi ha diferències que igualen i altres que marginen. Cal potenciar les diferències igualadores i minimitzar al màxim les marginadores. Per exemple, una cadira de rodes permet la igualtat en del desplaçament (fi) amb la diferència del com (forma), igualment un comunicador permet la igualtat de la comunicació amb la diferència de l'ús de la síntesi de veu vers la parla. Per això parlem, entre d'altres raons, del dret a la diferència i la diversitat.

La complementarietat entre inclusió digital i cognitiva suposa repensar el centre educatiu i les relacions alumnes i docents. Les noves oportunitats de la inclusió haurien de comportar la redefinició dels rols dels docents i dels alumnes. El docent hauria de ser més un orientador (no sols un facilitador) i un articulador d'experiències d'aprenentatge, mentre que l'alumne hauria de ser més protagonista i regulador dels seus aprenentatges, de com va progressant en el seu desenvolupament i concreció i de la generació i aplicació del coneixement al món quotidià.

Cal considerar que hi ha una tendència a pensar que l'educació inclusiva implica atendre els grups categoritzats com a persones que tenen necessitats especials. L'educació inclusiva implica el reconeixement que tots i totes som especials, en aquest sentit hauríem de ser recolzats i enfortits, i hauríem de trobar uns espais i contextos que facilitin l'autonomia i participació de tothom.

Un concepte d'educació inclusiva que abasti a totes i tots també suposa una aposta per forjar l'aprendre a viure junts que es vagi gestant a les aules de composició heterogènia i on la diversitat (que és diferent a la disparitat) s'entén com una oportunitat per a democratitzar l'educació i la societat. En aquesta línia, el bon ús de la tecnologia pot facilitar la participació, per exemple mitjançant les xarxes socials.

L'educació inclusiva ha de tenir com a objectiu crear escenaris on tothom tingui les mateixes oportunitats de formació, independentment de la seva situació física, psíquica o social.

Cal potenciar l'educació generalitzada en competència digital per tal d'evitar desigualtats socials. La formació en el vessant tècnic (desenvolupament de programari, ús de les eines...) no pot anar deslligat del comunicatiu (identitat digital, educació mediàtica...). Destaquem la competència digital com a competència clau i factor d'igualtat social del s. XX i el paper de les escoles com a compensadores de l'escletxa digital. Aquesta separació es dóna entre els que són capaços d'utilitzar la tecnologia per produir coneixement i compartir-lo i els que no, així com els que són capaços de participar en la societat digital actual utilitzant les eines i els espais que aquesta posa al seu abast, tot valorant, de forma crítica, la seva idoneïtat i funció.

L'accessibilitat als continguts és un aspecte clau en la inclusió social de les persones amb discapacitats. Es fa necessari invertir en programari en català que afavoreixi la comunicació d'aquestes persones amb el seu entorn de la forma més natural i pròpia del territori.

L'educació informal és una font de bones pràctiques sobre inclusió digital que no queden prou reflectides ni reconegudes. Falten mecanismes institucionals que recullin i sistematitzin aquestes experiències per tal de valorar resultats i difondre'ls.

Referències documentals

ARASSAC. Portal Aragonés de la «Comunicación» Aumentativa y Alternativa. <http://www.catedu.es/arasaac/>http://www.catedu.es/arasaac/

Fundació Jaume Bofill (2013). *Anuari de l'educació 2013*. Disponible en Internet. <http://www.fbofill.cat/index.php?codmenu=25.01>http://www.fbofill.cat/index.php?codmenu=25.01

Generalitat de Catalunya. Departament d'Ensenyament (2014). *Edu365. Internet Segura.* <http://www.edu365.cat/internetsegura/index.htm>http://www.edu365.cat/internetsegura/index.htm

Generalitat de Catalunya (2009). Llei 12/2009, del 10 de juliol, d'educació.

Generalitat de Catalunya. Departament d'Ensenyament (2014). *Jornada d'inclusió digital.* <https://sites.google.com/a/xtec.cat/jornada-inclusio-digital/>https://sites.google.com/a/xtec.cat/jornada-inclusio-digital/

Hoffman, D. L., Novak, T. P., & Schlosser, A. E., Ed. (2001). «The Digital Divide. Facing a Crisis or Creating a Myth». Cambridge, MA, MIT Press.

La mosqueta (2014). <http://www.lamosqueta.cat/>http://www.lamosqueta.cat/

Ley Orgànica 2/2006, de 3 de mayo, de Educación.

Projecte Fressa (2014). <http://www.xtec.cat/~jlagares/eduespe.htm>http://www.xtec.cat/~jlagares/eduespe.htm

Palacios, A. y Romañach, J. (2007). *El Modelo de la Diversidad, La Bioética y los Derechos Humanos como herramientas para alcanzar la plena dignidad en la diversidad funcional.* Santiago de Compostela: Ediciones Diversitas – AIES. Disponibleen <http://www.asoc-ies.org/docs/modelo%20diversidad.pdf>

Palacios, A., Bariffi, F. (2007). *La discapacidad como una cuestión de derechos humanos. Una aproximación a la Convención Internacional sobre los Derechos de las Personas con Discapacidad.* Madrid: Ediciones Cinca. Disponibleen <http://turan.uc3m.es/uc3m/inst/BC/docs/discapacidadDerechosHumanos.pdf>

Sancho, J. (2001). Suports digitals per repensar l'educació especial. Barcelona: Octaedro - EUB.

UTAC (2014). <https://sites.google.com/site/utacub/>

L10. Inclusión y cohesión social

Juan Carlos Tedesco, Meritxell Estebanell Minguell,
José L. Lázaro Cantabrana, Carmen Alba Pastor,
Emmanuelle Gutiérrez y Restrepo y Renato Opertti

La literatura que analiza las transformaciones sociales contemporáneas coincide en señalar que estamos viviendo la aparición de nuevas formas de organización social, económica y política. La crisis actual es una crisis estructural, cuya principal característica radica en que las dificultades de funcionamiento se producen simultáneamente en las instituciones responsables de la cohesión social (el Estado, la Providencia), en las relaciones entre economía y sociedad (los cambios en los modelos de organización del trabajo) y en los modos a través de los cuales se forman las identidades individuales y colectivas (instituciones de socialización). Estos profundos cambios se articulan con el desarrollo de tecnologías que han permitido situar la información y el conocimiento como factores centrales tanto para las actividades productivas como para el desempeño ciudadano y para la constitución de cada uno como sujeto.

La hipótesis más general que orienta gran parte de los estudios en este campo consiste en sostener que una sociedad y una economía basadas en el uso intensivo de conocimientos, producen simultáneamente fenómenos de más igualdad y de más desigualdad, de mayor homogeneidad y de mayor diferenciación, de mayores niveles de inclusión y exclusión.

Con respecto al aumento de la desigualdad, los datos sobre la evolución de la distribución del ingreso permiten apreciar que, si bien la desigualdad entre países está disminuyendo debido al crecimiento económico de los países emergentes, la desigualdad dentro de cada país está aumentando. Este fenómeno se aprecia especialmente en los países desarrollados, donde tradicionalmente existían niveles de protección social muy altos, que ahora tienden a disminuir. Pero el aumento de la desigualdad y de la exclusión social coexiste con una significativa disminución de la importancia de las jerarquías tradicionales en la organización del trabajo. La utilización de tecnologías intensivas en conocimientos tiende a reemplazar las tradicionales pirámides de relaciones de autoridad por redes de relaciones cooperativas. Desde este punto de vista, la mayor igualdad entre los incluidos implica una separación mucho más profunda con respecto de los excluidos. La desigualdad, por otra parte, asume características distintas a las del pasado, ya que la exclusión y la diferenciación son vividas como un fracaso personal y no como el destino de una clase social.

Estas transformaciones sociales están asociadas al proceso de *globalización,* que afecta no sólo a la dimensión económica sino también a la política y a la cultural. Desde el punto de vista político, se ha producido una tendencia a construir entidades supranacionales que permitan afrontar los desafíos que se plantean tanto a nivel planetario como multinacional, tales como los volúmenes crecientes de transacciones financieras internacionales, los problemas derivados del cuidado del medio ambiente, la expansión del delito internacional y la expansión de Internet como vehículo de circulación de información sin regulación posible a nivel nacional.

Como resultado de estos procesos, el concepto de ciudadanía asociado a la *nación* ha comenzado a perder significado. En su reemplazo, aparecen tanto la adhesión a entidades supranacionales como también el resurgimiento de reclamos de reconocimiento a la diversidad cultural y a las identidades locales. La aparición de lo local y de lo supranacional como espacios de participación social está asociada a fenómenos de ruptura de la acción política tal como se la concebía hasta ahora. La construcción de una ciudadanía planetaria exige un concepto de solidaridad vinculado a la pertenencia al género humano y no a alguna de sus formas particulares. Por otra parte, las formas de participación también se modifican significativamente y dan lugar a la aparición de redes de ciudadanos que se organizan y se expresan por fuera de las instituciones tradicionales de participación política. La construcción de nuevas pautas de participación ciudadana, sin embargo, conlleva enormes dificultades, la mayoría de las cuales está vinculada a las formas a través de las cuales se produce el proceso de globalización.

Al estar basada fundamentalmente en la lógica económica y en la expansión del mercado, la globalización erosiona los compromisos, las identidades culturales locales y las formas habituales de solidaridad y cohesión con nuestros semejantes. Las élites que actúan a nivel global tienden a comportarse sin compromisos con los destinos de las personas afectadas por las consecuencias de la globalización. En este sentido, numerosos diagnósticos de la sociedad actual muestran que la ruptura de los vínculos tradicionales de solidaridad provocada por el proceso de globalización ha generado nuevas formas de exclusión, de soledad y de marginalidad. Mientras que, en la cúpula, las elites que participan de la economía supranacional plantean el riesgo de que su desapego estimule un individualismo asocial, basado en la falta total de solidaridad, en la base existe el riesgo del desarrollo de fundamentalismos extremos, que se expresan a través de fenómenos de xenofobia y de cohesión autoritaria.

La controversia acerca del papel de las tecnologías de la información y la comunicación en estos procesos divide las opiniones entre aquellos que adjudican a las tecnologías un papel relevante en la determinación de fenómenos de exclusión y de aumento de las desigualdades y aquellos que sostienen, por el contrario, que estas tecnologías generan mayores posibilidades de participación, de comunicación, de acceso democrático al conocimiento. Ambas posiciones tienen en común la idea según la cual son las tecnologías las que provocan esos impactos. La hipótesis sobre la cual se apoya este documento, en cambio, se aparta del determinismo tecnológico y sostiene que el impacto de las tecnologías sobre la cohesión y sobre la inclusión social depende del proyecto de sociedad en el cual se inserte su utilización. Desde este punto de vista, el vínculo entre tecnologías de la información y la comunicación y la cohesión y la inclusión sociales supone la existencia de una clara adhesión a valores de justicia social.

1. Panorámica mundial de la línea

Los datos de distribución de TIC (Tecnologías de la Educación y la Comunicación) en el plano internacional indican la presencia de dos fenómenos importantes. El primero de ellos es la significativa desigualdad en el acceso a ellas según niveles de desarrollo social. Tomando como referencia los países de la OCDE al comienzo de la presente década, por ejemplo, puede apreciarse que, mientras que el acceso a Internet es prácticamente universal en países como Corea, Países Bajos, Islandia, Noruega, Suecia y Dinamarca, sólo alcanza a menos de la mitad de los hogares de Grecia, Turquía, Chile o México. El mismo fenómeno se aprecia con respecto al número de líneas telefónicas. Si se observa la situación relativa a líneas de telefonía móvil, por ejemplo, mientras que en África existían 45,2 líneas por cada 100 habitantes, en Europa se registraban 117,7 líneas.

Sin embargo, el segundo fenómeno importante es la velocidad con la cual se expande el acceso. En este sentido, la distancia entre los países tiende a disminuir, ya que las regiones menos avanzadas tienen un potencial de crecimiento muy importante, mientras que las regiones más avanzadas están cerca de la saturación. Un dato ilustrativo de este fenómeno es la tasa de crecimiento del acceso a Internet o a las líneas de telefonía móvil. Con respecto de Internet, mientras que la tasa de crecimiento entre 2005 y 2010 en África fue del 38,3, en Europa fue de sólo 8,2. Con respecto de telefonía móvil, mientras que la tasa de crecimiento en ese mismo período para África fue de 32,8, para Europa fue del 5,7. Para que las desigualdades en la distribución de las tecnologías continúen su proceso de reducción será necesario, sin embargo, que los países menos avanzados superen sus niveles de desigualdad internas, ya que la expansión universal de las tecnologías requiere una distribución del ingreso más equitativa al interior de dichos países.

Estas tendencias cuantitativas permiten sostener, además, que la brecha digital se está trasladando desde la desigualdad en el acceso a la desigualdad en el tipo de acceso y en la capacidad de uso. Así, por ejemplo, mientras que Europa tiene 23,8 % de suscriptores de banda ancha fija, África no llega ni siquiera al 1 %. La capacidad de uso es más difícil de medir en función de algún indicador específico, pero puede ser asociada a los índices de calidad de la educación de la población que, como es sabido, también son significativamente desiguales según niveles de desarrollo social y de condiciones materiales de vida de las familias.

1.1. Políticas públicas

La superación de las brechas, particularmente en los países menos avanzados, está asociada al papel del sector público y de la educación en todas sus modalidades. En los años recientes, y especialmente en los países menos desarrollados, se han puesto en marcha programas muy importantes de expansión de la infraestructura de conectividad y de distribución de ordenadores a cargo de los diferentes Estados. La mayor parte de esos programas están diseñados bajo la modalidad de «uno a uno» (un ordenador por alumno) y se dirigen a los sectores más desfavorecidos de la población. En algunos casos la universalización se focaliza en los alumnos de escuela primaria y en otros se orienta hacia la escuela secundaria. Los significativos niveles de financiamiento que exigen estas políticas, así como la articulación entre diferentes sectores de la administración pública (ministerios de educación, de obras públicas, de comunicación, administraciones centrales y locales, etc.) plantean desafíos nuevos a la gestión de las políticas públicas, que deben manejar la tensión entre la prudencia que requieren estos niveles de inversión financiera y la audacia necesaria para enfrentar los desafíos nuevos, que requieren respuestas rápidas.

En este contexto, también es necesario analizar la relación entre las modalidades escolares y no escolares, así como las iniciativas formales y no formales, regladas y no regladas de educación. Las opciones más exitosas en este campo son las que articulan ambas opciones en lugar de presentarlas como alternativas excluyentes. Un ejemplo extremo de alternativa excluyente que tiene dimensiones cuantitativamente importantes es la que se conoce bajo la denominación de ***home school***, con consecuencias arriesgadas desde el punto de vista de la inclusión y de la cohesión sociales. A la inversa, los significativos avances en lo que se refiere a alfabetización digital han sido producto de acciones no formales y no regladas. La articulación entre ambos tipos de estrategias es fundamental para garantizar procesos genuinos de inclusión. Ciertos aprendizajes exigen procesos sistemáticos de enseñanza que son, a su vez, los que permiten aprovechar plenamente las ofertas de educación no formal.

1.2. Políticas internacionales de accesibilidad

Una de las dimensiones de mayor importancia en el plano internacional es la que se refiere a las políticas de accesibilidad. En el ámbito europeo, la Resolución Res-AP (2001), *Towards full citizenship of persons with disabilities through inclusive new technologies*, adoptada por la Comisión de Ministros el 24 de octubre de 2001, recomendaba a los gobiernos la elaboración de estrategias que adapten las tecnologías a las necesidades de todos los estudiantes, incluyendo aquellos con necesidades educativas especiales. Dichos estudiantes deberían contar con las tecnologías de apoyo (dispositivos y servicios) que necesiten y estas deberían incluirse en programas de educación individualizada. La formación en el uso de tales dispositivos es considerada un componente esencial tanto para los estudiantes como para los profesores. La resolución establece que las tecnologías deberían utilizarse proactivamente para facilitar la educación integrada, que permita a los estudiantes con discapacidad ser educados en entornos normalizados junto con el resto de sus compañeros. Para el logro de estos objetivos, la propia resolución enfatiza en la importancia de garantizar la accesibilidad y la usabilidad de los productos y de los servicios desde la etapa de diseño, para lo cual recomienda que la estrategia de «diseño para todos» debiera incorporarse en los currícula de todas las carreras de ingeniería y diseño.

Parecería que aquí está la raíz del problema, ya que se considera necesario formar a los educadores en el uso de las TIC y prestar atención a las «necesidades especiales», pero sólo se considera necesario incluir el «diseño para todos"» como asignatura en los cursos relacionados con diseño o ingenierías.

A nivel internacional, el 30 de mayo de 2008 entró en vigor la Convención Internacional de Derechos de las Personas con Discapacidad y su Protocolo Opcional de la Organización de Naciones Unidas (ONU). Este instrumento de la ONU tiene como principal objetivo garantizar el disfrute de los Derechos Humanos de manera completa e igualitaria por parte de las personas con discapacidad. Para ello, los Estados que se adhieran a la Convención se comprometen a adoptar y a implementar las políticas, las leyes y las medidas administrativas necesarias para dar efecto a los derechos reconocidos en la Convención; así como a abolir las leyes, las normas, las costumbres y las prácticas que sean discriminativas. Seis años tras su entrada en vigor, y en el momento de redactar este documento, la Convención cuenta con 145 ratificantes y 158 firmantes, mientras que el Protocolo Optativo cuenta con 80 ratificaciones y 92 firmas.

En cuanto a la accesibilidad, la Convención exige en su Artículo 9 que los Estados miembros identifiquen y eliminen los obstáculos y las barreras de manera que las personas con discapacidad puedan acceder en igualdad de condiciones al entorno físico, al transporte, a los servicios y a las instalaciones públicas, y a las tecnologías de la información y la comunicación. Se defiende, por tanto, el principio de independencia de las personas con discapacidad. Esto significa que la accesibilidad debe ser promovida a través de ayudas a la movilidad personal, dispositivos, tecnologías de asistencia y asistentes personales. El mismo principio se aplica al acceso a la información, mediante formatos accesibles, facilitando el uso del Braille, la lengua de signos y otras formas de comunicación; y alentando a los medios y a los proveedores de Internet a proporcionar la información online en formas que cubran dichos requisitos. Entre las medidas que deberían aplicar los Estados miembros se menciona la necesidad de proporcionar formación a quienes estén involucrados en los problemas de accesibilidad a los que se enfrentan las personas con discapacidad. En este sentido, existe una interpretación según la cual dicha formación debería proporcionarse a arquitectos, diseñadores e ingenieros (informáticos, entre otros). Sin embargo, debería existir una conciencia generalizada de que la formación en materia de accesibilidad debe ser proporcionada a cualquier persona que participe en la sociedad de la información y, en especial, a los educadores.

1.3. Uso e integración de las TIC en la educación como herramienta de inserción social

El uso y la integración de las TIC en la educación plantean la necesidad de distinguir claramente dos cuestiones vinculadas entre sí, pero de naturaleza muy diferente. Una es de carácter social, y se refiere a la inclusión digital; mientras que la otra es de carácter pedagógico, y se refiere al uso de las TIC como recurso didáctico o como dispositivo para ser utilizado en el proceso de enseñanza-aprendizaje.

Con respecto de las políticas de inclusión digital, es posible postular la hipótesis según la cual es necesario considerarlas como equivalentes a las tradicionales campañas de alfabetización, destinadas a universalizar la capacidad de leer y escribir. Antes de la invención de la imprenta, no era necesario estar alfabetizado para ingresar al circuito por el cual circulaba la información socialmente más significativa. Con la imprenta, la necesidad y el derecho de saber leer y escribir exigió políticas de alfabetización universal. Hoy, además de saber leer y escribir, es necesario estar digitalmente alfabetizado para tener acceso a la información y ejercer reflexivamente el desempeño ciudadano. Son muchos los países que han puesto en marcha políticas de introducción de las tecnologías en la educación (CEIBAL, ENLACES, Escuela 2.0, 1x1, etc.) con planes de distribución masiva de ordenadores como el ya citado modelo «uno a uno» (un ordenador por niño), que han hecho posible el acceso a los recursos digitales para muchos estudiantes y, a través de ellos, a sus familias. Pero al igual que con la alfabetización de la lectoescritura, no basta con tener acceso al instrumento y con manejar las formas elementales del mecanismo. Es necesario, en cambio, dominarlo de manera tal que constituya un vehículo para comprender el mundo y para poder expresarse.

La segunda dimensión, que se refiere al uso de las TIC como recurso didáctico, es objeto de una mayor controversia (o debate, o incluso polémica) que la existente en el punto anterior. La literatura al respecto es abundante, pero la controversia permite colocarnos en un lugar donde quedan excluidas las posiciones tecnocráticas, tanto las que anuncian la panacea como las que niegan, subestiman o rechazan el uso de las tecnologías como recurso pedagógico. Las investigaciones más relevantes en este campo indican que dotar a los actores del proceso pedagógico de los dispositivos tecnológicos es fundamental, pero no es suficiente para modificar los modelos pedagógicos. Modificar dichos modelos implica diseñar estrategias integrales y complejas que van más allá de la disponibilidad de recursos y que afectan a la formación de los docentes, al contexto organizativo y a las políticas de los centros en relación con las tecnologías, y a los numerosos patrones culturales, institucionales y curriculares que rigen los procesos de enseñanza. En síntesis, es el modelo pedagógico del docente, de la institución escolar o de la organización que desarrolla un proyecto educativo el que determina el uso de las TIC, y no a la inversa.

1.4. Diseño curricular: Tensión entre diversidad y cohesión

El uso de las TIC en la enseñanza quizás pueda considerarse bastante generalizado hoy en día, pero no ocurre lo mismo con lo que podríamos llamar un buen uso, dado que son numerosas las experiencias de implementación de TIC en el aula y para la formación online, pero en la mayoría de los casos no se tienen muy en cuenta los estándares de accesibilidad y usabilidad (lo cual genera nuevas formas de exclusión); ni, por tanto, la personalización (la cual pasa por la necesidad de adaptar contenidos y actividades a las necesidades y preferencias del alumno desde un punto de vista psico-educativo y funcional).

La inclusión y la cohesión sociales que exigen los procesos de construcción de sociedades más justas no son los mismos del pasado. No se trata de una cohesión basada en la imposición de un modelo cultural particular al conjunto de las personas, que elimine el respeto a la diversidad y a la identidad de cada sujeto. Una sociedad justa es aquella en la que cada uno es reconocido y tratado como un individuo, pero donde todos y cada uno somos protegidos y asumidos en nuestra eventual vulnerabilidad. Desde este punto de vista, la incorporación de las TICs a las acciones educativas abre enormes posibilidades a la atención de la diversidad, tanto de tipo social y cultural, como de tipo físico o psicológico.

La tensión entre diversidad y cohesión se pone de manifiesto particularmente en los diseños curriculares, que deben contener la transmisión de aquello que nos une y promover la creatividad y las condiciones para que cada uno construya su propia identidad. Homogeneidad y diversificación curricular no son alternativas excluyentes. Las TICs pueden ser un componente fundamental para el logro de estos objetivos, ya que pueden ser utilizadas para el acceso al patrimonio cultural común, para la mayor conexión con nuestros semejantes y con nuestros diferentes. Nuevamente, queremos expresar que el uso de las TIC no depende de ellas mismas, sino del proyecto educativo y social en el cual se incorporen.

1.5. Propuestas orientadas al uso de las TIC al servicio de la inserción social y de la educación inclusiva

Durante muchos años, la principal tendencia en relación con el uso de las TIC para promover la inserción social o la inclusión educativa ha sido utilizar recursos específicos y practicar usos también centrados en las limitaciones por superar por esas personas o colectivos (como herramienta para promover la inclusión de estudiantes con NEE o para lograr la inclusión de un determinado colectivo). Existe una tendencia más reciente que resalta la importancia de que la sociedad en su conjunto entienda, use y sea formada para lograr que el uso de las tecnologías sea socialmente relevante para promover la inclusión o la justicia sociales.

Una segunda tendencia cada vez más presente en las prácticas y en los discursos es, como señalan Travieso y Planella (2008), que la alfabetización tecnológica supere el enfoque meramente instrumental –necesario pero no finalista– y se formulen propuestas que incorporen usos de las tecnologías dirigidos a desarrollar valores cooperativos, actitudes críticas y participación activa. Esta tendencia requiere formadores no solo con perfiles técnicos, sino con formación en usos sociales de las TIC.

En tercer lugar, también se observa una cierta tendencia a que se asuma desde diferentes organizaciones civiles –y no solo desde las instituciones públicas– la tarea de poner en marcha iniciativas dirigidas a reducir la exclusión social y promover la igualdad de oportunidades, incluyendo la alfabetización digital. Aunque las instituciones públicas son responsables de garantizar la cohesión social y el desarrollo equitativo de la sociedad, las organizaciones civiles y las ONG cada vez tienen un papel más relevante en la lucha por una sociedad más justa y por lograr la igualdad de oportunidades que aprovecha su proximidad a los ciudadanos que les convierte en interlocutores preferentes, por lo que se implican en la puesta en marcha de iniciativas dirigidas a la formación digital y la universalización del acceso a las TIC.

2. Documentos, estudios y experiencias de relevancia internacional

Son bastante numerosas las experiencias con TIC que se están realizando en este ámbito. Una de las primeras conclusiones es que las tecnologías se están utilizando en muchos y variados contextos y con diferentes colectivos vulnerables en riesgo de exclusión o para promover su inclusión: población en condiciones de pobreza, mujeres, personas con discapacidad, ancianos, emigrantes, población indígena, entre otros. En unos casos, el objetivo es la formación para permitir el acceso a las tecnologías y a los beneficios que de ellas se derivan; y, en otros, tienen a las TIC como soporte de actividades socialmente significativas (información, comunicación, formación, gestiones).

Uno de los colectivos que mayor atención está recibiendo en relación a la exclusión/inclusión digital y social es el de las personas mayores. Trabajos como el de Brittain, Corner, Robinson y Bond (2009), sobre la utilización de las TIC como recurso para apoyar a personas con demencia en el desarrollo de actividades cotidianas, muestran el papel mediador de las tecnologías entre el entorno físico y social en el que viven. También aparece el rol que se les asigna a estas personas como usuarios y destinatarios de tecnologías, pero rara vez se cuenta con ellos como sujetos activos en el desarrollo de estos recursos. Otros trabajos, como el de Gorard y Selwyn (2008), destacan la presencia de estereotipos en relación con la utilización de las tecnologías entre los colectivos de personas de la tercera edad, unas veces presentados como usuarios activos y otras veces como grupo excluido; y ponen sobre la mesa el mito de los «navegantes plateados» (los llamados *silver surfers*), personas de la tercera edad que son usuarios activos de Internet y de otras tecnologías para la realización de diferentes actividades, frente a la existencia mayoritaria de personas dentro de este colectivo que están fuera del mundo digital y de sus posibles beneficios. Sin embargo, lo que se pone de manifiesto es la necesidad de conocer lo que hacen realmente con las TIC, de identificar lo que estas tecnologías les ofrecen de y comprender por qué las personas de la tercera edad usan o no las tecnologías.

Otro colectivo que recibe especial atención por el potencial riesgo de exclusión digital son las mujeres. El género sigue actuando como una variable en la brecha digital. El trabajo de Goh (2010) señala que, tras los esfuerzos que se llevan realizando desde hace años para introducir las TIC en los colectivos de mujeres, son muchos los grupos que todavía se encuentran en los niveles más bajos de la brecha digital. Para muchas, el nivel de acceso a Internet está todavía muy por debajo de lo que sería deseable o debería esperarse en relación con otros grupos y, más concretamente, en relación con los hombres. Según esta autora, a los procesos sociales y estructurales hay que añadir la necesidad de determinar y definir el uso o los usos efectivos de las TIC para las mujeres. Entre los elementos que podrían contribuir a explicar esta situación, destaca la dificultad intrínseca que encuentra este colectivo debida a las limitaciones de recursos y a los menos usos que pudieran ayudar a romper las posiciones de marginalidad y contribuir a fomentar la inclusión social. Una variable por tener en cuenta en las acciones dirigidas a mujeres, en línea a lo que apuntan Koppi, Sheard, Naghdy, Edwards y Brookes (2010), es la importancia de incorporar la visión de las mujeres sobre el uso de las TIC en el currículum de las acciones formativas dirigidas a este colectivo.

Por otra parte, son también muy numerosos los trabajos que presentan experiencias de utilización de las TIC con estudiantes o personas con NEE, que en la mayoría de los casos muestran efectos positivos en el aprendizaje, en la comunicación, en la autoestima, en el empoderamiento de las personas y para la inclusión social. Bunning, Heath y Minnion (2009), en el estudio que realizan sobre el Proyecto @pple (Access & Participation for People with intellectual disability in Learning Environments), dirigido a explorar cómo jóvenes con discapacidad intelectual acceden y participan en contextos de e-Learning y en la web, insisten en los problemas de tipo operativo de las tecnologías para estas personas, a los que se añaden otras que podrían considerarse barreras más de tipo social, como son los costes, la accesibilidad de algunas tecnologías y otros aspectos relacionados con la formación de los propios estudiantes y del profesorado, tal como se vio en el punto 2.2.

En cuanto a la utilización de las TIC en las escuelas para favorecer la igualdad de oportunidades de estudiantes con necesidades educativas especiales (NEE), son muchas las experiencias y las referencias existentes, y en la mayoría de los casos se observa que estos estudiantes siguen estando, en muchos casos, segregados o no integrados plenamente en el contexto escolar, en el diseño y en el desarrollo del currículum o en la propia vida académica. En primer lugar, por la falta de recursos técnicos, materiales didácticos y humanos; pero también por la falta de formación del profesorado y por la falta de apoyo técnico, elementos todos ellos necesarios para lograr escuelas para todos y la inclusión plena de todos los estudiantes, con NEE y sin ellas. Pero es difícil encontrar datos sistematizados y comparables que permitan tener una idea completa sobre la situación real de uso de las TIC en los contextos escolares para permitir el acceso a los procesos de enseñanza de los estudiantes, del uso en los programas de apoyo o individualizados o en el aula regular para apoyar los procesos de aprendizaje y sus posibles beneficios para la inclusión educativa y social.

Entre las experiencias de utilización de las TIC en contextos rurales para mejorar la inclusión digital, Salinas y Sánchez (2009) presentan los resultados de la experiencia en 145 escuelas rurales en Chile, e identifican como claves la función de facilitadores de los docentes y la utilización de las tecnologías como medios y no como un fin en sí mismo. De esta manera, la alfabetización no se limita a los procesos técnicos, sino que supone su integración simbólica y la posibilidad de utilizarlas en procesos que contribuyan a su integración social.

Como se ha dicho ya, la formación del profesorado es un elemento clave para una educación realmente inclusiva, y en lo que a formación de profesores se refiere, es de destacar el proyecto ALTER-NATIVA que fue financiado por el Programa ALFA II (DCI-ALA/2010/88) de la Unión Europea y que estaba dirigido en especial a Latinoamérica, si bien en él participaban también universidades socias españolas y portuguesas. El consorcio estaba constituido además por universidades de México, El Salvador, Nicaragua, Colombia, Perú, Bolivia, Chile y Argentina y por entidades del tercer sector, entre ellas la Fundación SIDAR. ALTER-NATIVA tenía entre sus objetivos definir referentes curriculares para la incorporación de TIC en la experiencia de enseñanza-aprendizaje en contextos de diversidad; esto es, referentes que tuvieran en cuenta las necesidades y las preferencias de interacción de personas con discapacidad, personas en riesgo de exclusión socioeconómica y de poblaciones indígenas. Como resultado del proyecto, se creó una serie de referentes curriculares y guías para la integración de TIC en la enseñanza de matemáticas, ciencias y lenguaje, pero el resultado más impactante, quizás, fue la formación de los profesores participantes y la formación *blended-learning* que la Fundación SIDAR diseñó para empoderar a los docentes en la creación de objetos de aprendizaje accesibles, de manera que realmente puedan cubrir las necesidades de los alumnos, independientemente de la situación que les pone en riesgo de exclusión. Ello supuso formar a los profesores en cuanto a las necesidades de los alumnos y en cuanto el conocimiento de las tecnologías de apoyo que en algunos casos utilizan, en los estándares de e-Learning y de accesibilidad, y dotarles de competencias para el tratamiento de modo accesible de todos y cada uno de los elementos comunicativos que pueden constituir un objeto de aprendizaje. Y aunque en principio la tarea parezca casi imposible de lograr, en especial teniendo en cuenta que la mayoría de los profesores tenían un muy bajo nivel de alfabetización digital, el resultado fue todo un éxito, dado que durante el proyecto fueron capaces de crear objetos de aprendizaje para cada una de las áreas, incluyendo criterios de accesibilidad. Con ello, quedó demostrado que es posible conseguir que los educadores no dependan un 100 % del apoyo de técnicos especialistas (Restrepo, Benavídez y Gutiérrez, 2012).

En el ámbito europeo, en el nivel de la educación superior, se había llevado a cabo anteriormente otro proyecto, denominado EU4ALL (Boticario et al., 2012), que propuso –y parece que es la vía más aceptada en Europa en dicho nivel de estudios– crear en cada universidad un departamento de atención a la discapacidad que se ocupe de adaptar los contenidos creados por los profesores, lo cual implica definir un *workflow* que garantice la adaptación correcta de los materiales educativos. Pero esta solución tiene varias desventajas, en especial para los países en vías de desarrollo. El primer problema obvio es la necesidad de mantener personal especializado contratado. El segundo, relacionado con el primero, es la dificultad de contar con empleados con experiencia en todas las áreas de enseñanza, ya que quienes tienen que llevar a cabo las adaptaciones, necesariamente tendrán, en otro caso, que consultar constantemente con el profesor de la materia para comprobar la correcta comprensión del contenido y poder así marcarlo adecuadamente si está utilizando un lenguaje marcado para la generación de la adaptación. Todo ello, a su vez, implica una gran cantidad de tiempo para la generación de las alternativas o del contenido directamente accesible. Finalmente, el tercer problema es que este sistema implica mantener el *statu quo*, es decir, mantener a los profesores en la ignorancia por lo que respecta a la creación de contenidos accesibles.

En definitiva, este sistema mantiene y apoya la idea de que la accesibilidad es muy difícil y ha de ser tratada por especialistas, lo que limita el campo de acción de los docentes, quienes tienen que pasar por un filtro todo lo que hacen. Sin embargo, como se ha visto, existe otra solución, la de formar a los profesores para que sean autónomos en la creación de contenidos accesibles para todos. La formación del profesorado y su empoderamiento para la creación autónoma de contenidos educativos accesibles y el aprovechamiento de las TIC en los procesos de enseñanza-aprendizaje tienen su continuación en la Red ALTER-NATIVA, a la que pueden adherirse todas las universidades de habla hispana que así lo deseen.

Entre los estudios y los documentos referidos a los países europeos, destacamos un estudio importante sobre el Reino Unido, pero con conclusiones válidas para otros países, como es el trabajo de Helsper (2008), que estudia las implicaciones de la exclusión de la sociedad de la información a partir del examen de los datos más relevantes disponibles en Reino Unido, procedentes de diferentes estudios y estadísticas y a partir de la creación de índices inter-estudios. Los resultados ponen de manifiesto que la exclusión digital es una realidad para ciertos segmentos de la población y esta forma de exclusión refuerza y agrava la situación de marginación existente. A su vez, este estudio muestra que la desconexión digital es persistente y está relacionada con la desventaja social. Estos resultados indican que esta desconexión no es simplemente un asunto académico o de poca relevancia en las políticas sociales, ya que tecnología y desventajas sociales están relacionadas de forma compleja y actúan reproduciendo la situación de desigualdad.

Más allá de la discusión acerca del lugar de las pruebas PISA (Programa para la Evaluación Internacional de los Alumnos) en el diseño de políticas educativas, sus datos son especialmente ilustrativos sobre la necesidad de incluir las TIC en la educación y sobre la importancia de formar a los docentes en cuanto a dicha inclusión. El Informe PISA 2012 fue el primero en el que se indicaron datos sobre la competencia matemática por ordenador. En 2009 se evaluó la competencia lectora mediante ERA (Evaluación de la Lectura Digital) y en la próxima edición, que se llevará a cabo en 2015, se prevé que las pruebas en todas las competencias evaluadas se resuelvan únicamente por ordenador. La ventaja de haber realizado la prueba de 2012, tanto en papel como por ordenador, es que permite realizar una comparación de resultados según el medio utilizado por los alumnos.

Aunque los ordenadores forman parte de la vida diaria de los alumnos, el diseño de esta parte de la prueba de PISA se ha realizado teniendo en cuenta que el razonamiento y los procesos cognitivos tienen prioridad sobre el dominio del uso del ordenador como herramienta. España obtiene 475 puntos en matemáticas por ordenador, 22 puntos menos que la media de la OCDE (497), una diferencia que es estadísticamente significativa. En España, los alumnos que obtuvieron el mejor rendimiento fueron los que hicieron la prueba en papel, con una diferencia de 9 puntos. Este patrón es contrario al del conjunto de países de la OCDE, donde los alumnos que realizaron la prueba por ordenador obtuvieron el mejor rendimiento, con una diferencia de 3 puntos sobre sus compañeros. En cuanto a comprensión lectora, España consigue 466 puntos en lectura digital, 31 puntos menos que la media de la OCDE (497), una diferencia también estadísticamente significativa. Los alumnos españoles vuelven a obtener mejores resultados en papel que en ordenador, 22 puntos de diferencia; esto también sucede en países como Hungría, Polonia, Alemania o Israel, entre otros. Por el contrario, alumnos de países como Corea del Sur, Italia, Francia, EEUU o Suecia obtienen mejores resultados en la prueba por ordenador que en papel. Y en cuanto a las diferencias entre géneros, en el conjunto de la OCDE, en matemáticas, ambos géneros obtienen mejores resultados cuando realizan la prueba por ordenador que cuando lo hacen en papel, al contrario que en España. Sin embargo, en comprensión lectora únicamente los chicos obtienen mejores resultados en la prueba por ordenador para el conjunto de la OCDE. Además, las diferencias entre ambos modos de realización de la prueba son mucho mayores en España que en el promedio de la OCDE.

Para el caso de América Latina, la Comisión Económica para América Latina y el Caribe (CEPAL) ha producido un importante conjunto de estudios que analizan el proceso de integración de las TIC en los sistemas educativos, tanto desde el punto de vista cuantitativo como cualitativo. El enfoque multidimensional de estos estudios brinda aportes importantes para la toma de decisiones tanto a nivel gubernamental como no gubernamental. Una visión panorámica de este enfoque puede verse en Sunkel, Trucco y Espejo (2013). Para el caso de los países asiáticos, existe una abundante documentación tanto nacional como regional. Una síntesis de la información disponible puede verse en

UNESCO (2014). El continente africano, por su parte, tiene una situación globalmente rezagada con respecto a la incorporación de TICs en educación, aunque algunos países se apartan de esta caracterización general. Un panorama del estado de cada país puede verse en Farell, Isaacs y Trucano (2007). Los países árabes, por su parte, atraviesan un período de significativa expansión del uso de TIC en la sociedad. En este caso concreto, uno de los fenómenos más importantes ha sido el papel de las TIC en los movimientos sociales de la así llamada «primavera árabe», donde estas tecnologías fueron utilizadas por la población, especialmente por los jóvenes, en sus movilizaciones por demandas democráticas. Al respecto, se puede ver el documento de la UNESCO (2013).

3. Prospectiva de la línea

Para definir líneas prospectivas en este terreno, es necesario asumir hacia dónde se desea orientar las acciones futuras. Los análisis sobre la cultura contemporánea coinciden en señalar que la incertidumbre es una de las características centrales de las reflexiones sobre el futuro. En un contexto de este tipo, asumimos que la construcción de sociedades más justas es el criterio que define la orientación de las líneas prospectivas que se deberían promover.

Asimismo, es importante señalar la significativa relevancia de la dimensión internacional en la definición de la prospectiva sobre el uso de las TIC, ya que su dinamismo supera las fronteras nacionales. Internet, las empresas productoras de innovaciones y la lógica con la cual actúan los actores que se desempeñan en este terreno no se regulan dentro de espacios nacionales. Desde este punto de vista, es necesario considerar los organismos internacionales, tanto gubernamentales como no gubernamentales, como protagonistas principales de las acciones futuras destinadas a promover mayor cohesión e inclusión sociales a través del uso de las TIC.

A continuación se indican algunas posibles líneas de acción en el ámbito internacional y su articulación con las políticas nacionales o locales:

Ámbito: Organismos internacionales
Reto: Sistematizar la información y experiencias
Acción: Creación de un sistema de clasificación o de estándares que permita sistematizar la información sobre las políticas y sobre las acciones que se desarrollan en los diferentes ámbitos sobre alfabetización digital y políticas en relación con la brecha digital, con datos sobre su desarrollo y sus efectos.

Ámbito: Organismos internacionales/Gobiernos nacionales
Reto: Evaluación y seguimiento de las políticas y acciones

Acción: Creación de sistemas que permitan la evaluación y el seguimiento de las políticas y acciones que se desarrollan en los diferentes niveles de acción en los que se utilizan las TIC en los diferentes grupos y colectivos. Difundir adecuadamente la información tanto entre los organismos gubernamentales como no gubernamentales.

Ámbito: Organismos internacionales/Gobiernos nacionales
Reto: Disminuir la brecha digital
Acción: Asistencia técnica y ayuda financiera para superar las brechas en el acceso y en la utilización de las TIC, con una atención prioritaria a la formación de personal, a la accesibilidad de población con necesidades especiales y al diseño y a la producción de materiales pertinentes y de calidad.

Ámbito: Organismos internacionales/Gobiernos nacionales
Reto: Normativa internacional que garantice la accesibilidad a todos los usuarios
Acción: Actualizar y ampliar el compromiso de los países con la normativa internacional destinada a exigir que los desarrolladores de software cumplan con los requisitos que aseguren el acceso y la fácil manipulación por parte de todos los usuarios, y que los creadores de recursos tecnológicos físicos, que puedan ser susceptibles de ser empleados por usuarios con algún hándicap, los implementen asegurando el acceso universal.

Ámbito: Organismos internacionales/Gobiernos nacionales/Organizaciones no gubernamentales
Reto: Apoyo a innovaciones educativas
Acción: Asistencia técnica y financiera a proyectos de innovación educativa -tanto gubernamentales como no gubernamentales- basados en redes internacionales que promuevan los valores vinculados al aprender a vivir juntos, la resolución pacífica de los conflictos y el respeto a la diversidad empleando las TIC.

4. Conclusión

- El vínculo entre tecnologías de la información y la comunicación y la cohesión y la inclusión sociales supone la existencia de adhesión a valores de justicia social. Pero la mera inclusión digital no implica necesariamente la inclusión social.
- La brecha digital se está trasladando desde la desigualdad en el acceso a la desigualdad en el tipo de acceso y en la capacidad de uso.
- Ciertos aprendizajes exigen procesos sistemáticos de enseñanza que son, a su vez, los que permiten aprovechar plenamente las ofertas de educación no formal.

- La estrategia del Diseño para Todos tiene un papel clave en la creación de sociedades inclusivas y, por tanto, debería incorporarse en todos los niveles del proceso de diseño de bienes y servicios.
- La interpretación general sobre a quién ha de ofrecerse formación en accesibilidad y «diseño para todos» es la de que debería proporcionarse a arquitectos, diseñadores e ingenieros (informáticos, entre otros), mientras que debería existir una conciencia generalizada de que la formación en materia de accesibilidad debe ser proporcionada a cualquier persona que participe en la sociedad de la información y, en especial, a los educadores.
- Las investigaciones más relevantes en este campo indican que dotar a los actores del proceso pedagógico de los dispositivos tecnológicos no es suficiente para modificar los modelos pedagógicos. Modificar dichos modelos implica diseñar estrategias integrales y complejas que van más allá de la disponibilidad de recursos y que afectan a patrones culturales, institucionales y curriculares.
- El uso de las TIC en la enseñanza quizás pueda considerarse bastante generalizado hoy en día, pero no así lo que podríamos llamar un buen uso de las TIC en educación, dado que son numerosas las experiencias de implementación de TIC en el aula y para la formación online, pero en la mayoría de los casos no se tienen muy en cuenta los estándares de accesibilidad y usabilidad (lo cual genera nuevas formas de exclusión); ni, por tanto, la personalización (la cual pasa por la necesidad de adaptar contenidos y actividades a las necesidades y preferencias del alumno desde un punto de vista psicoeducativo y funcional).
- Una sociedad justa es aquella donde cada uno es reconocido y tratado como un individuo, pero donde todos y cada uno son protegidos y asumidos en su eventual vulnerabilidad. Desde este punto de vista, la incorporación de las TIC a las acciones educativas abre enormes posibilidades a la atención de la diversidad, tanto de tipo social y cultural como de tipo físico o psicológico.
- Homogeneidad y diversificación curricular no son alternativas excluyentes. Las TIC pueden ser un componente fundamental para el logro de estos objetivos, ya que pueden ser utilizadas para el acceso al patrimonio cultural común, para la mayor conexión con nuestros semejantes y con nuestros diferentes. Nuevamente, cabe expresar que la rentabilidad del uso de las TIC no depende de ellas mismas sino del proyecto educativo y social en el cual se incorporen.
- Se observan tres tendencias importantes: concepto de uso de las TIC universalizado no sólo específico; propuesta de reorientación en el enfoque de la formación en TIC; e incorporación de agentes proveedores de las acciones de alfabetización y acceso a las TIC.

- Una variable por tener en cuenta en la brecha digital es la importancia de incorporar la visión de las mujeres sobre el uso de las TIC en el currículum de las acciones formativas dirigidas a este colectivo.
- Se ha probado con éxito que es posible formar a los profesores para que sean autónomos en cuanto a la creación de contenidos accesibles para todos (véase el proyecto Europeo para América Latina denominado ALTER-NATIVA).
- La desconexión digital no es simplemente un asunto académico o de poca relevancia en las políticas sociales, ya que tecnología y desventajas sociales están relacionadas de forma compleja y actúan reproduciendo la situación de desventaja. La sociedad en general continúa avanzando en la línea que va marcando la sociedad de la información y las personas que están en los márgenes se van quedando cada vez más atrás, más desenganchadas social, económica y digitalmente.
- Hay numerosas experiencias, políticas, iniciativas dirigidas a la alfabetización digital de la sociedad y de los diferentes colectivos, pero existe una evidente falta de conexión y coordinación entre las políticas para promover la inclusión digital llevadas a cabo en los distintos niveles institucionales, lo que dificulta o impide su seguimiento y evaluación y obstaculiza un mejor aprovechamiento de estos recursos, de estas experiencias y del conocimiento generado.
- Desde este punto de vista, los proyectos destinados a promover mayores niveles de inclusión social deben asumir el reto de la complejidad a través de enfoques sistémicos, intersectoriales y a medio y largo plazo. Estos proyectos deberían estar concebidos en el marco de políticas de Estado, que sean elaborados con la participación de todos los actores y que superen los períodos gubernamentales para su ejecución.
- El punto clave es que la sociedad en red ofrece nuevas oportunidades tanto para la inclusión como para la exclusión en la sociedad, en la economía, en la participación política y cultural. Un prerrequisito para la inclusión es el acceso a los dispositivos técnicos, pero el uso y la explotación de las redes también requieren de habilidades y destrezas específicas, alfabetización, información y conocimientos. La satisfacción de estas necesidades de aprendizaje debe ser acompañada por políticas y programas estructurales que permitan crear una sociedad inclusiva.

Referencias documentales

Boticario, J. G. et al. (2012). Accessible Lifelong Learning at Higher Education: Outcomes and Lessons Learned at two Different Pilot Sites in the EU4ALL Project. *Journal of Universal Computer Science*, vol.18, n.1, 62-85.

Brodin, J. (2010). Can ICT Give Children with Disabilities Equal Opportunities in School? *Improving Schools*, vol.13 n.1 99-112.

Brittain, K., Corner, L., Robinson, L. and Bond, J. (2009). Ageing in place and technologies of place: the lived experience of people with dementia in changing social, physical and technological environments. *Sociology of Health & Illness,* vol. 32 n.2 2010 ISSN 0141–9889, pp. 272–287 DOI: 10.1111/j.1467-9566.2009.01203.x

Bunning, K., Heath, B., Minnion, A (Jul 2009). Communication and Empowerment: A Place for Rich and Multiple Media? *Journal of Applied Research in Intellectual Disabilities*, vol.22 n.4, 370-379.

Bure, C. (2005). Digital Inclusion Without Social Inclusion: The consumption of information and communication technologies (ICTs) within homeless subculture in Scotland. *The Journal of Community Informatics,* vol.1, Issue 2, 116-133.

Carr, N. (2011). ¿Qué está haciendo Internet con nuestras mentes? Superficiales. Buenos Aires: Taurus.

Castells, M. (2012). *Redes de indignación y esperanza.* Madrid: Alianza Editorial.

Consejo de Europa (2002) Resolution ResAP (2001)3 Acuerdo Parcial en el Campo de lo Social y de la Salud Pública. Recuperado el 28/04/2014 desde <http://www.ceapat.es/InterPresent1/groups/imserso/documents/binario/im_029652.htm>

Doueuhi, M. (2010). *La gran conversión digital.* Buenos Aires: Fondo de Cultura Económica.

Farell G., Isaacs S. and Trucano M. (eds.) (2007). *Survey of ict AND Education in Africa (vol.2). 53 Country Reports.* Washington DC, InfoDev/World Bank.

Feenberg, A. (2004). *(Re) penser la technique. Vers une technologie démocratique.* París: La Découverte/M.A.U.S.S.

Goh, D. (2010). Laggards No More: Understanding Effective Use of Information and Communication Technologies *West Virginian Women at the Lower End of the Digital Divide.* ProQuest LLC, Ph.D. Dissertation, Indiana University.

Gorard, S., Selwyn, N. (Jan 2008) The Myth of the Silver Surfer. *Adults Learning*, vol.19 n.5, 28-30.

Helsper, E. (2008). *Digital inclusion: an analysis of social disadvantage and the information society.* London, UK: Department for Communities and Local Government, ISBN 9781409806141.

Johnson, S. (2011). *Cultura basura, cerebros privilegiados.* Barcelona: Roca Ed.

Juarez, P. y Avellaneda, N. (2011). Red de Tecnologías para la Inclusión Social. Construyendo conocimiento científico y tecnológico entre Estado, Universidades, Cooperativas de Trabajo y OSC. *XI Congreso Iberoamericano de Extensión Universitaria Integración, Extensión, Docencia e Investigación para la Inclusión y Cohesión Social.* Santa Fe, 22 al 25 de noviembre de 2011.

Koppi, T., Sheard, J., Naghdy, F., Edwards, S.L., Brookes, W. (Dec 2010). Towards a Gender Inclusive Information and Communications Technology Curriculum: A Perspective from Graduates in the Workforce. *Computer Science Education*, vol.20 n.4, 265-282.

Livingstone, S. and Helsper, E. (2007). Gradations in digital inclusion: children, young people and the digital divide. *New media & society*, 9 (4), 671-696. DOI: 10.1177/1461444807080335

Mariño, S.I., Godoy, M. V.; Fernández, M., Fernández Margalot, S, Esquivel, J. y Alderete, R.Y. (Otoño 2012). Las tic en el desarrollo del gob-e. Dos experiencias para la gestión de información. *Question* ,vol.1, n.34.

Niehaves, B., Plattfaut, R., Gorbacheva, E., Vages, P.H. (2010). Analysis of E-Inclusion Projects in Russia, Austria and Switzerland. *Interactive Technology and Smart Education*, vol.7 n.2, 72-84.

Notley, T.M. and Foth, M. (2008). Extending Australia's digital divide policy: an examination of the value of social inclusion and social capital policy frameworks. *Australian Social Policy* 7.

Penteado, M.G. and Skovsmose, O. (Jun 2009). How to Drag with a Worn-Out Mouse? Searching for Social Justice through Collaboration. *Journal of Mathematics Teacher Education*, vol.12 n.3, 217-230.

PISA 2012 Report: Recuperado el 28/04/2014 desde <http://www.oecd.org/pisa/pisaproducts/>

Red ALTER-NATIVA. Educación y tecnología en y para la diversidad. Recuperado el 28/04/2014 desde <http://200.69.103.72:8081/welcome>

Restrepo, E. G., Benavídez, C. & Gutiérrez, H. (2012). The Challenge of Teaching to Create Accessible Learning Objects to Higher Education Lecturers. *Procedia CS*, 14, 371-381.

Rosanvallon, P. y Fittousi, J.P. (1997). *La nueva era de las desigualdades*. Buenos Aires: Ed. Manantial.

Rodríguez, E. (2011). Escuelas abiertas, prevención de la violencia y fomento de la cohesión social en América Latina: Experiencias destacadas y desafíos a encarar. *Texto presentado en la Comisión de Educación del Parlamento Latinoamericano (PARLATINO)*, Ciudad de Panamá, 29 de Noviembre de 2011.

Salinas, A., Sanchez, J. (Nov 2009). Digital Inclusion in Chile: Internet in Rural Schools. *International Journal of Educational Development*, vol.29 n.6, 573-582.

Sennett, R. (2006). *La cultura del nuevo capitalismo*. Barcelona: Anagrama.

Sunkel G., Trucco D. y Espejo A. (2013). *La integración de las tecnologías digitales en las escuelas de América Latina y el Caribe. Una mirada multidimensional*. Santiago de Chile, CEPAL.

Travieso, J. L., Planella, J. (2008). La alfabetización digital como factor de inclusión social: una mirada crítica. *UOC Papers* N.6. UOC. ISSN 1885-1541. Recuperado el 12/04/2014 desde <http://www.uoc.edu/uocpapers/6/dt/esp/travieso_planella.pdf>

UNESCO (2014). *Information and Communication Technology (ICT) in Education in Asia. A comparative analysis of ICT integration and e-readiness in schools across Asia.*

UNESCO (2013). *Information and Communication Technology (ICT) in Education in Five Arab Countries. A comparative analysis of ICT integration and e-readiness in schools in Egipt, Jordan, Oman, Palestine and Qatar.*

United Nations. Convention on the Rights of Persons with Disabilities. (2008) *Enable. Development and human rights for all.* Available on <http://www.un.org/disabilities/default.asp?navid=14&pid=150>

W3C Web Accessibility Initiative (WAI). Available on <http://www.w3.org/WAI/>

EIX 4. MITJANS DE COMUNICACIÓ

Finalment, el quart i darrer eix del FIET entoma la relació que s'estableix entre la tecnologia i els mitjans de comunicació i, com a tal, reflexiona al voltant de les xarxes socials i la participació ciutadana. En aquest sentit, la *Línia 11: Xarxes socials i participació ciutadana*, parteix de la idea que les noves tecnologies i, en particular, les xarxes digitals han canviat la forma com interactuem amb la societat. En aquesta línia de treball, hem intentat respondre dues grans preguntes: com les xarxes digitals reflecteixen la nostra societat i com aquestes xarxes poden ajudar a transformar la manera com interactuem per assolir objectius específics. Per respondre aquestes preguntes, ens hem centrat en estudiar l'impacte de les xarxes socials en tres àmbits molt importants: l'educació i l'aprenentatge, la difusió del coneixement i la participació ciutadana. En cadascun hem intentat esbrinar alguns dels factors clau comuns a les experiències observades, els quals presentem a continuació:

- El fenomen de les xarxes digitals només es pot entendre i només es pot gestionar de manera eficaç des de la capacitat d'administrar les emocions d'aquells que hi participen. Sense la implicació emocional dels participants no es pot aconseguir una experiència exitosa.
- L'estructura social entre les persones defineix el seu patró de connexions. Aquests patrons influeixen en la forma com experimentem el món, ja que part de la nostra experiència depèn principalment de l'estructura de la xarxa on residim.
- Cal entendre quins són els beneficis que aporta la tecnologia en cadascun dels casos específics. Sempre s'ha de pensar primer en quin problema es vol resoldre i després aplicar la tecnologia adequada i no a l'inrevés.

Les xarxes digitals han canviat totalment l'escala en què es produeixen les interaccions. En molts casos l'objectiu és aconseguir una massa crítica de participació molt elevada, desenes de milers de participants, per poder tenir èxit en una tasca que abans no es podia dur a terme atesa la limitació del nombre de participants que la proximitat geogràfica imposava.

A aquest eix, com a document únic, trobem el text *L11. Participació ciutadana i xarxes socials*, per Jordi Duch, Julian Vincens, Andreu Beà Baró, Frederic Guerrero Solé i Joan Ferrés Prats.

L11. Participació ciutadana i xarxes socials

Jordi Duch, Julian Vicens, Andreu Beà Baró,
Frederic Guerrero Solé i Joan Ferrés Prats

El fet d'estar en societat ens permet aprendre a través de la interacció amb altres indivi-dus: observant, escoltant, imitant (Bandura, 1977). La comunicació també juga un paper clau en l'aprenentatge, ens ajuda a comprendre la societat on vivim (Blumer, 1982).

Les noves tecnologies han canviat la forma com interactuem i com ens comuniquem, han aportat nous canals per comunicar-nos, han modificat la forma d'usar els canals tradicionals i han canviat la velocitat en què es produeixen les interaccions. Les noves tecnologies també han canviat la nostra estructura de relacions personals. El que ano-menem la nostra xarxa social s'ha traslladat cap a la xarxa social digital en forma de plataformes i serveis que ens permeten interactuar tant amb els nostres coneguts com desconeguts, amb els quals compartim aficions, interessos o punts de vista.

En aquesta línia de treball ens hem centrat a analitzar quin impacte ha tingut l'apari-ció de les noves tecnologies de la informació i especialment les xarxes socials digitals, en la forma com es genera i es transmet el coneixement en tres àmbits de la societat: en els processos d'aprenentatge, en la participació ciutadana i en les relacions socials. Hem posat l'èmfasi en dos factors clau d'èxit d'aquestes xarxes: la implicació emocio-nal que genera en els seus usuaris i els nous patrons d'interacció que ens proporcionen.

Aquest document l'hem estructurat de la següent forma: en primer lloc, analitzem com la revolució digital es troba estretament lligada a una revolució neurobiològica; a continuació, oferim una visió general de les metodologies que s'usen per estudiar les xarxes socials i la seva relació amb la societat i l'educació; posteriorment, analitzem alguns casos d'èxit, tant nacionals com internacionals, on les xarxes socials digitals han produït un impacte positiu en la forma com s'interacciona per aprendre; i, finalment, estudiem els indicadors, les potencialitats i les necessitats futures per millorar l'ús de les xarxes socials digitals i poder dissenyar experiències eficaces.

1. Revolucions tecnològica i neurobiològica

Les experiències mediàtiques haurien de ser analitzades sempre com a interaccions entre una persona i un mitjà tecnològic, però és més precís considerar-les interaccions entre persones a través de mitjans. Així, s'haurien d'analitzar des de la perspectiva de les possibilitats que ofereixen les tecnologies per interactuar, però també des del vessant de la ment de les persones que hi interactuen i des del seu context social. Només si s'atenen i controlen tots els pols de les interaccions es poden comprendre els efectes de les xarxes i se'n pot extreure tot el profit educatiu, social i cultural. Les ments que interaccionen a través de tecnologies són tant o més importants com les pròpies tecnologies.

A partir d'aquesta premissa, els professionals de l'educació només aconseguirem extreure el màxim profit de les tecnologies si som capaços de confluir la revolució tecnològica i la neurobiològica. Gràcies a la revolució tecnològica, ens podem aprofitar d'un ventall cada vegada més ampli de noves tecnologies i noves pràctiques comunicatives i, gràcies a la neurobiològica, ens podem beneficiar dels canvis substancials que s'han produït durant les darreres dècades en el coneixement de la ment que interacciona a través d'aquestes tecnologies.

Com a educadors és tant perillós deixar-se dur per actituds apocalíptiques envers la tecnologia, com caure en una mena de fetitxisme de la tecnologia. Les tecnologies en si mateixes mai no seran miraculoses. Si de cas, ho poden ser en el moment de la seva aparició, mentre mantinguin la pàtina enlluernadora de la novetat, però no pas a mitjà o a llarg termini. Les tecnologies són instruments en mans de persones i, en conseqüència, la qualitat del seu ús dependrà sempre de la qualitat de les persones que les utilitzen, de la qualitat dels seus interessos i de les seves motivacions.

Si en el treball del FIET es parteix de la convicció que l'educació és el motor del desenvolupament del país i que les tecnologies són una eina extraordinària per potenciar l'eficàcia d'aquest motor, la neurociència ens interpel·la avui amb el descobriment que el cervell emocional és el motor de la ment humana.

És un descobriment clau pel que fa als mecanismes de funcionament del cervell humà (Damasio, 1996 i 2005; LeDoux, 1999; Maturana, 1997 i 1998), només l'emoció mobilitza, el sistema límbic (el cervell emocional) és la central energètica del cervell (Carter, 2002: 54), la raó sense emoció és impotent (Lehrer, 2009: 26), un argument racional només pot mobilitzar una persona si té un component emocional per a aquesta persona, si connecta amb la seva central energètica (Ferrés, 2014: 47), no hi ha res del que jo pensi, raoni o decideixi que no tingui una base emocional. No hi ha raó sense emoció (Mora, 2013: 72). L'emoció ha de ser, doncs, la base de qualsevol iniciativa que pretengui ser mobilitzadora.

D'acord amb aquestes consideracions, el fenomen de les xarxes digitals només es pot entendre i només es pot gestionar de manera eficaç des de la capacitat de gestionar les emocions dels qui hi participen. És per això que estructurem la línia de treball entorn a dos grans eixos:

1. Les emocions a les xarxes digitals, enteses com a mirall social.
2. Les emocions a les xarxes digitals, enteses com a oportunitat per a la transformació social.

1.1.   Emocions i xarxes digitals com a mirall social

Com a fenomen social, les xarxes digitals són un reflex d'allò que resulta significatiu i interessant per al conjunt de la societat. A través de realitats com els *trending topics* es fa palès el que preocupa a la societat en un moment concret.

L'emoció és la base del *trending topic*, perquè només des de l'emoció s'explica que una realitat susciti la participació. Només des de la implicació emocional s'explica que s'alliberi l'energia necessària per a la participació en un determinat debat col·lectiu.

El neurobiòleg alemany Stefan Klein diu que el desig és la gasolina de l'acció (Klein, 2004: 141). Les xarxes digitals ho demostren, ofereixen als ciutadans i ciutadanes l'oportunitat de compartir desigs. Els ciutadans s'hi impliquen només quan el tema en qüestió forma part dels seus desigs o de les seves pors, que són l'altra cara del desig. Per això, el "m'agrada" s'ha convertit en l'eix entorn al qual pivoten xarxes de gran abast, com Facebook.

No es tracta només que fenòmens com el *trending topic*, el "m'agrada" o la participació en fòrums socials siguin indicadors del grau d'interès que susciten unes determinades realitats socials. A més, i sense moure'ns de l'àmbit de les emocions, avui hi ha empreses especialitzades a detectar des de quins estats emocionals subjacents es fan les intervencions a les xarxes digitals, des de la indignació, la ràbia, la complaença... i, en conseqüència, quines actituds s'adopten davant d'aquestes realitats.

Per tot això, no és estrany que alguns investigadors considerin que les xarxes i els fòrums digitals siguin més adients que els grups de discussió o les entrevistes en profunditat com a eines per apropar-se des de la recerca als pensaments i, sobretot, a les actituds d'unes persones o d'uns col·lectius. Són segurament espais més espontanis, més allunyats de les pressions acadèmiques, menys controlats o condicionats per la necessitat de donar una imatge, de plegar-se a les expectatives del qui dirigeix.

1.2. *Emocions i xarxes digitals com a oportunitat per a la transformació social*

Des del punt de vista educatiu, les xarxes digitals no només interessen pel que comporten de mirall social, sinó també i, sobretot, com a eines per incrementar el compromís social, divulgar i fer créixer el coneixement a través del treball col·laboratiu, potenciar la solidaritat, incrementar el nivell cultural, artístic, creatiu...

És evident que aquests nivells de participació comporten unes dosis superiors d'energia i que només se'n pot extreure del cervell emocional. És des de la implicació emocional que es pot garantir un increment quantitatiu i qualitatiu de la participació, tant en l'entorn acadèmic com el social.

En una recent investigació sobre el grau de competència mediàtica de la ciutadania espanyola es va posar de manifest que només utilitzaven les tecnologies per a la millora social aquelles persones que estaven prèviament sensibilitzades, compromeses amb una ONG, per exemple. Això demostra que les tecnologies són una eina extremadament eficaç en tots aquells casos en els quals hi ha la gasolina del desig, de la inquietud.

Quan es fa referència al poder mobilitzador de les xarxes digitals se sol recórrer com a exemples a les primaveres àrabs, al moviment dels indignats o a les reivindicacions dels afectats per les hipoteques. És cert que són moviments que no haurien estat possibles sense unes xarxes tecnològiques que permetessin aglutinar d'una manera gairebé sincrònica una multitud d'inquietuds i de sensibilitats, però també és veritat que aquests moviments de participació ciutadana no haurien estat possibles sense unes actituds prèvies d'indignació, de rebel·lia, de ràbia, és a dir, la gasolina del desig.

Quan es tracta d'aplicar les xarxes digitals a la participació acadèmica o al compromís social la situació no canvia pel que fa a les eines que hi ha disponibles, les tecnologies i les pràctiques comunicatives. El que canvia és que sovint en aquests casos, darrere les tecnologies, els estudiants o els ciutadans no hi posen la gasolina del desig.

Aquest és el repte que se'ns planteja com a educadors i educadores. I també en aquest camp tenim alguns models a disposició: la propaganda viral n'és un de molt significatiu i també ho és la tasca realitzada pel neuromàrketing. En tots dos casos, l'educació i la cerca del compromís social, l'objectiu de la comunicació és convertir en emocionalment competent i, per tant, en mobilitzadora, una realitat que no ho era d'entrada. I sempre es fa recorrent a un altre estímul que sí que és emocionalment competent per al *target* al qual s'adreça la comunicació.

Aprofundir en el disseny d'aquestes estratègies és de capital importància per poder extreure de les xarxes digitals tot el seu potencial i és un dels reptes que ens podem plantejar des d'aquesta línia del FIET.

2. Xarxes, tecnologia, societat i educació

2.1. *Les xarxes socials i la participació ciutadana*

Un dels grans debats en relació amb les xarxes socials electròniques és el seu paper en els moviments socials i la seva influència en la participació ciutadana. En aquest sentit hi trobem posicions controvertides: mentre hi ha qui les veu com un element clau en el desenvolupament de determinats esdeveniments socials, en especial, els moviments revolucionaris del món àrab, els moviments de protesta a Europa i als Estats Units (15-M, #OccupyWallStreet), altres autors minimitzen i trivialitzen el seu impacte i ho consideren com a una obstrucció i un mite creat pels mitjans de comunicació. Sense entrar en detalls d'aquesta qüestió, sí que hem de considerar algunes de les característiques observades tant en les xarxes socials reals com en les electròniques, i que ens poden donar algunes pistes sobre les seves dinàmiques.

En primer lloc, els estudis ens demostren un alt grau de jerarquització entre els diferents usuaris, que redunda en una distribució de la influència seguint una llei de potència o distribució de Pareto (Corominas-Murtra & Solé, 2010). Una altra de les característiques és l'homofília, la tendència dels individus a establir relacions amb altres amb qui comparteixen una sèrie de trets (McPherson et al., 2001). L'homofília és un dels principis bàsics d'organització de les xarxes socials. Finalment, trobem els estudis que confirmen una relació directa entre l'activitat a les xarxes socials i la influència i l'efectivitat dels moviments socials. És evident que l'establiment d'una relació causal entre ambdós fets és un dels grans objectius que persegueix la recerca en xarxes socials, així com la identificació dels factors que poden explicar l'èxit o el fracàs de determinats moviments o accions impulsats des de la xarxa.

Aquestes tres característiques confirmen la importància del factor emocional en les interaccions que es produeixen a les xarxes socials. Aparentment les interaccions que es produeixen en el nou entorn digital són absolutament horitzontals, d'igual a igual. La confirmació de la importància dels líders d'opinió demostra que estan condicionades pels vincles emocionals que s'estableixen amb aquests líders i els que generen reaccions adverses.

L'homofília, per altra banda, demostra que estem condicionats per l'evolució que ha fet possible la supervivència de l'espècie gràcies a un instint de separació de les persones entre *nosaltres* i *ells*, una segregació que avui no sols no és funcional, sinó que és causa de conflictes, però que les persones portem incrustades en el més profund del nostre psiquisme.

Finalment, el fet que l'efectivitat dels moviments socials estigui condicionada pel grau d'activitat o de participació ciutadana demostra que la implicació emocional és un factor clau en l'eficàcia.

2.2. Les xarxes socials com a eines d'aprenentatge

Un altre dels debats al voltant de les xarxes socials és el seu possible ús com a eina d'aprenentatge. En aquest sentit, s'ha de superar el prejudici que les xarxes socials només serveixin per a l'entreteniment i xafarderies, i s'ha de pensar en les seves enormes potencialitats com a eina d'aprenentatge socialitzat.

En els darrers anys hi ha hagut una important producció científica relativa als usos educatius i docents de les xarxes socials més populars, com Facebook i Twitter (Van-Doorn, 2013; Wei; 2013; Reed, 2013; Thoms, 2012; Ranieri, Manca & Fini, 2012), i un debat sobre l'anomenat capital social o intel·ligència col·lectiva. La principal pregunta que es plantegen aquests estudis és com es distribueixen els rols dels estudiants, quina és la dinàmica d'aprenentatge i quins són els resultats de l'aprenentatge a través de xarxes socials en funció de diferents factors com l'edat o el nivell de competència dels estudiants. A tot això, i en la línia proposada en el nostre treball, caldria afegir, també, les qüestions emocionals i cognitives que poden influir en una major motivació i un grau d'implicació més elevat i, en conseqüència, en rendiments diferents dels alumnes.

Una altra de les preguntes que ens proposem és si hi ha diferència en l'adquisició de coneixement a través de les xarxes socials i les classes magistrals tradicionals.

2.3. Xarxes i educació

Hi ha diferències en l'adquisició del coneixement a través de les xarxes socials i a través de la docència tradicional?

Tenint en compte que des de les teories de la comunicació la implicació i la motivació han demostrat ser dos factors fonamentals a l'hora d'adquirir coneixement, i que les noves generacions poden estar més motivades i implicades en un entorn d'aprenentatge no tradicional, és lògic hipotetitzar que els alumnes, o alguns alumnes, poden adquirir un millor coneixement a través d'una forma de docència on les xarxes socials tinguin un paper rellevant.

En aquest sentit, i per tal de resoldre la qüestió de si hi ha una adquisició major de coneixement, podem proposar un mètode d'avaluació dels alumnes que compari els resultats apresos a l'aula i els que han estat a través de les xarxes socials. Una de les possibles propostes seria una forma d'avaluació en què s'observés una diferència estadísticament significativa entre les qualificacions dels estudiants en les preguntes relatives a coneixements obtinguts a través de les xarxes socials i les qualificacions de les preguntes de coneixement adquirit en classes presencials. Si comparem els resultats, podríem veure si el factor xarxes socials pot determinar d'alguna manera l'adquisició del coneixement dels alumnes. Evidentment, també en caldria conèixer alguns factors personals i psicològics (edat, gènere, nivell de motivació en l'ús de xarxes socials, competències, entre altres).

En aquest punt se'ns planteja, doncs, una segona qüestió: són els alumnes que més coneixement adquireixen en les sessions tradicionals els mateixos que més n'adquireixen a través de les xarxes? O hi ha altres factors que ens poden explicar millor la hipotètica diferència dels resultats? Són les dinàmiques de participació i el diàleg diferents dins i fora de l'aula? Aquesta és una qüestió transcendent, perquè a través d'un estudi detallat podem descobrir algunes de les claus emocionals i cognitives que poden donar una explicació a determinats resultats acadèmics.

Més enllà de les qüestions individuals, la docència a través de les xarxes socials ens pot donar una informació de gran valor sobre les interaccions entre els propis estudiants i la dinàmica de generació de coneixement i de construcció de sentit. De la mateixa manera que en els casos citats de la participació ciutadana a través de les xarxes en moviments socials com el 15 M, podem analitzar les dinàmiques d'interacció per descobrir quins són els temes que centren els debats entre els alumnes, de quin coneixement es parteix i quin coneixement en resulta, així com descobrir l'estructura de la xarxa d'interaccions entre els propis alumnes, que pot donar-nos informació sobre els líders d'opinió o el grau d'aïllament de determinats estudiants.

Malgrat que anteriorment hem comentat que la utilització de les tecnologies de la informació està relacionada amb el desig d'aprendre, en aquest cas, hem de tenir en compte que la relació de l'estudiant amb una matèria, un professor, una universitat en el seu conjunt, és una qüestió de gran complexitat. Per tant, cal buscar on es troba la falta de desig. I uns resultats diferents en l'adquisició de coneixement a través de les xarxes, una activitat i la seva implicació diferent, pot ser una manifestació d'aquesta complexa relació i posar al descobert alguns dels factors que expliquen l'èxit o el fracàs de determinats alumnes, més tenint en compte els mètodes d'avaluació, que poden perjudicar un determinat tipus d'alumnes.

Les tecnologies digitals no faciliten només l'emmagatzematge i la transmissió de coneixements. També la seva construcció col·laborativa, que modifica profundament els paràmetres de l'obra d'autoria individual i facilita que es pugui extreure el màxim profit de les potencialitats de la intel·ligència col·lectiva (Lévy, 1994).

Aquest treball col·laboratiu, aquesta construcció compartida de coneixement es fa en un entorn tecnològic que permet la comunicació multimedial, multimodal i hipermedial. El concepte multimèdia fa referència a la concentració de codis en el temps, de manera que a les xarxes que es teixeixen entre les persones s'hi uneixen les dels codis. El concepte multimode fa referència a l'extensió o successió de codis en el temps, atès que cada tipus de codi pot ser especialment pertinent per afrontar un tipus de contingut o per acomplir un tipus de funció didàctica. Finalment, la hipermedialitat s'entén com la suma d'hipertext més multimèdia (Scolari, 2008: 113). L'hipermèdia conté, doncs, la hipertextualitat, la no linealitat en la transmissió de la informació i la multimedialitat o confluència de llenguatges i mitjans (Ferrés, 2014: 93-94).

Més enllà de l'àmbit estricte del coneixement (emmagatzematge, transmissió i construcció de coneixements), el nou entorn digital pot potenciar altres funcions educatives, com augmentar el compromís de millora de l'entorn social o incrementar la sensibilitat artística i la creativitat.

En la base de totes aquestes oportunitats hi tornem a trobar, però, el factor emocional com a requisit i condicionant. Segons el neurobiòleg Joaquín Fuster, catedràtic de la Universitat de Califòrnia Los Àngeles, als EEUU, "està sorgint un moviment de rebuig de l'excessiu informaticisme pedagògic" (Barranco, 2014: 39). I el neurocientífic Ignacio Morgado, catedràtic de la Universitat Autònoma de Barcelona, ho justifica: "Sí, perquè l'ensenyament en qualsevol nivell requereix el cicle percepció-acció amb el mestre, el tutor, el pare, la mare, qui sigui. Acció-reacció contínua. Això no es pot delegar en una màquina. L'ordinador és diferent del cervell (...). A més, un factor importantíssim és la recompensa, l'acceptació que rep l'alumne del mestre, que reforça encara més la necessitat d'adquirir informació. Qui estudia amb una màquina li falta això" (ibídem).

L'eficàcia educativa de les xarxes digitals està condicionada per la capacitat de resoldre el requisit de la motivació, vinculada a la implicació emocional. "Ningú no pot aprendre res, i encara menys de manera abstracta, a menys que allò que hagi d'aprendre el motivi, li digui alguna cosa, posseeixi algun significat que dispari la seva curiositat"

(Mora, 2013a: 74). "Sense plaer difícilment s'aprèn res" (Klein, 2004: 146). "Ensenyar significa emocionar. Només es pot aprendre allò que s'estima" (Mora, 2013b: 72).

2.4. Anàlisi de l'estructura de les xarxes socials digitals

A diferència de les xarxes socials clàssiques, on és gairebé molt difícil de mesurar com, quan i amb qui interactuen les persones, en les xarxes digitals aquesta informació sí que està disponible. No només això, el volum de dades que es registra a partir de les interaccions entre individus en alguns dels sistemes més populars és enorme, en un minut es poden generar milions de piulades al Twitter, entrades al *Facebook* o missatges de *Whatsapp* entre usuaris. La gran majoria d'aquesta informació queda guardada en les bases de dades dels proveïdors dels serveis, en alguns casos de forma oberta per a tothom.

Amb l'objectiu d'entendre els factors clau del funcionament d'aquestes xarxes i les raons rere del seu l'èxit, investigadors de diferents disciplines, des de la sociologia a les matemàtiques, passant per la física, la psicologia o la informàtica, entre altres, s'han dedicat a analitzar aquestes dades per extreure'n les seves característiques particulars.

Dins dels diferents tipus d'anàlisi que es realitzen, en destacarem alguns dels relacionats amb el contingut d'aquesta línia de treball. En primer lloc, per poder estudiar qualsevol tipus de dinàmica social produïda en una xarxa digital, abans cal entendre quina és l'estructura subjacent d'interaccions entre els individus de la xarxa. Diversos estudis han demostrat que, (i) tal i com havia demostrat Milgram en la seva famosa teoria dels sis graus de separació, la distància virtual entre els participants de les xarxes acostuma a ser molt curta (Milgram, 1967 & Watts, 1998), la qual cosa facilita el moviment d'informació entre els seus participants; (ii) els individus tendeixen a formar comunitats dins de les xarxes digitals, els membres de la qual acostumen a estar molt relacionats entre si i molt poc amb altres membres de la comunitat (Girvan, 2002, Arenas, 2004, Danon, 2005), això els permet reforçar la transmissió de coneixement gràcies a la redundància de vincles; (iii) la distribució en nombre de connexions és molt heterogènia, hi ha molts participants amb molt poques connexions i molt pocs participants amb moltíssimes connexions. Aquest fet també juga un paper clau en les dinàmiques del sistema (Barabasi, 1999); i, (iv) les estructures socials subjacents són extremadament dinàmiques i constantment apareixen i desapareixen noves connexions que permeten canviar els patrons de funcionament del sistema (Snijders 2001, Kossinets, 2006 & Castellano, 2009).

Un altre aspecte molt interessant que s'estudia actualment és com la informació i el coneixement es transmet entre els participants d'aquestes xarxes. En aquesta direcció s'han proposat diferents models de difusió basats en el coneixement de l'estructura d'interaccions dels individus i en els seus patrons de comportament (Wu, 2004), s'han estudiat els mecanismes que fan que alguns tòpics tinguin més èxit que d'altres (Kwak, 2010) i s'ha avaluat quina és la influència individual en el procés de difusió, i s'han identificat aquells membres claus en el procés (Cha, 2011 & Bakshy, E, 2011). A nivell particular, hi ha estudis de casos reals, des de com la informació relacionada amb el #15M es difonia a través de la península (Borge-Holthoefer. 2011) fins a com la informació rebuda a través de la xarxa influencia les decisions dels individus (Salganik, 2006).

Aquests són tan sols alguns exemples molt generals del potencial d'estudiar les xarxes socials mitjançant eines de teoria de grafs, computació i sociologia, i que han generat nous camps de recerca com la teoria de xarxes o la ciència social computacional (Lazer, 2009). Els resultats obtinguts han permès veure des d'un nou punt de vista alguns dels trets principals del comportament social, així com identificar aquells elements importants de cadascuna de les xarxes, analitzar les seves dinàmiques o les que s'hi produeixen, els usos que en fan els individus i la societat i, finalment, els resultats i els beneficis que se n'obtenen.

3. Estat de l'art

El fenomen de les xarxes digitals es relativament nou i la seva utilització en els processos educatius es troba en un estadi bastant inicial. Existeixen moltíssimes noves eines per a la creació de comunitats virtuals, de pràctica, d'aprenentatge, però en la majoria de casos tant en el món virtual com en el real, l'eina o l'edifici, tot i que és necessari, no és el factor principal per al bon funcionament d'un centre de formació. Malgrat l'eclosió de xarxes socials digitals basades en les relacions, no totes tenen una funció clara, ni uns objectius clars i definits, que les porten a ser màquines hipereficients a l'hora d'aconseguir els seus objectius.

Existeixen quatre xarxes fonamentals que un usuari d'Internet sol emprar i que estan basades en relacions:

1. Xarxa personal: Facebook (et convido perquè et conec; motivació: estar connectat).
2. Xarxa professional: LinkedIn (et convido perquè he treballat amb tu; motivació: gestió de carrera professional).
3. Xarxa de seguidors: Twitter (et convido per sentir la teva veu; motivació: estar informat).
4. Xarxa empresarial: Yammer (em connecto amb tu perquè treballem al mateix lloc).

Aquestes xarxes ja existents es poden usar amb finalitats per les quals no han estat dissenyades, però alternativament també es poden crear nous tipus de xarxes amb uns altres objectius específics, com educar, compartir o participar socialment en una tasca.

En aquesta secció repassem alguns casos reals d'integració de les xarxes en entorns educatius i en processos de participació ciutadana, per tal d'identificar el valor afegit aportat per la tecnologia en cadascun. En termes generals podem trobar plataformes que permeten crear coneixement i resoldre problemes de manera col·laborativa, xarxes o comunitats creades per a un propòsit concret o xarxes socials digitals de comunicació genèrica que són utilitzades per traslladar un missatge i compartir informació amb un impacte sobre la societat.

3.1. Eines col·laboratives

Un exemple de solució col·laborativa és OpenIDEO, http://openideo.com, (Fuge, 2014), una comunitat online de disseny cooperatiu. La idea és que mitjançant la participació col·laborativa es pugui donar resposta a un *challenge* proposat per OpenIDEO amb el suport d'algun patrocinador. Cada *challenge* consta de diferents etapes: recerca, idees, feedback, refinament, feedback i idees destacades.

- Recerca: Per a cada *challenge* es donen eines, casos d'estudi i exemples que serveixen d'inspiració al col·lectiu per generar noves solucions.
- Idees: El col·lectiu ha de cercar un conjunt d'idees que siguin viables per solucionar el problema que es planteja. Els membres de la comunitat introdueix les solucions i, de manera col·laborativa, es construeixen les idees. Durant aquesta fase, es comenten i valoren de manera positiva les millors idees. El patrocinador n'escull un subconjunt per resoldre el problema proposat.
- Refinament: De manera col·laborativa es milloren les idees seleccionades perquè tinguin un major impacte. Atesos els criteris principals del repte es comenten els conceptes que donen la millor solució i que ajuden a OpenIDEO i al patrocinador a seleccionar les idees finalment guanyadores.

Normalment se seleccionen unes deu solucions basades en les avaluacions de la comunitat i dels patrocinadors. Els membres de la comunitat i els mateixos patrocinadors posen en pràctica les solucions i, a posteriori, es valora el seu impacte real a la societat.

L'impacte que busca aquesta plataforma és a tres nivells:

- Impacte mitjançant la col·laboració de la comunitat: Aconseguir que membres de la comunitat online s'ajuntin per treballar un projecte de canviar la seva comunitat local.

- Impacte mitjançant l'acció individual: La col·laboració de la comunitat fa que els membres, a petita escala, canviïn el seu comportament i tinguin un impacte a gran escala.

- Impacte mitjançant canvis institucionals: Cada *challenge* té el suport d'un patrocinador i les organitzacions pretenen avançar i identificar solucions innovadores per a problemàtiques amb un impacte social. Aquestes institucions representen un canal important per aconseguir aquests objectius.

OpenIDEO s'ha convertit en una eina d'aprenentatge en alguns contextos. La majoria dels membres de la comunitat OpenIDEO són estudiants i educadors d'arreu del món que s'uneixen per donar solucions als *challenges* com a part d'una activitat de classe o de manera extracurricular. Un exemple és el de Wyn Griffiths (Product Design Course Leader a Middlesex University (UK)), el qual va decidir canviar les seves classes de Disseny de Producte per dur a terme amb els seus alumnes treballs mitjançant la plataforma OpenIDEO. Concretament varen participar en el Creative Confidence Challenge (2013), ja que els era un tema accessible. Segons explica W. Griffinths, abans del Challenge, 30 dels seus 100 estudiants tenien confiança creativa, després del Challenge, 86 dels 100 varen contestar afirmativament a aquesta pregunta (OpenIDEO, 2014).

3.2. Comunitats digitals de creació de coneixement

Les comunitats digitals de creació de coneixement són sistemes que permeten als usuaris aportar el seu coneixement a la construcció d'un repositori d'informació compartit per tothom. L'exemple paradigmàtic és la Viquipèdia, tot i que tenim altres exemples que fomenten la participació ciutadana i la interacció entre membres amb inquietuds semblants, com el projecte online d'astronomia Galaxy Zoo, http://www.galaxyzoo.org/, que convida els seus membres a ajudar a classificar al voltant d'un milió de galàxies; o el projecte Folding@home, http://folding.stanford.edu/, que permet estudiar el plegament de proteïnes. Aquesta mena de projectes permet introduir la col·laboració ciutadana en la investigació científica, i, al mateix temps, la ciutadania aprèn sobre preguntes de recerca importants (Hand, 2010).

3.3. Participació i activisme social

Les xarxes socials digitals també s'han transformat en una eina amb un gran potencial mobilitzador de la societat pel que respecta a causes socials. Existeixen centenars d'iniciatives, moltes centrades en portals, com Change.org, https://www.change.org/, gràcies als quals s'ha aconseguit obtenir la massa crítica suficient per canviar algun aspecte de la societat.

Un exemple d'èxit de mobilització social és CHARITY:WATER, https://www.cha-ritywater.org/. Es tracta d'una organització sense ànim de lucre que a través de la seva estratègia de comunicació mitjançant xarxes socials digitals ha aconseguit en 7 anys 100 milions de dòlars de més de 500.000 persones. Utilitzen la seva web per comunicar la importància de la seva causa, produeixen contingut d'alta qualitat que distribueixen per les xarxes socials i difonen informació detallada de l'impacte dels projectes que duen a terme.

Un altre cas d'èxit és el moviment KONY 2012 - Invisible Children, http://invisi-blechildren.com/kony-2012/, el qual va crear un vídeo informatiu sobre la seva posició en relació amb Joseph Kony on demanava justícia per als nens africans convertits en esclaus sexuals i soldats. El vídeo va rebre més d'un milió de visites en menys d'una setmana, 3,7 milions de persones de 185 països varen demanar l'arrest de Joseph Kony i aquesta organització va rebre més de 3,1 milió de "m'agrada" a la xarxa social Facebook.

3.4. Xarxes socials educacionals

Si ens volem centrar en xarxes socials digitals creades específicament amb l'objectiu d'ensenyar i educar, també ens trobem amb exemples d'arreu del món els quals permeten traslladar els mètodes clàssics d'aprenentatge a les xarxes socials.

Un primer exemple d'aquest tipus d'eines és The Math Forum, http://mathforum.org/students/. Es tracta d'una xarxa educacional dissenyada per connectar joves amb interessos en matemàtiques, la qual fomenta la interacció entre estudiants de la mateixa edat i del mateix nivell d'estudis.

Un altre exemple seria StudyBlue, http://www.studyblue.com/, un ecosistema col-laboratiu d'aprenentatge amb més de 4,5 milions d'usuaris. Els estudiants poden connectar amb altres membres que tenen unes necessitats similars i accedir a més de 200 milions de documents compartits pels mateixos usuaris.

Finalment, un tercer exemple de sistema dedicat específicament a l'aprenentatge seria Sophia, http://www.sophia.org/, una comunitat online de professors i alumnes. Aquesta plataforma ofereix més de 37.000 tutorials acadèmics customitzables per a totes les edats, cosa que permet que els usuaris puguin escollir l'estil d'aprenentatge que més s'adeqüi a les seves necessitats.

3.5. Xarxes privades d'aprenentatge

Un cas particular d'una xarxa d'aprenentatge és la xarxa IP. Es tracta d'una petita xarxa d'aprenentatge continu internacional que començà el seu camí a San Antonio

(Texas) l'any 2008. Les seves particulars característiques la fan especialment valuosa per als seus membres:

- Protocols establerts i clars de selecció, confirmació de candidats i d'admissió.
- Símbols intracomunitaris, vocabularis, maneres d'escriure i *netiqueta* particular.
- Sensació de pertinença al grup.
- Normes d'actuació serioses i respectades.
- Vincles previs personals, es fomenta la desvirtualització dels seus membres.

El que hem observat a partir de l'anàlisi d'aquesta xarxa és que quan es donen les condicions anteriors, la xarxa passa a un nivell de maduració, els seus membres s'ajuden de forma espontània i, en pocs minuts, es pot crear coneixement. En aquesta xarxa també hem observat dos comportament socials molt interessants:

- A diari se'ns demostra empíricament que la confiança entre els membres s'hereta. El fet de pertànyer a un club on és difícil entrar-hi i amb uns criteris rigorosos de selecció, fa que els seus membres interaccionin com si es coneguessin de tota la vida, la qual cosa els facilita la transmissió de coneixements.
- El fet de disposar d'un equip animador, un de moderació i un que escriu de forma regular, organitzats en seccions temàtiques, fa que es mantingui la cohesió, i que la resta de grup segueixi els líders de forma natural i quasi espontània.

En l'actualitat la xarxa s'estén de manera no homogènia pels cinc continents i els seus 750 membres aporten a la comunitat una rica i plural visió (en tres idiomes) des de 88 ciutats diferents.

4. Potencialitats i necessitats futures

En els dos capítols anteriors hem vist la importància que agafen les xarxes socials digitals com a eina d'aprenentatge. Tot i així, aquestes xarxes basades en relacions estan encara a les beceroles, el seu impacte serà massiu però encara estan en un estadi bastant primitiu pel que respecta a la seva aplicació a certs camps. El seu factor de transformació és extremadament potent, ja que per primer cop a la història de la humanitat les persones no es relacionen per proximitat geogràfica o familiar, sinó per afinitat cultural i per motius d'aprenentatge.

A continuació, volem repassar els que creiem que són alguns dels reptes més interessants que tenen en comú aquestes xarxes i analitzar quins aspectes s'han de treballar i millorar per maximitzar-ne la seva eficiència:

- Identificar els estadis emocionals pels quals passen els individus en la seva interacció en les xarxes socials digitals. Hem de conèixer què provoca que un usuari comenci a utilitzar un sistema nou, com podem fer que aquest usuari s'impliqui a llarg termini, que participi de forma activa, etc. Això ho veiem possible a partir de la fusió de diferents línies de coneixement que permetin fer un estudi transversal de la relació entre les emocions i el cervell, en l'organització de les xarxes socials digitals i les estratègies d'aprenentatge.

- Estudiar quines són les motivacions que fan augmentar la participació en les xarxes d'aprenentatge. Partim de la motivació per fer ús de les xarxes? És a dir, cal motivació per a l'ús de xarxes per a l'aprenentatge? O bé, són les xarxes les que motiven l'aprenentatge? També hem d'aprendre a utilitzar les eines adequades per augmentar la implicació i la motivació dels participants, com per exemple la gamificació, que ens permetin assolir la massa crítica d'usuaris i garanteixin l'èxit d'algunes activitats.

- Analitzar com es pot realitzar el retorn a la realitat no digital de la participació i l'activitat a les xarxes socials digitals, és a dir, com es pot redirigir tota l'energia que alguns participants posen en l'ús de les xarxes socials digitals cap a activitats fora de línia.

- Definir un entorn segur dins la xarxa. Dels centenars de xarxes diverses que existeixen per a usos educatius, es pot optar per fer servir les que ofereixen més garanties de privadesa i seguretat, sense soroll ni persones alienes al treball que s'hi desenvolupa. Progressivament es pot passar de les més acotades a les més obertes.

- Reduir l'escletxa digital. La fractura o escletxa digital delimita la línia que separa els usuaris competents dels que no ho són. Es pot observar com les fractures són causades per un factor o una combinació de diversos elements d'arrel econòmica, social, idiomàtica, gènere, generacional, religiosa, cultural, paradigmàtica, sociocognitiva... Particularment, caldria augmentar la competència digital de l'ús de les xarxes socials digitals. Gràcies a una bona usabilitat i l'impacte emocional, també podrem augmentar la participació i la identificació.

- Definir una estructura de xarxa on les seves connexions i la distribució de rols siguin els més adients per generar un entorn d'aprenentatge. Entendre quins són els beneficis que aporta la tecnologia en cadascun dels casos específics, és a dir, cal pensar primer en quin problema es vol solucionar i, després, seleccionar la tecnologia adequada, i no viceversa.

- Registrar les dades generades a partir de les interaccions i analitzar-les adequadament. Amb les metodologies i tècniques de l'estudi de xarxes combinades i les últimes tecnologies provinents del món del *big data* podrem saber quins són els patrons d'ús de les xarxes, aprendre més coses dels seus usuaris (sempre respectant-ne la seva privadesa), estudiar l'ús que se'n fa de les eines existents i quin impacte tenen, entre d'altres. Amb tots aquests resultats derivats de l'anàlisi de dades podrem dissenyar experiències personalitzades a les necessitats educatives de cada participant.

5. Conclusions

Les noves tecnologies de la informació i, en particular, les xarxes socials digitals han modificat la forma com interactuem i ens comuniquem. En aquesta línia de treball hem intentat entendre l'impacte que tenen aquests canvis en tres àmbits molt importants de la nostra societat: l'educació i l'aprenentatge, la difusió del coneixement i la participació ciutadana. Ho hem fet intentant respondre a dues grans preguntes: Són les xarxes socials un reflex de la nostra societat? Poden les xarxes socials digitals transformar la forma en què interactuem per aconseguir objectius específics que abans eren inassolibles?

En la nostra anàlisi hem intentat esbrinar alguns dels factors clau comuns a les experiències observades, els quals presentem a continuació:

- El fenomen de les xarxes digitals només es pot entendre i gestionar de manera eficaç des de la capacitat d'administrar les emocions dels qui hi participen. Sense la implicació emocional dels participants no es pot aconseguir una experiència exitosa.
- L'estructura social entre les persones defineix el seu patró de connexions, el qual canvia en cadascuna de les xarxes. Aquests patrons influeixen en la forma com experimentem el món, ja que part de la nostra experiència depèn principalment de l'estructura de la xarxa on residim.
- Cal entendre quins són els beneficis que aporta la tecnologia en cada cas específic. Sempre s'ha de pensar primer en quin problema es vol resoldre i després aplicar la tecnologia adequada, i no viceversa.
- Les xarxes digitals han canviat l'escala en què es produeixen les interaccions. Abans es realitzaven amb desenes de persones i ara poden realitzar-se amb milers simultàniament. En molts casos per assolir un objectiu específic a través d'aquestes eines cal aconseguir una massa crítica de participació molt elevada (desenes de milers de participants).
- Les xarxes socials digitals obren la porta a nous tipus d'experiències que abans no eren possibles atesa la limitació del nombre de participants o la limitació física que la proximitat geogràfica imposava.

Referències documentals

Arenas, A., Danon, L., Diaz-Guilera, A., Gleiser, P. M., & Guimera, R. (2004). *Community analysis in social networks*. The European Physical Journal B-Condensed Matter and Complex Systems, *38*(2), 373-380.

Bandura, A. (1977). *Social Learning Theory*. General Learning Press.

Bakshy, E., Hofman, J. M., Mason, W. A., & Watts, D. J. (2011, February). *Everyone's an influencer: quantifying influence on twitter.* In Proceedings of the fourth ACM international conference on Web search and data mining (pp. 65-74). ACM.

Barabási, A. L., & Albert, R. (1999). *Emergence of scaling in random networks*. Science, *286*(5439), 509-512.

Barranco, J. (2014) *"Al laberint del cervell", a La Vanguardia*, 16 de juny, págs. 38-39.

Blumer, H. (1982). *El Interaccionismo simbólico, perspectiva y método*. Barcelona Hora D.L.

Borge-Holthoefer, et al. (2011). *Structural and dynamical patterns on online social networks: the Spanish May 15th movement as a case study*. PloS one, 6(8), e23883.

Castellano, C., Fortunato, S., & Loreto, V. (2009). *Statistical physics of social dynamics*. Reviews of modern physics, 81(2), 591.

Carter, R. (2002). *El nuevo mapa del cerebro*, RBA Libros, Col. Integral, Barcelona.

Cha, M., Haddadi, H., Benevenuto, F., & Gummadi, P. K. (2010). *Measuring User Influence in Twitter: The Million Follower Fallacy. ICWSM, 10*, 10-17.

Corominas-Murtra, B., & Solé, R. V. (2010). *Universality of Zipf's law*. Physical Review E, 82, 011102.

Danon, L., Diaz-Guilera, A., Duch, J., & Arenas, A. (2005). *Comparing community structure identification*. Journal of Statistical Mechanics: Theory and Experiment, 2005(09), P09008.

Damasio, A.R. (1996). *El error de Descartes. La emoción, la razón y el cerebro humano*, Crítica, Grijalbo Mondadori, S.A., Col. Drakontos, Barcelona.

Damasio, A. (2005). *En busca de Spinoza. Neurobiología de la emoción y los sentimientos*, Crítica, S.L., Barcelona.

Ferrés, J. (2014). *Las pantallas y el cerebro emociona*l. Gedisa, Barcelona.

Fuge, M., Tee, K., Agogino, A., and Maton, N. (2014) *Analysis of Collaborative Design Networks: A Case Study of OpenIDEO*. J. Comput. Inf. Sci. Eng. 14, 021009, paper No: JCISE-13-1285

Girvan, M., & Newman, M. E. (2002). *Community structure in social and biological networks*. Proceedings of the National Academy of Sciences, *99*(12), 7821-7826.

Goh, W. (2013). *Students' behavior and perception of using Facebook as a learning tool*. 8th International Conference on Computer Science & Education, 731 -736

Hand, E. (2010) *Citizen science: People power*, Nature, Vol. 466, No. 7307, pp. 685-687

Jubany, J. (2012). *Aprendizaje social y personalizado: conectarse para aprender.* Colección Sociedad y Red. Barcelona. Editorial UOC.

Klein, S. (2004). *La fórmula de la felicidad*, Ediciones Urano, Barcelona.

Kossinets, G., & Watts, D. J. (2006). *Empirical analysis of an evolving social network.* Science, *311*(5757), 88-90.

Kwak, H., Lee, C., Park, H., & Moon, S. (2010, April). *What is Twitter, a social network or a news media?*. In Proceedings of the 19th international conference on World wide web (pp. 591-600). ACM.

Lazer, D. et al. *Computational social science* (2009). Science, *323*, 721.

Ledoux, J. (1999). *El cerebro emocional*, Editorial Ariel y Editorial Planeta, Col. Documento, Barcelona.

Lévy, P. (1994). *L'Intelligence collective. Pour une anthropologie du cyberespace*, La Découverte, París.

Maturana, H. (1997, 7ª ed.) *Emociones y Lenguaje en Educación y Política*, Dolmen Ediciones, Santiago de Chile.

Maturana, H. y Bloch, S. (1998, 2ª ed.), *Biología del Emocionar y Alba Emoting. Respiración y emoción*, Dolmen Ediciones, Santiago de Chile.

McPherson, M., Smith-Lovin, L., & Cook, J. M. (2001). *Birds of a feather: Homophily in social networks. Annual Review of Sociology*, 27, 415–444.

Milgram, S. (1967). *The small world problem*. Psychology today, *2*(1), 60-67.

Mora, F. (2013a). *Neuroeducación. Sólo se aprende aquello que se ama*. Alianza Editorial, Madrid.

Mora, F. (2013b). *Enseñar significa emocionar*, en La Vanguardia, 11 octubre, pág. 72.

OpenIDEO (2013), 3 Years of OpenIDEO, https://impactbook.openideo.com/docs/ImpactBook%20web.pdf

Scolari, C. (2008). *Hipermediaciones: elementos para una teoría de la comunicación digital interactiva*, Gedisa Editorial, Barcelona.

Snijders, T. A. (2001). *The statistical evaluation of social network dynamics.*Sociological methodology, *31*(1), 361-395.

Ranieri, M., Manca,S., & Fini, A. (2012). *Why (and how) do teachers engage in social networks? An exploratory study of professional use of Facebook and its implications for lifelong learning*. British journal of educational technology, 43(5), 754 -769.

Reed, P. (2013). *Hashtags and retweets: using Twitter to aid Community, Communication and Casual (informal) learning*. Research in Learning Technology, 21.

Salganik, M. J., Dodds, P. S., & Watts, D. J. (2006). *Experimental study of inequality and unpredictability in an artificial cultural market*. Science,*311*(5762), 854-856.

Thoms, B. (2012). *Student Perceptions of Microblogging: Integrating Twitter with Blogging to Support Learning and Interaction. Journal of Information Technology Education*, vol.:11, 179-197.

VanDoorn, G., & Eklund, A. A. (2013). *Face to Facebook: Social Media and the Learning and Teaching Potential of Symmetrical, Synchronous Communication*. Journal of University Teaching and Learning Practice, 10(1), 6.

Watts, D. J., & Strogatz, S. H. (1998). *Collective dynamics of 'small-world' networks.* Nature, *393*(6684), 440-442.

Wu, F., Huberman, B. A., Adamic, L. A., & Tyler, J. R. (2004). *Information flow in social groups*. Physica A: Statistical Mechanics and its Applications, *337*(1), 327-335.

Propostes de futur

Després de presentats els documents de treballs, nacionals i internacionals, i les propostes i línies d'acció de tots els grups que van estar implicats en el desenvolupament del I FIET, creiem que és necessari fer una síntesi de totes aquelles recomanacions i propostes que haurien de tenir-se en compte a Catalunya durant els propers cinc anys. Tot aquest conjunt d'idees prospectives l'hem organitzat en quatre grans àrees tenint en compte els àmbits o agents que poden treballar o incidir sobre la realitat per tal de modificar-la, canviar-la o dissenyar i desenvolupar innovacions. Són propostes, en definitiva, encaminades a garantir un avenç en termes de l'ús de la tecnologia per aconseguir un procés educatiu més eficaç, més eficient i més orientat a la realitat del moment actual.

Com dèiem, hem organitzat totes aquestes conclusions segons quatre grans àrees d'acció, que són les següents:

- **Acció política**, quan les recomanacions van orientades a incidir en el marc general en què es desenvoluparà l'aplicació de les TIC al procés educatiu (entès en sentit general i no només des d'una perspectiva formal) i que sobrepassen les possibilitats d'incidència de les persones o de les institucions.
- **Acció institucional**, quan ens referim a totes aquelles accions que tenen una incidència clara en el disseny, en el desenvolupament i en l'organització de les institucions.
- **Acció docent**, atès que considerem el professorat un dels agents de canvi per excel·lència i sense el qual no tindrem possibilitats d'orientar el procés educatiu i formatiu des de la perspectiva de l'ús de les TIC.

- **Acció ciutadana**, perquè al context actual són les persones, enteses de manera individual, les que organitzen i gestionen el propi procés d'aprenentatge al llarg de la vida. La competència digital i la capacitat d'accedir a entorns tecnològics com a marc per al desenvolupament del seu procés d'aprenentatge (en qualsevol lloc, quan sigui necessari i en el moment que es consideri) dependran, fonamentalment, de cada individu. Més enllà dels processos i de les institucions d'educació formal.

A continuació, a la taula següent presentem un resum d'aquestes recomanacions per al desenvolupament de nous models que incloguin tots els nous agents i tots els nous mediadors de coneixement.

Àrea	Recomanacions
Acció política	Polítiques educatives que vagin més enllà de l'escola Impuls a la qualitat de l'ensenyament Autonomia pedagògica per desenvolupar la innovació Eines digitals per facilitar l'accés a la informació i al coneixement Modificació dels patrons culturals, institucionals i curriculars Codis tecnoètics
Acció institucional	Comprensió del potencial d'aprenentatge de la tecnologia intel·ligent Implicació de tots els actors rellevants en el procés de disseny de nous entorns d'aprenentatge
Àrea *docent*	Millora de la competència dels formadors en la incorporació de les qüestions ètiques Noves metodologies didàctiques que incorporin els recursos tecnològics de manera eficaç i eficient Creació d'un vademècum tecnològic i pedagògic Plans estratègics per a la formació del professorat (tant inicial com continuada) en competència digital Mapa de la innovació educativa
Àrea ciutadana	Ús socialment responsable i compromès de la tecnologia digital Cerca i establiment d'oportunitats per a la construcció creativa de coneixement i promoció del pensament crític Competència digital com a element essencial per viure en una societat digital

Aquestes recomanacions, destil·lades de manera sintètica, són un dels resultats dels grups de treball del I FIET. A continuació, hem mirat de relacionar les àrees en què hem organitzat les recomanacions amb les principals conclusions i orientacions dels grups de treball (com vèiem a la introducció, organitzats en quatre eixos i a partir de les onze línies de treball).

Cada eix inclou les línies que engloba (d'entre les onze que s'han treballat). I, per a cadascun dels tòpics presentats, s'evidencien les relacions amb una o més de les àrees de les recomanacions per poder oferir una visió més gràfica i clara de totes les intervencions i de qui haurà d'entendre-les sota la seva responsabilitat.

Eix 1. Estudi i anàlisi del procés educatiu

L1. Polítiques educatives per al segle XXI

	Política	Institucional	Docent	Ciutadana
Necessitat de desenvolupar una política educativa que vagi més enllà de l'escola	x	x		
Currículum mínim que garanteixi l'equitat i que promogui la qualitat de l'ensenyament.	x	x	x	
Cohesió del desenvolupament professional del docent per la via de la innovació	x	x	x	
Ampliació del focus a la diversitat amb serveis tutorials des d'una perspectiva integradora		x	x	x
Augment de l'autonomia pedagògica dels centres i dels equips docents per desenvolupar la innovació	x	x		

L2. Nous models de construcció del coneixement

	Política	Institucional	Docent	Ciutadana
Nous models de construcció del coneixement impregnats de les noves formes de participació, la interacció, la col·laboració, el compromís i la coconstrucció de les representacions provisionals de la realitat		x	x	x
Estudiants que han d'accedir, integrar, avaluar i gestionar els diferents tipus de coneixement en múltiples contextos, a través de formes d'interacció noves i variades			x	x
Nous agents i mediadors del coneixement	x	x		x
Un nou concepte d'autoritat, redefinit per noves formes d'acció i interacció materialitzades per mitjà de les noves tecnologies	x	x		

L3. Competències clau

	Política	Institucional	Docent	Ciutadana
Conscienciació per part de les institucions del fet que la competència digital és un component central en els informes sobre les competències clau emeses per les diferents agències	x	x		
Competències per a tots els ciutadans, i per a aquells ja nascuts en un món digital			x	x
Reconeixement per part del món educatiu de la importància de la competència digital	x	x		x
Eines digitals requerides per la societat que facilitin l'accés universal a la informació i al coneixement	x	x		x

L4. Nous escenaris d'aprenentatge

	Política	Institucional	Docent	Ciutadana
Comprensió del potencial en termes d'aprenentatge de les tecnologies intel·ligents als entorns d'aprenentatge	x	x	x	x
Comprensió del potencial dels entorns d'aprenentatge emergents	x	x	x	x
Generació d'oportunitats per a la construcció creativa del coneixement i per al pensament crític	x	x	x	
Comprensió de la manera com l'alumnat aprèn en entorns informals d'aprenentatge enriquits amb informació	x	x	x	
Implicació de tots els actors clau en el disseny de nous entorns d'aprenentatge	x	x	x	x
Exploració dels entorns d'aprenentatge generats pels usuaris	x	x	x	x

L5. Formació de formadors

	Política	Institucional	Docent	Ciutadana
Generació d'un mapa de la innovació educativa a Catalunya	x			
Disseny d'un procés de formació per a docents i per a l'alumnat		x	x	
Impuls de les metodologies didàctiques adaptades a l'ús dels recursos digitals		x	x	
Visió general: empresa, escola i tecnologia	x	x		
Creació d'un vademècum tecnològic i pedagògic	x	x	x	

Eix 2. Processos d'integració i transferència
L6. Ciència, tecnologia i innovació

	Política	Institucional	Docent	Ciutadana
Noves estratègies de formació docent per a una nova generació d'innovadors/emprenedors	x	x		
Metodologies, mètriques i indicadors per a l'avaluació de l'efectivitat de la implementació d'estratègies i programes pilot	x	x		
Diàleg permanent entre ciència i societat	x	x	x	x

L7. Educació, cultura i tecnologia

	Política	Institucional	Docent	Ciutadana
Adopció d'estratègies de recerca amb contingut obert, amb dades obertes	x	x		
Accessibilitat i connectivitat	x			
Digitalització dels béns culturals per garantir l'accés a la cultura	x	x	x	x
Desenvolupament de polítiques que incloguin la inclusió i la participació	x	x		
Implementació de polítiques que garanteixin els drets de propietat intel·lectual en un món obert	x	x		

L8. Ciutats intel·ligents

	Política	Institucional	Docent	Ciutadana
Creacio d'espais transformatius per a l'emergència de talent	x	x		x
Definició de les funcions i del perfil de les ciutats intel·ligents com a recursos educatius	x	x	x	x
Accés universal i lliure a Internet i als recursos d'Internet	x			
Augment de l'ús dels espais de la ciutat com a espais d'aprenentatge per mitjà de l'ús de la tecnologia, com la realitat augmentada, els codis QR, etc.	x	x	x	x

Eix 3. Ús responsable de la Tecnologia
L9. Ètica i Tecnologia

	Política	Institucional	Docent	Ciutadana
Diàleg compartit entre tots els agents implicats	x	x	x	x
Desenvolupament d'un Codi de Tecnoètica	x	x	x	x
Ús socialment responsable de les tecnologies digitals			x	x
Identificació de bones pràctiques dintre del sistema educatiu, i fora d'ell, en relació amb l'ús responsable, segur i crític de la tecnologia digital		x	x	
Assegurament de la competència dels docents quant a la incorporació de les qüestions ètiques	x	x	x	x

L10. Inclusió i cohesió social

	Política	Institucional	Docent	Ciutadana
Generalització de l'aconseguiment dels objectius de la inclusió i la cohesió socials	x	x	x	x
Modificació dels patrons culturals, institucionals i curriculars	x	x		
Avançament en equitat	x	x	x	x
Promoció dels enfocaments sistèmics en equitat i inclusió	x	x	x	x

Eix 4. Mitjans de comunicació
L11. Participació ciutadana i xarxes socials

	Política	Institucional	Docent	Ciutadana
Implicació de la ciutadania en la generació i en l'intercanvi de noves idees i foment de la participació en la presa de decisions polítiques	x	x	x	x
Identificació i gestió dels estats emocionals				x
Enteniment de les xarxes socials com a entorns d'aprenentatge i com a eines per a la participació social			x	x
Anàlisi de les interaccions i del paper dels participants en una xarxa, i identificació de l'òptima organització i de les característiques d'una xarxa dissenyada per a una tasca específica	x	x	x	x

Per finalitzar, volem tornar a insistir en la necessitat d'assumir, des de tots els àmbits, que vivim en un món on la tecnologia té un paper cada vegada més gran i on la digitalització de tots els àmbits de la vida és ja una realitat. No assumir que aquest és el context on ens hem de desenvolupar com a persones i com a professionals implica tenir consciència de les nostres responsabilitats com a professionals i com a ciutadans. Aquesta consciència, però, no tindrà cap possibilitat d'evolucionar si els poders públics i les administracions no assumeixen la responsabilitat que els correspon quant a la necessitat d'impulsar polítiques públiques, i quant a la importància de dotar-les del conseqüent finançament, a fi de garantir l'accessibilitat universal als recursos TIC; o, el que és el mateix, l'accés a la informació, a les eines i a les estratègies per a la construcció permanent de coneixement. Això assegurarà, en definitiva, el camí de la ciutadania cap a l'aprenentatge al llarg de la vida de manera ininterrompuda. I aquesta és una exigència sense la qual ningú podrà desenvolupar-se com a ciutadà del segle xxi i difícilment podrà accedir a un espai professional de qualitat.

Després de quasi un any de treball per part de 98 professionals de reconegut prestigi, provinents de 64 institucions i de 16 països d'arreu del món, queda palesa la necessitat d'abordar l'ús de les TIC en els processos educatius ultrapassant els espais de l'escola formal i conferint als espais públics i als mitjans de comunicació un paper fonamental. Aquest paper ens porta ja a la reconfiguració del sistema escolar des de la perspectiva del subjecte, entès com a gestor del seu propi procés d'aprenentatge i com a individu

411

responsable que pot desenvolupar el propi procés de construcció del coneixement al seu entorn personal. A la vegada, aquest entorn ha de tenir garantides l'accessibilitat a les TIC i la possibilitat de convertir qualsevol espai vital en un espai d'aprenentatge. En definitiva, aquest creiem que és el veritable repte dels poders públics i la veritable aposta de futur de les institucions tant públiques com privades, des d'un punt de vista col·lectiu, i la responsabilitat de la ciutadania a l'hora d'exigir-ho als governants.

Equips de treball

Coordinació:

Mercè Gisbert Cervera. Grup de recerca ARGET, URV.

Membres:

Dra. Mar Camacho, Grup de recerca ARGET. URV

Dr. Jose Cela, Grup de recerca ARGET. URV

Dra. Janaina M. de Oliveira, Grup de recerca ARGET. URV

Dr. Jordi Duch, Grup de recerca ALEPHSYS. URV

Dr. Francesc Esteve, Grup de recerca ARGET. URV

Dra. Vanessa Esteve, Grup de recerca ARGET. URV

Dra. Eliana Gallardo, Grup de recerca ARGET. URV

Dr. Juan González, Grup de recerca ARGET. URV

Dr. Josep Holgado, Grup de recerca ARGET. URV

Dr. Jose Luis Lázaro, Grup de recerca ARGET. URV

Sr. Javier Legarreta, SRE. URV

Dr. Luis Marqués, Grup de recerca ARGET. URV

Sr. Ramón Martí, UPCnet

Dr. Ramón Palau, Grup de recerca ARGET. URV

Dr. Robert Rallo, Grup de recerca BIOCENIT. URV

Sr. Julià Vicens, Grup de recerca ARGET. URV

Secretaria Tècnica. Fundació URV:

Sra. Charo Romano

Sra. Raquel Rabassa

Sra. Gemma Sánchez

Grupo Catalunya:	*Grupo internacional:*
Dr. Joaquín Gairín, Universidad Autónoma de Barcelona	Dr. Francesc Pedrò, UNESCO, Francia
Dr. Marta Marimon, Universidad de Vic	Dr. Jabari Mahiri, University of California, Berkely, USA
Dr. Antonio Bartolomé, Universidad de Barcelona	Dr. Mark Bullen, Commonwealth of Learning, Canadá
Dr. Miquel Angel Prats, Universidad Ramon Llull	Dr. Karl Steffens, Universitat zu Köln, Alemania
Dr. Robert Rallo, Universidad Rovira y Virgili	Dr. Pedro Hepp, Tecnología, Integración y Desarrollo, Chile
Dr. Mercè Gisbert, Universidad Rovira y Virgili	Dr. Pere Estupinyà, Massachusetts Institute of Technology, USA
Dr. Albert Sangrà, Universidad Abierta de Cataluña	Dr. Francesc Giralt, Universidad Rovira i Virgili, España
Dr. Xavier Carrera, Universidad de Lleida	Dr. Don Olcott, University of Maryland College, USA
Dra. Meritxell Estebanell, Universidad de Girona	Dr. Juan Carlos Tedesco, Instituto Internacional de Planificación de la Educación en Buenos Aires, Argentina
Dr. Joan Ferrés, Universidad Pompeu Fabra	Dr. Andreu Veà, Internet Society, USA
Dr. Frederic Guerrero-Solé, Universidad Pompeu Fabra	Sra. Cristina Yañez de Aldecoa, Universidad de Andorra, Andorra

Experts

Jordi Adell, UJI	Joan Ferrés, UPF	Francesc Pedró, UNESCO
Carmen Alba, CCA	Jaume Figa, UIC	Ismael Peña, UOC
Pere Arcas, GenCat	Joaquim Fonoll, GenCat	Pedro Pernías, UA
Ramon Arnó, Sagaris Consultora	Francesc Giralt, URV	Valentí Puig, CoNCA
Joan Badia, Gencat	Mariona Granè, UB	Yves Punie, IPTS
Brenda Bannan, GMU	Meghan Groome, NYAS	Víctor Puntes, ICN
Elena Barberà, UOC	Vicente Guallart, Ajuntament de Barcelona	Emanuele Rapetti, UPMilano
Mark Bullen, Commonwealth of Learning	Frederic Guerrero-Solé, UPF	Jordi Riera, URL

Paco Calviño, UPC

Victòria Camps, UAB

Eugènia Carmona, Mossos d'Esquadra

Linda Castañeda, UMu

Santiago Castellà, URV

Cristóbal Cobo, UO

Cèsar Coll, UB

Julian Cristia, IADB

Xavier Cubeles, FCM

Barney Dalgarno, CSU

Carlos Delgado Kloos, UC3

Josep M. Duart, UOC

Jordi Escoin, GenCat

Ana Ferreras, NAS

Emmanuelle Gutiérrez, F. Sidar

Jan Hylén, OCDE

Maria Carme Jiménez, IRMU

Larry Johnson, NMC

Jordi Jubany, GenCat

Virginia Larraz, UDA

Ernesto Laval, UF

Jabari Mahiri, University ok California, Berkeley

Miquel Martínez, UB

Carles Monereo, UAB

Alexandra Okada, TOU

Renato Opertti, UNESCO

Joanna Parkin, CE

Axel Rivas, CIPPEC

Michael M. Roberts, ICANN

Enric Roca, UAB

Ferran Ruiz, GenCat

Israel Ruiz, MIT

Álvaro Salinas, UPCC

Jesús Salinas, UIB

Jaume Sarramona, UAB

Martin Schmalzried, COFACE

Jaume Trilla, UB

Andreu Veà, IS

Jordi Vivancos, GenCat

Ronda Zelezny-Green, M-Schools GSMA